Cães educados, donos felizes

CIP-BRASIL. CATALOGAÇÃO NA FONTE
SINDICATO NACIONAL DOS EDITORES DE LIVROS, RJ

M59c
6ª ed.

Millan, Cesar
    Cães educados, donos felizes : use os segredos do Encantador
de cães para transformar seu cão e sua vida / Cesar Millan; com
Melissa Jo Peltier ; tradução Carolina Caires Coelho. – 6ª ed. –
Campinas, SP : Verus, 2010.

Apêndice
Inclui bibliografia
ISBN 978-85-7686-038-9

    1. Cão - Comportamento. 2. Cão - Adestramento.
3. Comunicação homem-animal. I. Peltier, Melissa Jo. II. Título.

08-2834   CDD: 636.70887
                                                     CDU: 636.76

CESAR MILLAN

COM MELISSA JO PELTIER

CÃES EDUCADOS, DONOS FELIZES

Use os segredos do *Encantador de cães*
para transformar seu cão e sua vida

6ª edição

Tradução
Carolina Caires Coelho

VERUS
editora

Título original
Be the Pack Leader
Use Cesar's Way to Transform Your Dog and Your Life

Editora
Raïssa Castro

Coordenadora editorial
Ana Paula Gomes

Copidesque
Ana Paula Gomes

Revisão
Anna Carolina G. de Souza

Projeto gráfico
André S. Tavares da Silva

Foto da capa
Alan Weissman

VERUS EDITORA LTDA.
Rua Benedicto Aristides Ribeiro, 55
Jd. Santa Genebra II - 13084-753
Campinas/SP - Brasil
Fone/Fax: (19) 3249-0001
verus@veruseditora.com.br
www.veruseditora.com.br

Dedicado à minha esposa, Ilusion,
inspiração e fonte da minha liderança

e

A você, leitor, pois acredito verdadeiramente que,
se podemos mudar nossa vida e nos tornar líderes de matilha
melhores para nossos cães, nossa família e para nós mesmos,
então, juntos, podemos mudar o mundo.

Esta é a Lei da Selva – tão antiga e
verdadeira quanto o céu;
E o Lobo que a seguir prosperará, mas o
Lobo que a desobedecer morrerá.
Como a trepadeira que envolve o tronco
da árvore, a Lei corre por todos os lados
Pois a força da Alcatéia é o Lobo, e a
força do Lobo é a Alcatéia.

– *Rudyard Kipling*, "A lei da selva"

AGRADECIMENTOS

Em meu último livro, *O encantador de cães*, agradeci a minha família, a meus modelos de conduta e a todas as pessoas que me ajudaram nesta maravilhosa jornada, por meio da qual me tornei o "Encantador de Cães". É claro que sempre me lembro desses indivíduos, e sem eles aquele meu livro não teria existido. No entanto, neste livro, quero agradecer a todas as mulheres, e ao poder especial que elas têm – mesmo que não o percebam. Eu me preocupo com o fato de meus filhos estarem crescendo em um mundo muito instável, um mundo que vai precisar de líderes de matilha realmente bons para ser consertado. Acredito que as mulheres têm a chave para colocar o mundo de volta no lugar. Mas elas não podem fazer isso até que os homens reconheçam e honrem a sabedoria única e a liderança que elas têm a oferecer – e até que elas mesmas consigam aceitar a líder de matilha que existe dentro de cada uma. Mais que a maioria dos homens, muitas mulheres parecem saber, instintivamente, que liderança não significa energia negativa. Não significa colocar uma pessoa contra outra, um país contra outro, uma religião contra outra. Também acredito que as mulheres têm uma tendência maior que os homens a agir em prol do bem da matilha. E, assim como os cães, nós, seres humanos, temos que lembrar que sem a matilha não somos nada. Ao longo da minha vida, tenho percebido que as mulheres têm mais compaixão que os homens. Elas me ensinaram a verdadeira liderança calma e assertiva, e por causa delas me tornei um líder melhor e mais equilibrado em todas as áreas da minha vida, não apenas com os cães.

Os cães giram em torno da matilha. Eles são guiados por uma maneira instintiva de ser que os seres humanos podem conhecer se simplesmente disserem: "Estou aqui para viver todos os momentos ao máximo, para ter uma vida plena e ajudar a tornar plena a vida das pessoas ao meu redor". Tenho uma grande dívida de gratidão com os cães, pelos valores que eles me ensinaram – honestidade, integridade, coerência e lealdade. São essas as qualidades que compõem um verdadeiro líder de matilha.

Minha co-autora e eu também gostaríamos de agradecer:

A Scott Miller, nosso agente literário da Trident Media – você é um modelo de elegância. Na Random House, a Shaye Areheart, Julia Pastore, Kira Stevens e Tara Gilbride – temos muita sorte em trabalhar com vocês novamente. A Laureen Ong, John Ford, Michael Cascio, Char Serwa e Mike Beller, do National Geographic Channel – estamos orgulhosos por começar nossa quarta temporada na emissora. E ao excelente departamento de publicidade do Nat Geo – sob a supervisão de Russell Howard –, que se superou mais uma vez, principalmente Chris Albert, que tem estado ao nosso lado em todos os altos e baixos e ainda assim consegue continuar sorrindo. Na MPH, agradecemos a Bonnie Peterson, George Gomez, Nicholas Ellingsworth, Todd Carney e Christine Lochmann pela ajuda na compilação dos gráficos, e a Heather Mitchell, pela pesquisa e confirmação de dados. Agradecimentos especiais a Alice Clearman, Ph.D., e a Charles Rinhimer, médico-veterinário, pela incalculável maestria e pelas informações valiosas, e a Tom Rubin, pela assistência jurídica. Clint Rowe, foi uma grande honra trabalhar com você e com Wilshire, e somos muito gratos por sua sabedoria e sua intuição. Agradecemos também às produtoras Kay Sumner e Sheila Emery, e a SueAnn Fincke, que *é* o programa *Dog Whisperer*. E, é claro, agradecimentos infinitos à equipe e aos editores dedicados de *Dog Whisperer*.

Melissa Jo Peltier deseja agradecer:

A Jim Milio e a Mark Hufnail – a estrada tem sido longa e cansativa, mas aqui estamos! Sim, vocês realmente *são* os dois melhores sócios do universo.

Como sempre, agradeço ao meu pai, Ed Peltier, e ao meu incrível grupo de amigos (em Manhattan e em Nyack), principalmente Tamara, Gail, Everett e, mais importante, Victoria A. A minha linda enteada, Caitlin Gray, que sempre me faz sorrir, mesmo quando estou estressada.

E ao meu maravilhoso marido, John Gray, por ser meu porto seguro em todas as tempestades, além de meu eterno parceiro em nossa Festa Móvel.

Por fim, e também muito importante, a Ilusion Millan, pela generosidade de espírito, e a Cesar – que você seja abençoado por ter mudado a minha vida e ajudado a me tornar uma líder de matilha mais equilibrada, estável, calma e assertiva para os animais e os seres humanos da minha vida.

SUMÁRIO

O último ano foi empolgante e um pouco cansativo para mim, minha família e as pessoas com as quais trabalho. Tivemos programas de televisão para gravar, seminários para ministrar e mais cães – e pessoas – para ajudar. Todos nós temos recebido muitas bênçãos. Mas entre meu primeiro livro, *O encantador de cães*, e este, minhas companhias caninas continuaram a me ensinar novas lições sobre o comportamento dos cães – e também sobre o comportamento humano. Ao longo do último ano, pude lidar com novos tipos de casos e aprendi muitas coisas. Realizei mais pesquisas científicas e comportamentais, uni forças com pessoas que preferem outros métodos de auxílio aos cães e aprendi suas técnicas. Tudo isso aprofundou e melhorou meus conhecimentos. Também levei em consideração algumas críticas que recebi a respeito do primeiro livro. Alguns leitores queriam mais estudos de caso; outros desejavam ler sobre instruções mais práticas, passo a passo. Esse último pedido é o mais difícil de atender, já que *eu não sou treinador de cães*. Para treinar seu animal a sentar, ficar parado ou rolar, existe uma série muito específica de passos a ser cumprida. Para reabilitar um cão desequilibrado, eu quase sempre trabalho com o animal à minha frente seguindo a intuição, e minha fórmula essencial de exercícios, disciplina e carinho, nessa ordem, continua sendo a estrutura do meu método. Isso posto, oferecemos dicas práticas e fáceis de lembrar ao longo deste livro, e acrescentamos uma seção completa e de fácil consulta no final da obra, com sugestões de passo a passo para situações bastante específicas.

Também acrescentamos algumas incríveis histórias reais de sucesso ao longo do texto – muitas das quais eu só conheci quando meu programa se tornou mais popular. Recebemos, literalmente, milhares de cartas a cada mês, e as histórias são verdadeiramente extraordinárias, o que me faz lembrar de ser grato pelo fato de nosso trabalho chegar a tantas pessoas. Foram essas cartas que inspiraram a promessa do subtítulo deste livro – de que você vai ser capaz de usar os segredos do encantador de cães para transformar seu cão *e* sua vida. De fato, muitas pessoas que começaram a usar o poder da energia calma e assertiva para ajudar a melhorar seus relacionamentos com os cães têm dito que suas relações humanas – com os filhos, chefes e cônjuges – também estão se tornando mais maleáveis.

O objetivo deste livro é ajudá-lo a fortalecer o elo entre você e seu cão, mas espero que ele também mostre como os seres humanos e os cães são próximos – e quanto nossos animais têm a nos ensinar. A idéia do "poder da matilha" não se aplica apenas aos cachorros. Ela pode ser aplicada a outra espécie de animal gregário, cujo destino se entrelaçou ao dos cães há dezenas de milhares de anos. Essa espécie é o *Homo sapiens*.

Após a leitura de *Cães educados, donos felizes*, eu sinceramente espero que você sinta com mais força a ligação entre você e a Mãe Natureza e que aprenda a entrar em sintonia com seu lado instintivo. Meu objetivo é que você use o poder da energia calma e assertiva para se tornar o líder da matilha em todas as áreas da sua vida, e que uma nova dimensão de vida, nunca antes imaginada, se abra à sua frente.

ESPELHO, ESPELHO MEU?

O dinheiro pode comprar um belo cão,
mas não o balançar de sua cauda.

– *Josh Billings*

Koyaanisqatsi é um termo da língua dos índios hopis que pode ser traduzido como "vida sem equilíbrio". Aprendi isso quando assisti ao documentário *Koyaanisqatsi: uma vida fora de equilíbrio*, de 1982, dirigido por Godfrey Reggio, que mostra, sem nenhuma fala, uma série de imagens fortes editadas de acordo com a música de Philip Glass, refletindo o impacto dos seres humanos e da tecnologia no planeta. O significado, é claro, é que o advento da tecnologia colocou a Terra fora dos eixos.

Não se preocupe, este não é um livro sobre o meio ambiente. É uma obra sobre a conexão entre cães e pessoas. Mas o termo *Koyaanisqatsi* tem um significado especial para mim, porque, de certo modo, grande parte deste livro é sobre como nós, seres humanos, estamos vivendo uma vida desequilibrada. Estamos em via de perder nosso lado instintivo, que nos torna animais em primeiro lugar e seres humanos em segundo. E instinto é o mesmo que bom senso.

Acredito que um ser humano saudável deve ter equilíbrio em quatro áreas de sua vida. Em primeiro lugar, no aspecto intelectual. Esse é o lado de nossa natureza que a maioria dos ocidentais controla muito bem. Somos mestres da razão e da lógica. No ocidente, o estilo de vida de grande parte das pessoas é muito intelectual. Nós nos comunicamos quase que exclusivamente por meio da linguagem. Enviamos mensagens de texto pela Internet e pelo celular, lemos, vemos televisão. Temos muito conhecimento e mais informação do que nunca ao nosso alcance, e isso faz com que alguns de nós vivam quase 100% em função da mente. Remoemos o passado e sonhamos com o futuro. Com freqüência nos tornamos tão dependentes de nosso lado intelectual que esquecemos que existe muito mais coisas neste mundo maravilhoso em que vivemos.

Em seguida vem o lado emocional. Tendo sido criado no México, aprendi que apenas as mulheres podiam ter sentimentos. Lá, são elas que carregam todo o fardo emocional, e o mesmo ocorre em muitos outros países de terceiro mundo. Meu pai me ensinou que chorar era coisa de fracos, de maricas. Na minha cultura, os homens são ensinados, desde muito cedo, a reprimir os sentimentos e escondê-los sob a pose de durões. Logo estamos tão distanciados de nossas emoções que nem sequer as reconhecemos quando elas vêm à tona. Quando fui para os Estados Unidos, vi que, em comparação ao que eu aprendera no México, todos pareciam livres para demonstrar seus sentimentos – até mesmo os homens. Eu via o dr. Phil dizer a eles que não havia problemas em chorar, e pedir que lhe contassem o que estavam sentindo. "O quê?", eu me surpreendia. "Como eles podem saber o que estão sentindo?" Perceba como eu estava confuso em relação às emoções. Quando me casei, tive que correr atrás do prejuízo e aprender a me comunicar, a utilizar meu lado emocional. Até que eu fosse capaz de acessar minhas emoções, não consegui me tornar verdadeiramente equilibrado. Acredito que países como o México nunca poderão ser sociedades saudáveis se não aprenderem a importância das emoções – e o valor das mulheres e das crianças, que é onde reside a maior parte do poder emocional do mundo atualmente.

Outro aspecto do ser humano é o lado espiritual. Muitos de nós satisfazemos nossas necessidades espirituais freqüentando a igreja, a sinagoga, a mesquita ou o templo, ou participando de outras formas de meditação ou reverência. Geralmente é um refúgio de paz, onde podemos entrar em sintonia com uma parte de nós mesmos mais profunda do que o lado mundano, que levanta, lê o jornal e sai para trabalhar todas as manhãs. Mas realização espiritual não tem que, necessariamente, significar crença em uma religião ou descrença na ciência. Segundo o falecido astrônomo Carl Sagan, "A ciência não apenas é compatível com a espiritualidade como é uma fonte profunda de espiritualidade". Esta pode assumir muitas formas, mas uma coisa é sabida: ela é uma parte profundamente enraizada do ser humano, que existe desde o início da civilização. Independentemente de acreditarmos em uma força invisível e todo-poderosa, ou na maravilha da ciência e do universo, ou simplesmente na beleza do espírito humano, quase todos nós sentimos o desejo interior de fazer parte de algo maior que nós mesmos.

Por fim, existe o lado instintivo da natureza humana. Ser instintivo significa estar lúcido, aberto e consciente dos sinais que recebemos o tempo todo de outras pessoas, dos animais e de nosso ambiente. Significa compreender nossa ligação com nosso eu natural e com o mundo natural e reconhecer nossa interdependência com esse mundo. Passei a maior parte da minha infância em um país de terceiro mundo, em um ambiente rural, no qual precisávamos estar em sintonia com a Mãe Natureza para nossa própria sobrevivência. Quando minha família se mudou para a cidade, comecei a sentir uma barreira entre meu eu instintivo e a vida civilizada que agora eu tinha que viver. E, quando me mudei para o sul da Califórnia, percebi outra camada de vivência intelectual e "racional", que separava ainda mais as pessoas de seu lado instintivo.

Os seres humanos seguem líderes intelectuais. Também seguem líderes espirituais e emocionais. Somos a única espécie da Terra capaz de seguir um líder totalmente instável e desequilibrado. Os animais, no entanto – apesar de eu acreditar que eles possuem um lado emocional e espiritual –, seguem *apenas* líderes instintivos. *Acredito que é a perda de conexão com nosso lado instintivo que nos impede de ser líderes de matilha eficazes para nossos cães.* Talvez também seja por isso que estamos falhando em nosso papel de guardiães de nosso planeta.

Se não estamos em contato com nosso lado instintivo, estamos perigosamente desequilibrados. A maioria de nós provavelmente não percebe isso. Mas acredite: nossos cães percebem; não podemos enganá-los de jeito nenhum. E, toda vez que meus clientes me contratam para "consertar" comportamentos instáveis de seus cães, significa que os animais estão soando o alarme para que nos voltemos para o nosso lado instintivo e alcancemos o equilíbrio. Essa estabilidade vem quando temos todas as partes – intelectual, emocional, espiritual e instintiva – alinhadas. Apenas com o equilíbrio podemos nos tornar criaturas da Mãe Natureza completamente realizadas.

A boa notícia é que nosso eu instintivo existe dentro de nós, à espera de ser redescoberto. E nossos melhores amigos e companheiros – os cães – podem ser nossos guias para despertarmos nossa natureza instintiva. Neste livro, eu o convido a aprender a levar uma vida verdadeiramente equilibrada com aqueles que já aprenderam essa lição com seus cães. Nossos cachorros são nossos espelhos – mas ousamos olhar nos olhos deles e realmente enxergar nosso reflexo?

O magnata

Eu estava em Nova York com minha esposa e meus filhos para participar da festa do quinto aniversário do National Geographic Channel, quando recebi um telefonema de uma ex-cliente. Ela havia indicado meus serviços a um amigo, um magnata muito poderoso.* Ele queria me ver logo, pois, de acordo com suas palavras, "Meus cães estão prestes a se matar". Quando ele me disse o valor que pretendia pagar pelos meus serviços, tenho que admitir que quase desmaiei. Apesar de o dinheiro ser muito tentador, não foi apenas por isso que aceitei. Eu estava desesperadamente curioso. O que faria um homem tão rico e influente querer gastar aquela quantia toda com um "especialista em comportamento canino" que ele não conhecia, apenas para ajudar dois cães? E como era possível que um homem que claramente era um "líder de matilha" bem-sucedido em sua vida deixasse seus cães sem controle daquela forma?

Quando cheguei à cobertura do magnata, fiquei encantado com o pé-direito alto, o piso de mármore e as caríssimas obras de arte espalhadas por todos os lados. Eu nunca havia visto um lugar como aquele. Mas, imediatamente, meu lado instintivo começou a perceber uma energia de desequilíbrio. A empregada que abriu a porta e pegou meu casaco parecia calada e nervosa, como se tivesse medo de fazer alguma coisa errada. E, quando o homem apareceu e se apresentou a mim, pude perceber, pela expressão corporal da mulher, que ela se retraiu ainda mais. (A expressão corporal – independentemente da espécie – é a linguagem secreta da Mãe Natureza.) Quando o magnata se dirigia a mim, eu percebia claramente que ele me via como um de seus criados.

Eu o analisei como sempre faço com clientes – simplesmente observei sua energia e sua linguagem corporal e avaliei se elas combinavam ou não com as palavras que ele dizia. O magnata não era um homem alto, mas mantinha uma postura ereta, alti-

---

* Nomes e detalhes desse caso foram alterados.

va; sua idade avançada ficava evidente apenas pelos cabelos ralos no topo da cabeça. Seus olhos eram o mais interessante. Eram incrivelmente intensos – demonstrando um intelecto surpreendente –, mas, como minha observadora esposa descreveu posteriormente, "tinham uma névoa, como se ele estivesse olhando para você ao mesmo tempo em que calculava os próximos passos que ele daria. Ele não estava *com* você, estava tentando descobrir se poderia usá-lo como um bem".

Sempre que me encontro em uma situação como essa, tento pensar que estou ali pelos cães, e *não* pelo cliente poderoso. Também procuro me lembrar de que os cães não reconhecem riqueza, obras de arte e o que chamamos de poder no mundo dos seres humanos. Eles apenas procuram equilíbrio. E, naquele momento, eu tinha certeza de que não estava em um ambiente equilibrado. Tudo que consegui fazer foi elogiar sua adorável casa e perguntar: "Como posso ajudá-lo?"

O magnata me contou que seus cães eram impossíveis e que não podiam permanecer no mesmo lugar, pois atacavam e tentavam matar um ao outro. Imediatamente ele colocou a culpa em sua assistente, Mary, dizendo que ela causara o comportamento porque mimava demais os cachorros. Isso foi outro sinal de alerta para mim. Sempre que um cliente imediatamente culpa outra pessoa pelos problemas de seu animal, eu me lembro de que muitos preferem ver os defeitos dos outros a admitir os próprios. É um sinal de que a pessoa não é realista e não assume responsabilidade por seus atos. Mas, antes de mais nada, eu tinha que ver os cães.

Willy e Kid eram dois schnauzers miniaturas de cor cinza que viviam com muito luxo, cada um em um quarto separado. Eram muito bonitinhos e bem tratados. Assim que eles apareceram, o magnata, que havia poucos minutos parecera tão intimidante, transformou-se completamente: "Oi, Willy. Oi, Kid". Sua voz ficou mais aguda, e seu rosto, relaxado. Até mesmo a névoa em seu olhar desapareceu. "Você tem que dar um jeito nesses cachorros, rapaz. Eles são a minha vida." E, pelo desespero em sua voz antes prepotente, percebi que ele estava sendo sincero.

Fiquei tentando imaginar por que aquele homem parecia não demonstrar sentimentos a nenhum ser humano ao redor dele, mas se entregava de coração aberto aos cachorrinhos. Antes, porém, tive de lidar com o assunto mais urgente: Aqueles cães eram capazes de ficar juntos sem brigar? É claro que sim! Em primeiro lugar, estabeleci a dominância com Willy em um cômodo, depois com Kid em outro. Poucos minutos mais tarde, criei uma estratégia para que eles ficassem juntos, enfocando o comportamento do cão que demonstrava um nível maior de energia e agressividade naquele momento – no caso, o favorito do magnata, Kid. O dono culpava Willy o tempo todo, já que este era o cão mais novo, mas era Kid que dava início à maioria dos conflitos. Kid não era um animal dominante ou agressivo por natureza, e precisava de pouca correção para entender o que era preciso fazer. Eu estava no controle agora, e dizia a ele: "Não brigue com seu irmão". De repente, diante do magnata, ali estavam Willy e Kid, se dando muito bem. Você quer saber se meu cliente ficou agradecido? Com certeza não a princípio – não era o estilo dele. Ficou claro que ele considerava mostrar gratidão a alguém um sinal de fraqueza. "Talvez *você* tenha conseguido, mas meus funcionários não conseguem. Não podemos deixar os dois juntos dessa maneira, de jeito nenhum. Eles vão se matar." Por mais que eu tentasse lhe explicar que ele e seus empregados conseguiriam fazer a mesma coisa que eu acabara de fazer, ele continuava apegado a lembranças negativas e traumáticas. Continuou em pânico, com um tom nervoso e acusador.

Durante aquela primeira sessão, percebi ter poucas chances de convencê-lo naquele momento. Afinal, como a maioria de meus clientes, ele havia me contratado para ajudar *seus cães*, e não *a ele*. Mas, apesar de grande parte dos clientes acabar aceitando pelo menos observar como seu comportamento se reflete nos cães, estava claro que o sr. Magnata tinha certeza de que não precisava de ajuda nenhuma. Ele continuou a culpar a assistente, os funcionários e praticamente o resto de Manhattan pelo problema. Enquanto eu tentava conversar com ele, percebi que ele não me olhava nos olhos. Olhava para o relógio, com os olhos distraídos pela sala. No mundo animal, chamamos isso de comportamento esquivo. A natureza lida com ameaças de quatro maneiras: briga, fuga, esquivamento ou submissão. Eu estava ameaçando sua visão de mundo e ele estava brigando, fugindo e se esquivando – na mosca. Aquele não era o dia certo para o poderoso magnata enfrentar seus problemas e perceber como eles se refletiam no comportamento dos cães.

Mas esse dia estava prestes a chegar.

Cães sob pressão

Assim como Willy e Kid, muitos cães vivem sob a pressão de expectativas muito altas por parte de seus donos. "Pressão?", você pode perguntar. "Eu trato meus cães melhor do que trato meus filhos. Meus cachorros têm tudo que querem. De que pressão você está falando?"

Tenho algumas notícias para você. Sempre que você trata seu cão como um ser humano e espera que ele preencha o lugar de um filho, um companheiro, um amigo ou até de um pai ou mãe em sua vida, você está tendo expectativas pouco realistas em relação a ele. Está roubando a dignidade dele, a dignidade de ser cão. E um cachorro é parte da Mãe Natureza, o que significa que ele tem a expectativa natural de ter ordem em sua vida, de ter que trabalhar para ganhar comida e água e de ter que seguir as regras de um sistema social ordenado, sob a supervisão de um líder de matilha confiável. Se você não está dando essas coisas a seu cachorro e ainda está projetando nele todas as emoções, afeto e intimidade que não tem com os seres humanos em sua vida, está sendo injusto com seu animal – e pode ser a causa do mau comportamento dele.

Que prova eu tenho de que nós, ocidentais, estamos pressionando nossos cães a preencher lacunas inapropriadas em nossa vida desequilibrada? Em primeiro lugar, tenho meus clientes. Nas próximas páginas, você vai ler a respeito de alguns estudos de caso, tanto de meu trabalho quanto de minha série na TV, que ilustram drasticamente como as diversas necessidades psicológicas dos donos podem ser projetadas de modo injusto nos cachorros. Mas existem outras provas também.

Vejamos, por exemplo, uma pesquisa realizada em 2004, pela Associação do Hospital Americano de Animais, com 1.019 donos de animais de estimação.[1] O estudo fez a seguinte pergunta: *Você está em uma ilha deserta. Quem escolheria como companhia: um ser humano ou um animal?* Pense nisso por um instante. Os entrevistados podiam escolher quem quisessem para morar na ilha com eles – Angelina Jolie, Brad Pitt, Jennifer Lopez, Antonio Banderas. Por mais dedicado que eu seja à minha matilha do Centro de Psicologia Canina, escolheria minha esposa, Ilusion, sem pestanejar.

Mas quem os entrevistados escolheram? Cinqüenta por cento deles optaram por seus *cães* ou *gatos*!

A pesquisa também mostrou os seguintes resultados: 80% dos donos de animais consideram a companhia o principal motivo

---

[1] Associação do Hospital Americano de Animais, Pesquisa sobre animais de estimação, 2004. Usado com permissão. Cyber-Pet, "National Pet Owner Survey Finds People Prefer Pet Companionship Over Human". Disponível em: <www.cyberpet.com/cyberdog/articles/general/crawford.htm>.

para terem um bicho de estimação (as outras opções eram: para brincar com os filhos; servir como proteção; vender os filhotes; ou outros motivos). Setenta e dois por cento dos entrevistados citaram a afeição como a característica mais interessante dos animais de estimação; 79% costumavam dar presentes a seus bichinhos, em aniversários ou outras datas comemorativas; 33% afirmaram conversar com seus animais pelo telefone ou pela secretária eletrônica; e 62% admitiram assinar cartas ou cartões escrevendo o próprio nome e o do animal de estimação.

Aqui vai mais um dado surpreendente: um estudo realizado em 2006 pelos pesquisadores de estudos geriátricos da Escola de Medicina da Universidade de St. Louis demonstrou que idosos em casas de repouso se sentiam muito menos solitários depois de passar um tempo sozinhos com um cão do que quando recebiam visitas de outras pessoas com cães.[2] O ponto positivo é que os cachorros aliviaram a solidão. E os animais têm mesmo esse poder – vou falar sobre isso posteriormente. Mas o lado negativo é que os idosos se identificavam mais com os animais do que com membros de sua própria espécie.

Quem tem telhado de vidro...

Há um ditado que diz: "Quem tem telhado de vidro não atira pedras no vizinho". Bem, tenho que revelar meu próprio telhado de vidro. É bastante frágil, mas, tendo passado por muitas situações difíceis, finalmente aprendi que admitir uma fraqueza não é uma fraqueza.

---

[2] Marian R. Banks e William A. Banks, "The Effects of Group and Individual Animal-Assisted Therapy on Loneliness in Residents of Long-Term Care Facilities", *Anthrozoos*, vol. 18, nº 4, 2005, pp. 396-408.

PRINCÍPIOS DA PSICOLOGIA CANINA

* Os cães vêm ao mundo usando o focinho em primeiro lugar, depois os olhos e então os ouvidos. O olfato é o sentido mais apurado deles. No caso desses animais, "Só acredito vendo" pode ser traduzido como "Só acredito cheirando". Por isso, nem perca seu tempo gritando com eles – é na energia e no cheiro que prestam atenção, e não nas palavras.

* Os cães se comunicam uns com os outros (e com outros animais) o tempo todo usando o cheiro, a linguagem corporal e a energia. Também se comunicam com *você* o tempo todo, mesmo que você não perceba os sinais que está enviando. Você *não pode* mentir para um cachorro a respeito do que está sentindo.

* Os cães têm uma arraigada mentalidade de matilha. Se você não lhes impuser sua liderança, eles tentarão compensar demonstrando comportamento instável ou dominante.

* Os cães nunca "pensam que são humanos", como muitos donos gostam de imaginar. São excepcionalmente felizes sendo apenas cães. Se você diz às pessoas que seu cachorro acha que é uma pessoa, é provável que ele saiba que é *seu* líder.

* No mundo canino, ou você é estável ou é instável; ou é um líder ou é um seguidor.

* O "objetivo" natural do cão é se conectar, viver em harmonia e equilíbrio, em sintonia com a Mãe Natureza.

* Os cães vivem o *momento*. Não pensam sobre o passado nem se preocupam com o futuro. Por isso, conseguem abandonar um comportamento instável com bastante rapidez – *se* você permitir.

Quando cheguei aos Estados Unidos, acreditava totalmente que meu relacionamento com os cães significava mais para minha vida do que meus relacionamentos com os seres humanos. Quer dizer, eu me relacionava com as mulheres por prazer, e com os homens para interagir no ambiente de trabalho. Nada mais. Por que me importar com as pessoas quando eu tinha os cães?

Eu cresci no México, onde minha família ia e vinha da fazenda de meu avô, no interior, à movimentada cidade de Mazatlán, onde freqüentávamos a escola e meu pai trabalhava. Nunca gostei da cidade e sempre desejei levar a vida mais simples e natural da fazenda. Na cidade, entre as pessoas, aprendi todas as maneiras humanas de adquirir poder e *status* – trabalho, dinheiro, empregos, notas, sexo –, mas nunca senti que meu "eu verdadeiro" se encaixava nessa equação. Minha afinidade com os cães era meu eixo – ela fazia com que eu seguisse em frente e corresse atrás de meu sonho. Ela também me deu companheiros não-humanos que preenchiam minhas necessidades emocionais de aceitação e amor. Entre os cães, eu não tinha que me preocupar com os julgamentos que me eram feitos quando eu estava entre pessoas. Os cães me aceitavam como seu líder de matilha, sem questionamentos ou julgamentos.

Acredito que muitas pessoas conseguem se identificar com esses meus sentimentos do passado. Um cão não o critica e vive o momento, por isso naturalmente esquece quaisquer erros que você cometer. Ele é sempre leal e confiável. Eu via as pessoas como críticas, impiedosas e impossíveis de confiar, por isso os cães eram para mim, sem sombra de dúvida, a melhor escolha como companheiros.

Anos mais tarde, minha esposa, Ilusion, me fez acordar para o fato de que não se pode simplesmente "jogar no lixo" a espécie toda porque tivemos experiências ruins com alguns de seus membros. Que outra espécie no planeta faz isso? Nenhuma! A *intimi-*

dade é o objetivo maior a ser perseguido – com a esposa ou o marido, os filhos, os pais e os amigos. Esse conhecimento verdadeiro da intimidade dentro de nossa espécie faz com que o passemos a relações *entre* espécies. Depois de anos trabalhando com cães norte-americanos e de me sentir intrigado por eles, percebi que há uma linha que separa em dois grupos as pessoas que amam animais: aquelas que dividem seu amor igualmente entre seres humanos e animais e aquelas que gostam mais de uns que de outros. Se eu não tivesse conhecido Ilusion, quem sabe por qual caminho teria seguido? Afinal de contas, os animais nos oferecem amor incondicional. Mas eles não satisfazem todas as necessidades de nossa espécie. E, o mais importante, só porque você e seu cão compartilham amor incondicional, não quer dizer que você tenha um cachorro saudável e equilibrado.

O magnata transformado

Claramente, meu novo amigo, o magnata, é um ótimo exemplo de pessoa que gostava mais de animais e não sentia nenhum prazer nas relações humanas. Ele saiu da primeira sessão ainda culpando sua assistente, Mary, pelo comportamento dos cães.

O próximo passo de meu relacionamento com ele foi a segunda parte do processo de reabilitação dos cachorros: sociabilizá-los com outros cães no Centro de Psicologia Canina, em Los Angeles. Acredite se quiser, mas ele levou os dois cães para o outro lado do país, de Nova York a Los Angeles, em vôos separados de seu jato particular, acompanhado de sua assistente. Pense nisto: duas viagens de ida e volta para o outro lado do país feitas por um avião particular, levando apenas um cão e a assistente por vez! Aquele era um homem que guardava com cuidado cada centavo que possuía, então imagine como esses animais eram importantes para ele, psicológica e emocionalmente falando. Infelizmente, havia poucas pessoas por quem ele sentia o mesmo.

Enquanto eu trabalhava com os cães no Centro, minha tarefa mais importante era ensinar a assistente, Mary, a lidar com os dois juntos, com liderança calma e assertiva. Mas havia um grande obstáculo – ela claramente tinha muito medo de falhar. Se falhasse e os cães se ferissem, ela seria culpada, e seu chefe não apenas ficaria transtornado com a situação de seus animais, mas também despejaria sobre ela e o restante dos funcionários toda a frustração dele em relação aos outros aspectos de sua vida. No período transcorrido entre meu trabalho com os cães e o dia em que vi o magnata novamente, pude conversar com diversos empregados dele, e todos tinham o mesmo medo extremo do chefe. É claro que todos eram adultos e tinham livre-arbítrio. Qualquer um deles poderia deixar o emprego quando quisesse. Eles não precisavam ser vítimas. Mas eu sei, graças a meu trabalho com cães e com pessoas, que até o menor sinal de energia negativa pode causar um efeito ruim em qualquer comunidade, seja uma sala de aula, uma empresa, um país ou uma matilha. Uma energia extremamente negativa, como a da depressão, pode realmente fazer com que as pessoas *ou* os animais acreditem que estão impotentes ou sem saída. E, claramente, a energia negativa daquele homem era poderosa. Seus empregados chegaram a dizer que as luzes da cobertura piscavam quando ele estava a caminho de casa. Não sei se eles imaginavam isso ou não, mas o patrão certamente os controlava por meio desse medo que sentiam.

Uma vez no Centro, minha matilha ajudou Willy e Kid a aprender a ser *cães* novamente. Eles aprenderam a se aproximar de outros cães de modo adequado, primeiro com o focinho, cheirando o outro para conhecê-lo – sem se tornarem defensivos ou agressivos. Aprenderam a caminhar com a matilha e a se sentir parte de uma "família". Aprenderam a brincar com os outros de sua espécie e a respeitar todos os seres humanos como líderes de matilha. Mas, é claro, os cães não eram os únicos que precisavam de reabilitação. Como ocorre com a maioria de meus clientes, os seres humanos eram a causa do problema. E, como eu quase não havia tido acesso ao magnata até então, fiz uma remodelação de energia em Mary. Ela era uma mulher esperta, eficiente e extremamente capaz. Conseguia fazer milhares de coisas ao mesmo tempo. Mas, com Willy e Kid, perdia toda a autoconfiança. Ficava apavorada ao pensar que, se alguma coisa ruim acontecesse com eles enquanto estivessem sob seus cuidados, acabaria no olho da rua. Mary e eu trabalhamos sua energia calma e assertiva. Trabalhamos respiração e postura, e a ensinei a colocar a mente em um estado de positivismo e superconfiança. Ela já era uma líder de matilha na essência – apenas não sabia! Mais tarde, a nova energia calma e assertiva de Mary lhe traria recompensas que ela nunca imaginara. Ao final de nosso tempo juntos, ela se sentia totalmente confiante para lidar com Willy e Kid.

Agora era o momento de encontrar novamente o magnata, cara a cara, em sua mansão em Beverly Hills. Todos os alertas dados pelos funcionários me deixaram ainda mais determinado a confrontá-lo a respeito de como sua vida desequilibrada estava prejudicando os cães – sem falar em todos ao seu redor. "Ninguém fala com o sr. Magnata desse jeito!", Mary me alertou. Mas aquele homem havia me dado uma tarefa a cumprir, e eu estava disposto a realizá-la da melhor maneira. Ele realmente veria valer cada centavo investido, querendo ou não. Eu não tinha nada a perder – e os cães tinham tudo a ganhar.

Encarando o espelho

O magnata e eu nos reunimos em sua sofisticada sala de estar e, com calma porém firmeza, conversei com ele, sugerindo que talvez o problema fosse ele, não seus cães nem seus assistentes. Mais uma vez o comportamento esquivo começou: olhos vagando pela sala, pés batendo no chão, olhadas constantes para o relógio. Ele não queria escutar o que eu tinha a dizer. Em sua mente, ele havia me mandado os cães como se fossem eletrodomésticos que precisavam de conserto. Eu tinha que dar instruções precisas aos funcionários, eles estariam encrencados se não as seguissem, e pronto. Mas, naquela conversa, em meio a suas esquivas, eu parava e perguntava com firmeza: "Você não está me escutando, não é?" "Não, estou escutando", ele respondia, claramente contrariado por alguém ousar desafiá-lo daquela maneira. Eu voltava a falar, então parava novamente: "Se você não está prestando atenção em mim, como podemos conversar?" Ele começou a ficar muito nervoso. "Mas eu *estou* escutando!", respondia. "Não, você está olhando para lá, para o outro lado. Está olhando para todos os lados, menos para mim. Preciso que você preste atenção no que estou dizendo." Depois de um tempo, o sr. Magnata estourou: "Seu dominador filho da p...!", disse. Vindo dele, isso foi um elogio, porque ele não costumava se render a outras pessoas. De alguma forma, confrontando-o, eu havia ganhado seu respeito – ao menos por um momento. "Tudo bem", ele disse, mal-humorado. "Tenho cinco minutos." "Ótimo", respondi. "Pode me dar cinco minutos e faremos um trabalho de qualidade juntos. Podemos fazer muita coisa nesse tempo, mas preciso de cinco minutos de sua total atenção."

Quando converso com clientes, tenho uma vantagem, porque posso abordar assuntos pessoais deles de modo indireto. Começamos falando sobre os cães, e então chegamos à verdadeira origem do problema: o ser humano. Foi assim que funcionou com o magnata. Fiquei fascinado com a maneira como ele havia transferido todas as suas necessidades emocionais para aqueles cães, e não tinha muitos familiares ou confidentes em quem confiasse. Pouco a pouco, a história veio à tona. Na infância, ele havia superado grandes inseguranças e medos tentando ser bem-sucedido no que fazia. Toda a sua concentração era dedicada a vencer. *Eu tenho que ser o melhor!* E deu certo. Isso fez com que ele se tornasse poderoso e rico. Mas também afastou muitas pessoas de sua vida. Ele conseguia competir com elas ou controlá-las, mas nunca se aproximar delas. E então essa mesma história se repetiu, sem parar. Não fiquei surpreso ao descobrir que, por trás daquele exterior intimidante, havia um bom coração. E era esse coração que ele queria desesperadamente compartilhar com os cães. Mas é impossível enganar os animais. A energia negativa era mais forte, e era isso que fazia com que os cães – e todos ao redor dele – se tornassem instáveis.

Eu não sou psicólogo, mas nem precisaria ser, pois muitas vezes até mesmo a pessoa mais distraída consegue ver os problemas do dono totalmente refletidos nos problemas dos cães. O magnata, inconscientemente, favorecia um deles, Kid. Ele não conseguia acreditar que Kid era quem atacava Willy, e não o contrário. Assim como seu dono, a vida daqueles cães girava em torno da competição, e não da cooperação.

No começo, o magnata teve dificuldades para ouvir o que eu tinha a dizer. Afinal, como eu podia chamar de desequilibrado um homem brilhante o bastante para ganhar centenas de milhões de dólares e gerenciar dezenas de empresas bem-sucedidas? Como eu podia lhe dizer que ele não estava sendo um bom líder, quando tudo que fazia o dia inteiro era gerenciar negócios? Mandar e desmandar no mundo das finanças internacionais não exige liderança? Também não exige instinto? Tentei lhe explicar que, sim, no mundo dos seres humanos ele era visto como um líder e que, obviamente, tinha muito talento para os negócios. Mas as estratégias e instintos que funcionam nos negócios e na política nem sempre são os mesmos da Mãe Natureza. A Mãe Natureza é implacável com os fracos, mas não é arbitrariamente cruel ou negativa. Ela reserva a agressão para casos extremos e, em vez disso, usa a dominação – liderança consistente – para manter as coisas fluindo bem. A Mãe Natureza não governa pelo medo e pela raiva, e sim pela calma e pela assertividade.

O mais incrível a respeito do magnata é que ele amava tanto seus cães que estava disposto a mudar. Finalmente consegui fazer com que ele me escutasse. Ele estava acostumado a falar, dar ordens e broncas – mas não sabia escutar. Quando começou a me ouvir, mostrou outro lado de si. Fiquei sabendo que ele é um homem incrivelmente caridoso, que sua paixão é enviar crianças pobres para acampamentos – mas ele não gosta de contar essa parte de sua vida à maioria das pessoas com quem interage. Talvez ele veja esse seu lado "sensível" como uma fraqueza, mas eu o vejo como uma força.

Comecei este livro com a história do magnata porque ele é o exemplo mais extremo que já vi de como um ser humano em desequilíbrio pode criar um efeito propagador de disfunção em seus cães e nos seres humanos à sua volta. Ele também é um ótimo exemplo de como nos analisar honestamente pode restaurar nosso equilíbrio e criar um efeito propagador positivo em nosso mundo. Fico feliz em contar que, desde que comecei a trabalhar com o magnata e seus cães, ele tem demonstrado um lado mais delicado de si com mais freqüência. De acordo com sua assistente, Mary, o magnata realmente mudou em relação às pessoas ao seu redor. Ela me contou que, pela primeira vez, ele está escutando o que ela diz – não apenas a gratidão pelo dinheiro que recebe dele, mas sua necessidade de ser valorizada e mais bem tratada por ele. Ela sempre soube que existia um ser humano por baixo daquela armadura. E aquele ser humano precisava escutar todas essas pessoas, de modo que pudesse perceber quanto influenciava a todos – sentindo não apenas seus medos e sua gratidão, mas também a dor que causava a eles. Segundo a assistente, ele obteve muito progresso nessa área. Essa história me faz lembrar de *Um conto de Natal*, de Charles Dickens. O magnata agora é como Ebenezer Scrooge, depois de ter sido visitado pelos três fantasmas na noite de Natal. Mas meu cliente não precisou de fantasmas para ver as verdades sobre si – ele tinha seus dois cães!

E há outro final feliz para a história: os cães estão ótimos, e Mary teve coragem de dizer a ele, pela primeira vez depois de todo o tempo de trabalho, que ia tirar férias! E fez isso de modo corajoso. Aproximou-se dele, mostrou-lhe as opções de datas e caso encerrado. É isso que a energia calma e assertiva pode fazer em sua vida – ela funciona em muitos outros aspectos, não só em relação aos cães. Você vai ler mais histórias igualmente inspiradoras em outros capítulos deste livro.

A moral da história é que, não interessa quanto dinheiro, poder, nível de escolaridade ou obras de arte você tenha, *seus cães não se importam com isso*. Eles se importam com sua instabilidade, porque, por serem orientados pela matilha, seu comportamento os afeta diretamente. Os cães percebem se você se sente à vontade consigo mesmo, se é feliz, se tem medo e o que falta em seu interior. Eles não conseguem expressar isso, mas sabem exatamente quem você é. Pergunte a um ser humano: "Você é feliz?" Alguns, como meu amigo magnata, dirão: "É claro" – mas escondem o fato de não serem felizes, ou talvez nem saibam que não são. Então você vê o cachorro, que não pode esconder seus sentimentos e que *claramente* não é feliz. Fica muito óbvio, analisando o cão, se seu dono é estável ou não.

Nossos cães são nossos espelhos. Você tem olhado para o seu ultimamente? Se meu amigo magnata conseguiu se olhar no espelho, enfrentar seus demônios e melhorar a vida de seus cães e das pessoas ao seu redor, então qualquer um de nós pode fazer o mesmo. É por isso que eu digo que dominar o poder da energia calma e assertiva vai não só melhorar seu cão, mas também mudar sua própria vida. Nossos cães podem nos levar de volta ao equilíbrio que a natureza reservou para nós, mas só se estivermos dispostos a isso.

PARTE UM

EQUILIBRANDO SEU CÃO

Para realmente apreciar um cachorro, você não pode simplesmente treiná-lo para ser semi-humano. O segredo está em se abrir para a possibilidade de se tornar, em parte, cão.

– Edward Hoagland

Um cachorro não é "quase humano", e eu não conheço insulto maior à raça canina do que descrevê-la assim.

– John Holmes

Como aprendemos com a história do magnata, nossos cães são nossos espelhos. Para que tenham uma vida equilibrada, precisamos cuidar de nossos problemas e também dos deles.

Este livro é sobre você e seu cão – o comportamento ruim dele e sua impotência diante da situação. Ou permissividade. Ou raiva. Ou frustração. Vamos começar com a parte mais fácil a ser enfrentada – seu cão e os problemas *dele*. Porque provavelmente, neste momento, você está pensando que os problemas dele nada têm a ver com você.

Acredito que 99% dos cães são capazes de levar uma vida completa, feliz e equilibrada. Estes capítulos vão lhe proporcionar melhor compreensão sobre a mente e as necessidades de seu cachorro e sobre o que você pode fazer para satisfazê-las.

1

IDENTIFICANDO
A INSTABILIDADE

Havia algo que eu nunca lhe dissera,
que nunca ninguém lhe disse.
Queria que ele ouvisse antes de morrer:
– Marley – eu disse –, você é um ótimo cachorro.
– John Grogan, Marley & eu

Como saber se seu cão é instável? Se você for como a maioria de meus clientes, simplesmente *sabe*. Ele fica agressivo na presença de outros cães, em passeios e em parques. Ou uiva sem parar quando você sai de casa. Ou foge compulsivamente. Tudo isso é intrigante para você, porque o cão da família, em sua infância, era perfeito – ou, pelo menos, é assim que você se lembra dele. No brilho opaco de sua memória, seu querido Rex era calmo, obediente e não se preocupava em ser o centro das atenções. Era naturalmente sociável e sempre se relacionava bem com pessoas e cães desconhecidos. Ele brincava de pegar com a bolinha de tênis, andava a seu lado até a escola e nunca fazia xixi dentro de casa.

Então, por que seu cachorro atual cava buracos no jardim? Por que ele se esconde embaixo da mesa quando o caminhão de lixo passa? O que há de errado com ele quando começa a girar sem parar, ao ficar entusiasmado? É claro que, como a maioria de meus clientes que têm cachorros instáveis, você simplesmente aceita que seu cão nasceu com alguma coisa faltando – ou que tem algum tipo de problema mental. Ou, se você o adotou de alguma instituição de proteção aos animais, cria uma história – diz que ele teve uma experiência tão traumática no passado que nunca mais vai conseguir esquecer as terríveis agressões que sofreu durante aqueles anos solitários e sombrios, antes de conhecer você. Por isso, é claro, ele nunca será estável, e você não deve reclamar, mas se manter tolerante e sentir pena sempre que ele urinar no sofá quando você liga a televisão. Como você pode criticá-lo quando ele morde alguém que se aproxime de sua comida, sabendo de tudo que ele passou em sua vida curta, porém traumática? Você decide que precisa pagar o preço de viver com um cão instável, por causa de tudo que aconteceu com ele antes. Você deve isso a ele.

Eles são *todos* ótimos cachorros

Na verdade, os cães não se sentem mal em relação ao passado. Não remoem lembranças ruins. Nós somos a única espécie que faz isso. Os cães vivem o momento. Se eles se sentem seguros e protegidos no momento, então qualquer comportamento condicionado do passado pode ser recondicionado, desde que tenhamos tempo, paciência e consistência. Os cães seguem em frente – geralmente muito rápido. Como tudo feito pela Mãe Natureza, eles naturalmente querem retomar o equilíbrio. Geralmente somos nós que, sem perceber, impedimos que esse equilíbrio ocorra.

Somos seres humanos, e uma das coisas mais bonitas de nossa espécie é o fato de termos empatia. Quando alguém – incluindo um animal – com quem nos preocupamos está sofrendo, nós nos sentimos mal por ele. Sofremos quando ele sofre. Mas, no mundo animal, o sofrimento é uma energia fraca. A pena é uma energia fraca. O ato mais generoso que podemos ter em relação aos animais que sofreram no passado é ajudá-los a ter um presente melhor. Em resumo, aquele monstro incontrolável e neurótico com o qual você convive está apenas esperando sua ajuda para ser guiado para o caminho certo e se tornar um dos melhores cães do mundo!

Marley & eu

O livro de John Grogan, *Marley & eu: a vida e o amor ao lado do pior cão do mundo*, chegou à lista de *best-sellers* em novembro de 2005 e, enquanto escrevo este livro, continua entre os dez primeiros. É fácil entender o motivo – essa história simples e tocante sobre um adorável, porém descontrolado labrador, Marley, poderia facilmente ser a história dos cães de muitos de meus clientes. Marley costuma destruir tudo que vê pela frente, raramente obedece, às vezes é obsessivo e sempre imprevisível. Ele chega a ser descrito no livro como *maravilhosamente neurótico*. Para mim, usar na mesma frase as palavras "maravilhoso" e "neurótico" é parte do motivo pelo qual existem tantos cães instáveis em nossa sociedade. Muitas pessoas que amam seus cães pensam que os problemas doentios deles são apenas "características de personalidade". Quando Grogan publicou sua homenagem ao recentemente falecido Marley no jornal *Philadelphia Inquirer*, inicialmente pensou que seu antigo companheiro fosse um animal único – "o pior cão do mundo". Logo foi inundado de cartas e *e-mails* informando que ele era apenas mais um membro do enorme "Clube dos Cães Malvados".

"Minha caixa de mensagens parecia um programa de televisão", Grogan escreveu, "*Cães malvados e pessoas que gostam deles*, com vítimas dispostas a fazer fila para se vangloriar, não porque seus cães fossem maravilhosos, mas porque eram terríveis." Como muitos de meus clientes, no entanto, todos esses bem-intencionados adoradores de cães talvez não entendam que seus animais não são felizes sendo "terríveis".

Fiquei muito empolgado no ano passado, quando a maravilhosa família Grogan se tornou minha cliente. Por meio de meu programa, *Dog Whisperer*, do National Geographic Channel, eles entraram em contato comigo e me convidaram para ir à casa deles, na Pensilvânia, ajudá-los com Gracie, a cadela que têm agora. Ela também é da raça labrador e tinha um problema diferente do de Marley (sobre o qual vou falar no capítulo 4). Mas, por mais diferentes que os dois cães fossem, os problemas de Marley e os de Gracie eram causados pela mesma questão *humana* – falta de liderança. Quando finalmente conheci John Grogan e sua esposa, Jenny Vogt, a história de Marley passou a fazer mais sentido para mim. Eles são pessoas muito inteligentes e apaixonadas, que vêem o mundo com a visão de talentosos jornalistas que são. Eles observam, analisam e descrevem – mas não interferem nem tentam mudar. Acreditavam que estavam fadados a continuar com Marley do jeito que ele era – e que, como dizia o pai de John, Marley "tinha um parafuso solto". Realmente, como o casal me disse com bom humor, se não fosse pelo mau comportamento de Marley, eles não teriam escrito o livro maravilhoso com o qual tantas pessoas se identificam e que faz tantas outras se emocionarem. Essa é a questão, não é? Não queremos mudar nossos cães, porque eles nos fazem rir, ou nos fazem sentir incondicionalmente amados, ou imprescindíveis. Mas com freqüência não paramos para pensar a respeito de como o animal se sente. Quando um cachorro tem um medo, uma obsessão ou qualquer um dos muitos problemas que sou chamado a resolver, na maioria das vezes não ocorre um "desvio de personalidade". O que temos diante de nós é um cão insatisfeito e às vezes infeliz.

Quando terminei de secar minhas lágrimas e fechei o livro de Grogan, a primeira coisa que pensei foi que Marley era perfeitamente capaz de ser aquele "ótimo cachorro" o tempo todo! No livro, Jenny passa por uma depressão pós-parto após o nascimento do segundo filho do casal e, cansada e frustrada por ter que cuidar de dois bebês e de um cão que destrói os móveis todos os dias, ela finalmente perde a cabeça e manda aquele labrador incontrolável para fora de casa para sempre. Antes disso, Marley havia sido expulso da aula de obediência, mas John sabe que, se não conseguir fazer com que o cachorro siga alguns comandos básicos e aprenda a não pular nas pessoas que entram em casa, ele vai perder seu melhor amigo. Então, John consegue fazer isso. Com grande determinação, põe mãos à obra, se esforça muito para se tornar um líder de matilha e finalmente ajuda Marley a concluir o curso de obediência – apesar de ter sido o sétimo cão da classe, num total de oito animais. Com a ajuda de um amigo, John consegue fazer com que Marley abandone o hábito de correr atrás das pessoas que passam pelo portão de sua casa. A verdade é que John *foi* um líder de matilha quando realmente precisou ser – e Marley foi perfeitamente capaz de ser um cão obediente. Juntos, os dois enfrentaram o desafio e fizeram o que foi preciso para manter a matilha unida. Ao ler o livro, no entanto, percebi que, quando Jenny se recuperou da depressão e as coisas melhoraram em casa, John não deu continuidade à sua liderança. Por isso Marley só aprendeu a obedecer regras domésticas, limites e restrições até um ponto.

John e Jenny também tiveram uma vantagem que muitas pessoas que adotam cães mais velhos ou de abrigo não têm: a oportunidade de condicionar Marley a ser comportado desde filhote. Mais uma vez, vendo o cão com olhos de jornalistas – de modo desapegado –, eles deixaram de interferir no que pensaram ser o desenvolvimento natural de Marley. Observavam suas travessuras com encantamento e bom humor. Além disso, ele era tão bonitinho! A meiga fotografia na capa do livro diz tudo: a cabeça caída para o lado em sinal de curiosidade, os olhos castanhos pidões... Como qualquer pessoa com coração poderia pensar em dar uma bronca naquele adorável cãozinho de orelhas caídas? John e Jenny cometeram o erro bem-intencionado e comum de acreditar que as atitudes destrutivas de Marley, quando filhote, eram devidas à sua personalidade em formação, a seu "jeito de ser".

Quando estudamos os cães na natureza – desde lobos, passando por cachorros selvagens até chegar a animais domésticos que criam uns aos outros, como alguns cães do campo fazem –, testemunhamos disciplina e ordem introduzidas na vida deles desde o nascimento. Vemos também que os cães mais velhos toleram muita coisa dos filhotes – não negam que eles são brincalhões por natureza e permitem que os pequenos subam neles, puxem suas orelhas e até mesmo que lhes dêem mordidas. No entanto, estabelecem limites definidos a esse comportamento. Quando a hora da brincadeira termina, o cão mais velho deixa isso claro ao filhote, derrubando-o gentilmente no chão com uma mordida leve ou levantando-o pela nuca, se preciso. Às vezes, apenas um rosnado faz com que o cãozinho compreenda. O mais velho sempre segue adiante, e o filhote recua. Se o perigo aparece, os membros mais velhos da matilha conseguem reunir os menores imediatamente para mantê-los em segurança – para inveja de qualquer professora de jardim-de-infância que tenta, todos os dias, levar um grupo de crianças de 5 anos do parquinho para dentro da sala de novo! A questão é que os filhotes de cães aprendem muito rapidamente que *devem* seguir as regras da matilha. Em nenhum momento seu "jeito de ser" brincalhão é diminuído, mas eles entendem desde cedo na vida que existe hora e lugar para tudo. A Mãe Natureza não tem dificuldades para estabelecer limites de modo firme, porém amoroso. Mas, quando se trata de filhotes bonitinhos (e também de nossos filhos engraçadinhos), a maioria das pessoas simplesmente não consegue colocá-los no caminho do bom comportamento – principalmente quando suas travessuras provocam tantos momentos divertidos. Mas, quando esses filhotes alcançam cinqüenta quilos, a diversão e as brincadeiras, que costumavam ser tão bonitinhas, de repente se tornam destrutivas e às vezes até perigosas. Marley era uma ótima companhia para John e Jenny. O casal experimentava confiança, amor e lealdade com ele. No entanto, o que não tinham era *respeito*, e este é um ingrediente essencial à estrutura de qualquer matilha saudável. Quando os alunos não respeitam o professor, a classe não aprende. Uma unidade militar não consegue funcionar bem quando os soldados não respeitam o comandante. Pais não podem criar adequadamente seus filhos se estes não os respeitarem. Da mesma maneira, seu cão não se sentirá seguro, calmo e estável se não respeitar você como líder de matilha.

John e Jenny não tiveram o respeito total de seu cachorro em parte porque sempre se dirigiram a *Marley* – o nome e a personalidade em primeiro lugar. Para os donos, ele era simplesmente o velho e leal Marley, atrapalhado e travesso. Não se dirigiam ao animal em Marley, ao cão em Marley, nem mesmo à raça de Marley, um labrador.

Lembre-se deste conceito-chave:

Quando você interage com seu cão – principalmente quando está tentando corrigir um comportamento descontrolado –, *tem que* treinar sua mente para se relacionar com ele nesta ordem:

1. Animal
2. Espécie: cão (*Canis familiaris*)
3. Raça (labrador)
4. Nome (Marley)

Em primeiro lugar, é importante dirigir-se ao *animal* em seu cão, pois é isto que você tem em comum com ele: ambos são animais. Vamos falar, mais adiante, sobre como projetar o tipo de energia que qualquer animal reconhece. Em segundo lugar, seu cachorro é um *cachorro* – não é um bebê nem uma pessoa pequena e peluda com rabo. Todos os cães têm certas características em comum e determinadas maneiras inatas de se comportar. Aprender a reconhecer o que é "cão" e o que é "Marley" é a chave para distinguir o comportamento instável daquele normal. Depois vem a raça. Reconhecer a raça é especialmente importante se, como os Grogan, você tem um animal de raça pura. Os genes que o tornam "puro" também determinam necessidades especiais, que você deve saber como satisfazer para garantir a felicidade e o equilíbrio dele. Vamos falar mais sobre satisfazer as necessidades da raça de seu cachorro no capítulo 4.

Depois do animal, do cão e da raça, finalmente vem Marley – o nome, a "personalidade" irreprimível. Na maior parte do tempo, o que acreditamos ser a personalidade do cão está apenas em nossa mente, na história que criamos a respeito do animal. Geralmente isso se baseia na aparência e no comportamento do cão, e sinto muito por ter que dizer que, com freqüência, o que acreditamos ser a personalidade são na verdade as questões de instabilidade do animal.

QUESTÕES

🐾 *Agressividade*: Direcionada a outros cães e/ou a pessoas. Inclui mordidas de medo, rosnados para proteger a comida, ataques a pessoas ou a cães desconhecidos, possessividade agressiva.

🐾 *Energia hiperativa*: Inclui pular nas pessoas ao encontrá-las ou quando elas entram em casa; girar em torno de si mesmo ou se contorcer compulsivamente; atividades destruidoras, como morder e cavar; excitação exagerada etc. *Não confunda excitação exagerada com felicidade!*

🐾 *Ansiedade/ansiedade por separação:* Inclui latir, chorar, arranhar etc., quando você está presente ou depois que sai de casa; correr; destruir coisas em sua ausência.

🐾 *Obsessão/fixação:* "Vício" ou preocupação incomum com qualquer coisa, desde um gato a uma bola de tênis, expresso por linguagem corporal tensa, desobediência aos comandos do dono, recompensas alimentícias e até mesmo dor física.

🐾 *Fobia:* Um medo ou incidente traumático que o cão não conseguiu superar – qualquer coisa, desde pisos brilhantes a trovões e caminhões de lixo.

🐾 *Baixa auto-estima/timidez:* Energia fraca, medo irracional de qualquer coisa, paralisação. Grau extremo de medo.

Então, como diferenciar a "personalidade" de seu cão das "questões" dele? O que são "questões", afinal? Qualquer tipo de comportamento que se encaixe nas categorias anteriormente descritas *não* são apenas "a personalidade do animal". São um *problema.*

É importante lembrar que as questões descritas *podem* ter um componente médico. Uma doença ou um parasita pode fazer com que seu animal aja de modo instável, assim como um distúrbio neurológico de nascença. Em minhas experiências com centenas de cachorros, pude constatar que problemas neurológicos respondem por uma ínfima porcentagem dos problemas de comportamento. No entanto, é sempre importante levar seu cão regularmente ao veterinário, principalmente se ocorrer mudança repentina de comportamento. É provável que, usando os métodos de liderança que descrevo em meus ensinamentos, você consiga reabilitar seu cão – mas procure orientação médica antes, para o caso de ser um problema de saúde. Conheço vários veterinários ótimos, com os quais trabalho, e acredito que a medicina e a terapia comportamental podem caminhar juntas para criar um mundo cheio de cães felizes e saudáveis.

Personalidade *versus* questões

Que características realmente fazem parte do "jeito de ser" ou da "personalidade" de seu cão? Em primeiro lugar, você deve entender que "personalidade" tem um sentido diferente para um cão e para uma pessoa. Se você gostaria de namorar uma pessoa que complemente sua personalidade, pode publicar um anúncio pessoal e dizer coisas como: "Gosto de freqüentar a academia, fazer caminhadas, correr na praia ao pôr-do-sol, numa atmosfera romântica; gosto de filmes de ação" – o que indica que você é uma pessoa ativa e de energia alta, que está procurando por alguém parecido. Se você publicar um anúncio com a frase: "Gosto de beber chocolate quente diante de uma lareira, de ficar em casa e alugar filmes, de fazer palavras cruzadas", está indicando que é uma pessoa de energia baixa e quer conhecer alguém parecido. Você pode descrever a si mesmo ou a outra pessoa como relaxada, nervosa, tímida ou extrovertida. Como ser humano, você vê tudo isso como *personalidade*.

A personalidade é parecida no mundo canino, mas não é expressa com palavras ou com preferências, e sim com cheiro e energia. Quando dois cães em minha matilha se tornam amigos, primeiramente usam o focinho para cheirar os genitais um do outro, o que lhes dá todas as informações a respeito de sexo, nível de energia, alimentos ingeridos, lugares onde o cão esteve e assim por diante. O nível de energia é importante porque o cachorro vai se relacionar melhor com outro cuja energia seja compatível. Você já viu dois cães brincando quando o nível de energia de ambos não é parecido? Isso acontece geralmente quando um cão mais velho está entre filhotes. Naturalmente, o mais velho tem menos energia, mesmo que tenha sido um cão de alta energia quando mais jovem. O filhote quase sempre tem energia maior e, querendo brincar, deixa o cão mais velho maluco quando este quer apenas descansar. Isso acontece em um nível diferente com os cães de minha matilha: eles naturalmente procuram como "amigos" animais com nível de energia parecido. Apesar de todos os cães da matilha se darem bem, certos cachorros procuram a companhia de outros com base nos níveis de energia e na maneira como gostam de brincar.

Um ótimo exemplo desse tipo de atração aconteceu quando eu estava trabalhando com Punkin, um rhodesian ridgeback que havia desenvolvido uma perigosa obsessão por pedras. Meu objetivo era levá-lo ao Centro para que aprendesse com os modelos da matilha – cães equilibrados que não se importavam com pedras, mas que haviam aprendido a brincar com bolas de tênis de modo disciplinado (a brincadeira sempre tem um começo e um fim, determinados por mim, o líder da matilha). Punkin era um cão ansioso e de energia alta e, quando chegamos ao local onde estavam os outros animais, ele foi imediatamente atraído por LaFitte, um poodle muito grande e de energia muito alta. Foi como se eles se "procurassem". Os dois reconheceram, pelo cheiro e pela energia do outro, que se dariam bem nas brincadeiras. Recentemente, recebi no Centro um jack russell terrier de alta energia chamado Jack, cujo companheiro favorito de brincadeiras era um pit bull enorme, porém de energia média, que se chamava Spike. Apesar de Jack ter metade do tamanho de Spike, os dois se deram perfeitamente bem. O cheiro e a energia se combinam para formar a "personalidade" individual do cão.

Como seres humanos, naturalmente criamos símbolos e damos nomes às coisas, e costumamos associar a personalidade aos nomes. Até onde a ciência sabe, somos a única espécie que começou a descrever o mundo com símbolos, com arte e, acima de tudo, com rótulos e nomes. Hoje nós, *Homo sapiens*, temos milhares de idiomas e símbolos diferentes, que usamos para nos comunicar. Olhe ao seu redor – o símbolo de masculino e feminino na porta do banheiro, o sinal de "proibido fumar" e até mesmo a bandeira de nosso país nos mostram onde estamos e como devemos nos relacionar com nosso ambiente em determinado momento. Temos milhões de palavras e combinações de frases diferentes para descrever as coisas. Costumamos organizar e personalizar tudo que acontece ao nosso redor. É assim que compreendemos as coisas, que vemos o mundo por meio de olhos humanos. Por exemplo, damos nomes aos furacões. Classificamos as flores e as árvores.

No mundo canino, no entanto, as árvores não têm nome. Elas têm cheiro e um uso específico para o cão em seu ambiente. *Essa árvore é venenosa, ou se eu comer a casca dela vou melhorar do estômago? Essa árvore fica em um cruzamento, de modo que posso demarcá-la com meu cheiro?* É assim que o cão vê a árvore: do ponto de vista de sua própria sobrevivência. Os cães não precisam de nomes para entender e identificar um ao outro. Eles analisam a situação mais geral – a própria sobrevivência e a sobrevivência do grupo. A personalidade dele – o "nome" que você dá ao cachorro – é como você se encaixa na vida dele. Sua energia, seu cheiro, seu papel na matilha é o que importa para ele.

Os cães não têm nome na matilha – eles têm uma *posição* dentro do grupo. Alguns estudiosos classificariam as posições como "alfa, beta, ômega" e assim por diante. Outros títulos que criamos os definiriam como número um, dois, três, quatro. Muitas pessoas me compreendem de maneira errônea e dizem que analiso os cães de modo simplista, como se tudo se resumisse a dominância. O que elas não percebem é que eu acredito que todos os cães são importantes dentro da matilha. A dominância não quer dizer que o cão alfa é "melhor" que os outros. Ele tem o controle, sim, mas não é melhor. Cada cão tem seu propósito dentro da matilha. O que fica atrás é o mais sensível de todos; ele geralmente é aquele que alerta os outros sobre possíveis intrusos. O cão que vai à frente – o líder da matilha – cuida para que todos se alimentem, encontra comida e água e é defendido contra rivais e outros predadores. Não é uma democracia, e sim a idéia de que o todo é melhor que a soma das partes. Tem tudo a ver com o "nós".

De "eu" para "nós"

Os seres humanos – pelo menos na cultura ocidental – costumam ver o mundo num contexto de "eu contra você". O individualismo é procurado por todos, o poderoso "eu" é o centro do universo. A meu ver, é isso que torna nossas dificuldades interpessoais tão comuns. Os índices de divórcio são cada vez maiores, filhos se rebelam contra os pais, as pessoas brigam com o chefe e abandonam o emprego num arroubo de raiva – pois a essência de nossas relações é quase sempre "eu contra você". Bem diferente de nós, se um cão pudesse ter sua voz interna expressa em palavras, ele pensaria em "nós" o tempo todo. Matilha primeiro, indivíduos depois. Até o líder da matilha age dessa maneira. Talvez seja por isso que nós, seres humanos inseguros, procuramos os cães quando temos dificuldades de relacionamento com as pessoas. Quando um cachorro entra em sua casa, você instantaneamente ganha um "nós" – e isso nunca muda. Simplesmente faz parte da natureza do cão, e isso é muito reconfortante quando nossos relacionamentos com as pessoas parecem viver carregados de tensão.

Isso não quer dizer que cada cachorro não seja um indivíduo – é claro que é! Mas como você diferencia a verdadeira singularidade de seu cão do que podem ser as "questões" dele? Existem certas características que variam de um cão a outro, que se tornam a maneira como nós, seres humanos, avaliamos a "personalidade" de nossos cães. Todo cachorro é curioso até certo ponto – faz parte da natureza do animal. Todo cão é brincalhão até certo ponto – eles vivem o momento, e todos os dias para os cães são como manhãs de Natal, mesmo que eles tenham energia baixa ou sejam mais velhos. Todo cão é alegre até certo ponto – a maneira como ele gosta de brincar é determinada em parte pela raça e em parte pela energia. Todo cachorro é leal até certo ponto – porque, na natureza, a matilha precisa de lealdade para se manter unida e sobreviver. Todo cão sabe como aprender – faz parte da sobrevivência, também – e gosta de ser desafiado. Todo cão sabe como seguir as instruções e regras do líder e compreende a importância delas. Todo cachorro é carinhoso até certo ponto. Todo cão gosta de caminhar com o líder da matilha em modo de migração e precisa disso – e o tempo que vai gastar fazendo isso depende, também, em parte da raça e em parte da energia. Todo cão precisar ser útil, trabalhar para conseguir água e comida – para ser um membro prestativo e produtivo da matilha. Os cães não são solitários, como muitas espécies de gatos; eles são carnívoros *sociais*, e suas profundas necessidades sociais estão arraigadas em sua mente. Ser social significa que eles *precisam* da matilha para ser felizes e realizados. Pelo fato de termos domesticado os cães, nós nos tornamos seus líderes de matilha ao longo de nossa história juntos. Se não estivéssemos por perto, ainda assim formariam matilhas. Durante a crise causada pelo furacão Katrina, na região de New Orleans, nos Estados Unidos, alguns cães que se perderam de seus donos fizeram exatamente isso, temporariamente, para conseguir sobreviver. Mas temos sido "líderes de matilha" para eles e para seus ancestrais há pelo menos dez mil anos – talvez centenas de milhares de anos –, por isso, apesar de eles perceberem que somos seres humanos e não cães, naturalmente nos seguem se lhes dermos a direção correta.

Exercício

Você vai encontrar, a seguir, duas colunas com adjetivos. Uma descreve as características e traços de um cão normal, que você pode definir como a verdadeira "personalidade" do animal; a outra descreve características e traços que são mais propensos a representar questões de instabilidade. É uma lista muito generalizada, é claro, pois muitas dessas características variam de acordo com a raça, mas acho que é uma boa maneira de fazer uma avaliação geral. Leia a lista e marque os adjetivos que você considera que se aplicam a seu cão pelo menos 75% do tempo. Depois, faça uma avaliação *honesta* sobre os pontos nos quais você e seu animal precisam trabalhar.

Mais uma vez, a notícia é boa – em 99% dos casos com os quais lidei, todos os problemas relacionados na lista a seguir puderam ser resolvidos com minha fórmula de satisfação de três partes:

1. Exercícios (a caminhada)
2. Disciplina (regras, limites e restrições)
3. Carinho

Nessa ordem!

Características de um cão normal, ou personalidade	Questões caninas, ou instabilidade
Ativo	Hiperativo
Brincalhão	Pula nas pessoas
Reage a comandos e sinais em geral	Desobediente – não vem quando é chamado
Disposto a participar das atividades da "matilha" (família)	Foge
Às vezes é cauteloso	Muito medroso – morde, rosna ou urina por medo; se esconde de pessoas, animais ou objetos
Late para avisar sobre a chegada de pessoas	Late de forma obsessiva
Sociável com pessoas e cães	Anti-social – "não gosta" de cães nem de seres humanos
Curioso	Agressivo ou predador
Despreocupado	Extremamente territorial
Alerta	Possessivo com brinquedos, comida, móveis
Explorador	Obsessivo em relação a objetos ou atividades (esconde-os, mastiga-os; corre atrás do rabo compulsivamente)
Paciente – sabe esperar	
Alimenta-se	
Carinhoso	Foge de carinhos

Quando você oferece a fórmula de satisfação a seu cão, está dando um passo positivo para se tornar um líder de matilha efetivo. A liderança forte depende de compreender a importância de se manter calmo e assertivo e de se lembrar de não negligenciar suas responsabilidades em relação ao seu animal, assim como não o faria com seus filhos. Já ouvi pessoas descreverem os filhos como "máquinas que nunca se desligam" – e os cães são exatamente da mesma maneira. Por viverem no universo do "nós", estão sempre observando o comportamento e processando os sinais do dono para saber como se comportar. Quando enviamos sinais inconsistentes aos cães, criamos instabilidade neles.

Mais uma vez, voltamos à parte da fórmula de satisfação com a qual muitos de nós temos problemas: a disciplina. Disciplina não tem a ver com mostrar ao cachorro "quem manda"; tem a ver com assumir a responsabilidade por um ser vivo que você levou para o seu mundo. Muitos de meus clientes pensam que, se estabelecerem limites para seus cães, automaticamente se tornarão os vilões. Esse certamente era o problema de John Grogan e Jenny Vogt. Sem disciplina, não obtiveram respeito. Não conseguiram dar a Marley as regras, limites e restrições de que ele precisava para viver uma vida mais pacífica. Ele acabou repleto do que os donos viam como "desvios de personalidade", mas que eu chamaria de instabilidade. Ao impor regras, limites e restrições ao seu cão, você não "mata o jeito dele de ser". Em vez disso, dá a ele a estrutura necessária para encontrar a paz e permitir que seu verdadeiro "eu canino" surja. Seu cão pode ser aquele "ótimo cachorro" que você imagina – mas é você que deve guiá-lo até lá!

❖ ❖ ❖

HISTÓRIA DE SUCESSO
Tina Madden e NuNu

Se você assistiu à primeira temporada do meu programa, provavelmente se lembra de NuNu, o chiuaua cuja agressividade estava tornando um pesadelo a vida de sua dona, Tina, e da colega de casa dela, Barclay. Três anos mais tarde, a vida de Tina Madden mudou drasticamente, pois ela se tornou a líder da matilha. Agora, ela não só trabalha em meu Centro de Psicologia Canina como também reabilita cães. Mas o mais importante é como se sente em relação a si mesma – forte como mulher e como pessoa. Esta é a história dela, contada com suas próprias palavras:

"Antes de NuNu, eu era extremamente insegura. Não saía muito de casa. Tinha questões comigo mesma, com minha imagem corporal, com o que as pessoas pensavam de mim e como me viam. Estava sempre insegura e ansiosa. Chorava o tempo todo. Enfim, decidi que preferia estar perto de cães a perto de pessoas, por isso abri mão de meu emprego como *bartender* e fui trabalhar como assistente de um veterinário.

Eu ficava bem no trabalho, porque os animais precisavam de mim. Mas, fora do ambiente profissional, sentia medo do mundo. Até ir ao supermercado me aterrorizava. Eu estava me isolando, e as coisas só pioravam. Isso fez com que eu ficasse cada vez mais para baixo. Não cheguei ao fundo do poço, mas estava quase lá.

Comprei NuNu em fevereiro. Ele chegou. Eu era insegura. Passei a alimentar o comportamento ruim nele e em mim, e cheguei à conclusão de que deveria haver algo que eu pudesse fazer. Todo mundo dizia: 'Sacrifique-o. Ele é terrível. Já está prejudicado demais para algum dia vir a ser um bom cão. Mande sacrificá-lo'. Então, em abril, surgiu Cesar e, quando ele saiu da minha casa, minha vida havia mudado. Ele tem uma grande energia proativa. Queria que eu me tornasse mais confiante e demonstrasse mais liderança – algo que eu nem teria imaginado ser possível antes. Mas ele me disse: 'Não importa o que digam, você pode fazer isso. Tem apenas que fazer'. E, se não fosse por mim, faria ao menos pelo cão, que eu amava.

Em primeiro lugar, tive que me livrar *imediatamente* do meu medo de sair. Cesar deu ordens expressas para que eu saísse com NuNu todos os dias, e foi isso que comecei a fazer. Ele disse que a caminhada deveria durar 45 minutos, mas resolvi que seria uma hora. Então, pelo menos de duas a duas horas e meia por dia, antes e depois do trabalho, sete dias por semana, NuNu e eu caminhávamos. E, durante o passeio, como NuNu é uma gracinha, os pedestres queriam se aproximar dele, então comecei a conhecer pessoas. Comecei a fazer amizades em meu bairro. De repente, passei a ter vida social – as pessoas me convidavam para visitá-las. E eu tinha um ritual. Antes de sair para minha caminhada diária, eu mentalizava: "Esta será uma ótima caminhada. Será uma caminhada perfeita! Podemos enfrentar quaisquer obstáculos que aparecerem. Tenho o conhecimento e a capacidade para lidar com eles". Eu passava por cães que estavam atrás de cercas ou mesmo soltos na rua e tinha muito medo de que mordessem NuNu. Achava que não sabia lidar com isso. Mas, aos poucos, percebi que *sabia* o que fazer. E, quanto mais eu fazia, melhor e mais confiante ia ficando.

NuNu não mudou completamente de um dia para o outro. Ele não foi "consertado" por completo em uma semana, nem mesmo em um mês, mas, quanto mais eu mudava meu comportamento com ele, sendo mais confiante, mais ele mudava de verdade. Tenho orgulho de NuNu por sua mudança – mas a grande energia veio de mim. Do meu fortalecimento.

Minha autoconfiança aumentou muito. E não apenas com cães. A maneira como me relaciono com as pessoas mudou totalmente. Acho que uma das coisas mais difíceis para algumas pessoas é ser capaz de entender as intenções de alguém. Aquela pessoa é boa? É ruim? Você pode confiar nela? Mas, de verdade, para entender outras pessoas, temos que entender a nós mesmos. Aprender a ter consciência da minha energia facilitou as coisas para mim... e isso foi algo que aprendi com Cesar e NuNu. Parei de me sentir vítima do mundo. Sinto-me no controle de mim mesma, em qualquer situação.

Eu transformei meu cão e então transformei minha vida. Estou muito feliz agora. E tudo por causa de um cãozinho. Um cãozinho de um quilo e meio."

2

DISCIPLINA, RECOMPENSAS E PUNIÇÕES

O homem é um animal que faz acordos; nenhum
outro animal faz isso. Nenhum cão troca ossos com outro.

– Adam Smith

As leis da natureza são o governo invisível da Terra.

– Alfred Montapert

Quando se trata de nos tornar os líderes de matilha de nossos cães, a equação não fica completa se não compreendermos o conceito de disciplina. Como aprendemos no capítulo anterior, seu cão não pode ser equilibrado e encontrar a verdadeira paz se não tiver regras, limites e restrições como parte de sua rotina diária. Para que as regras e os limites existam, alguém precisa estabelecê-los – e essa é uma tarefa para o líder da matilha.

Muitos profissionais da área animal que dizem discordar do que acreditam ser minhas técnicas seguem a tendência de treinamento canino de recompensas – "treinamento" sendo a palavra-chave. Lembre-se: eu não *treino* cães. É verdade que essa era a minha ambição quando cheguei aos Estados Unidos, mas logo percebi que minhas habilidades tão próprias e especiais poderiam ser utilizadas de forma muito melhor. Na minha opinião, os cães demonstravam precisar de muito mais do que a habilidade de sentar, ficar, deitar, rolar e pegar o jornal para terem uma vida completa. O que eu faço é *reabilitação*, apesar de acreditar totalmente nas técnicas de reforço positivo para *treinar* e também para reabilitar, sempre que possível. Minha filosofia em relação a disciplina e corretivos, com qualquer animal e qualquer objetivo, é que devem ser aplicados com o *mínimo de força necessário* para obter o comportamento desejado. E eu uso o reforço positivo e as recompensas com comida o tempo todo, nas situações apropriadas. Mas também acredito que há tempo e lugar para todas as técnicas. O problema que muitos da linha "positiva" de comportamento parecem ter comigo é que eles acreditam que eu deveria usar guloseimas e *clickers** para redirecionar alguns dos comportamentos que decido corrigir com energia, linguagem corporal, contato visual e toque. Acredito que minhas técnicas funcionam em casos muito difíceis, agressivos, obsessivos e ansiosos, porque são uma abordagem simples e de bom senso com base total na Mãe Natureza.

A meu ver, existe uma grande diferença entre a idéia de *disciplina* e o conceito de *punição*. Para mim, a *disciplina* faz parte da ordem do universo – é a essência da maneira como a Mãe Natureza age para fazer com que o planeta funcione. Disciplina é ordem. É a rotação da Terra, o nascer e o pôr-do-sol, são as fases da lua. É uma estação vindo depois da outra – uma época para plantar e cultivar e outra para colher. Dentro desse contexto maior, disciplina é a maneira pela qual todos os membros do reino animal sobrevivem. Todas as manhãs, os esquilos saem e começam a procurar alimentos. Alguns pássaros surgem em sua janela à procura de sementes; outros procuram no chão, tentando encontrar minhocas e outras iguarias. Se você parar para observá-los todos os dias, verá que a rotina deles raramente varia, exceto quando ditada por outros fatores, como cuidar dos filho-

---

*Peça de plástico com uma lâmina de metal interna que, ao ser pressionada, produz um som agudo (clique). Esse som é seguido de uma recompensa (geralmente uma guloseima) e marca o momento em que o cão se comportou de maneira correta. (N. do E.)

tes, migrar ou se preparar para o inverno, escapar da chuva, encontrar uma nova árvore, depois que aquela onde ficavam foi derrubada por uma tempestade. Nenhum desses animais tem domingos ou dias de folga. Vivem o presente ao máximo, e todos os momentos são guiados pela *disciplina*. O instinto deles indica o que fazer para manter a ordem na vida. Quando ocorre uma disputa por alimento, por território ou por parceiros, eles mantêm a disciplina entre si, e o ambiente mantém a disciplina entre todos eles.

No mundo natural do carnívoro social, a disciplina e a ordem são incrivelmente importantes. As regras são estabelecidas de duas maneiras: por meio de seu "programa" (os instintos de sobrevivência) e pelos outros componentes do grupo. Os cães, por serem animais de matilha, são extremamente ligados às regras do grupo. Cooperação significa sobrevivência. Os animais sociais contam com o conhecimento de seu lugar e de seu papel dentro do grupo para garantir a sobrevivência deste. Se o cão não tem uma noção forte de onde se encaixa na matilha, quase sempre mostra sinais de instabilidade. Essa instabilidade vem de um lugar profundo e primitivo – a necessidade de garantir a continuação do grupo, independentemente do custo que isso tenha para o indivíduo.

Diferentemente da disciplina que o mundo natural oferece, a *punição* é, na minha opinião, em grande parte um conceito humano. Punição é quando mando um de meus filhos, Calvin ou Andre, para o quarto para pensar no que fez. Existe razão envolvida nesse tipo de punição – com base na capacidade que eles têm de tomar decisões e fazer conexões conscientes e ponderadas. Quando colocamos uma pessoa na cadeia, supomos que ela sabe distinguir entre o certo e o errado, e ser preso é a conseqüência de ter feito a escolha errada. O conceito por trás da prisão é manter o detento longe da sociedade e – pelo menos num mundo ideal – dar-lhe tempo para pensar sobre o que fez, para que não repita a escolha infeliz. Mas a punição geralmente é uma escolha terrível para a solução de conflitos – qualquer terapeuta de casais pode afirmar isso. Se minha esposa e eu temos uma briga e decido "puni-la" por uma semana, sendo sarcástico ou rude com ela, estou fazendo algo para resolver o problema? É claro que não. O mais provável é que ela fique ainda mais zangada comigo. Esse é o perigo de pensar em "punição" quando estamos falando sobre disciplinar cães.

Os animais não têm a capacidade de tomar decisões conscientes sobre o que é certo ou errado, bom ou ruim. Dar um castigo depois que você encontra seu sapato preferido todo mastigado é o tipo de punição que pode funcionar com seus filhos, mas não dá certo com cachorros, pois eles não são capazes de fazer esse tipo de conexão intelectual. Gritar ou bater com raiva no animal apenas o deixa confuso ou assustado. Quando alguém adota um cão de um abrigo e depois o devolve, por ele ser muito agressivo, o animal não compreende por que voltou a ser confinado em uma jaula. Não consegue refletir sobre como perdeu a chance de ter um lar, então se sentir mal e decidir se comportar melhor da próxima vez. No simples universo de causa e efeito que orienta grande parte do comportamento canino, essas punições não deixam claro para o cão qual comportamento é indesejado e qual precisa entrar no lugar do anterior. Eles são deixados sozinhos para descobrir, e geralmente nem eles nem nós ficamos felizes com as soluções que encontram. É por isso que, pessoalmente, prefiro as palavras "disciplina" e "correção" ao termo "punição" quando falo sobre a reabilitação de cães.

Matemática simples: negativo e positivo

Depois que a segunda temporada do meu programa foi transmitida, fiquei lisonjeado ao saber que a psicóloga Ph.D. Alice

Clearman costuma utilizar episódios de *Dog Whisperer* para ajudar a ilustrar princípios do comportamento *humano* para seus alunos do primeiro ano de psicologia. Dona e reabilitadora de um cão, já tratou de todo tipo de pessoas – desde indivíduos com severas doenças mentais a crianças com dificuldades de aprendizado e até policiais que lidam com cidadãos desequilibrados. Por ter dedicado sua vida profissional ao estudo dos mecanismos de aprendizado e de comportamento, a dra. Clearman me ajudou muito a compreender os princípios da recompensa e da punição, conforme aplicados a seres humanos e a animais.

De acordo com ela, existem duas maneiras básicas de mudar qualquer comportamento: reforço e punição. Na psicologia humana, há a punição positiva e o reforço positivo, e também a punição negativa e o reforço negativo. O positivo e o negativo funcionam da mesma maneira que na matemática. Quando você soma alguma coisa, é positivo. Quando subtrai, é negativo. Reforço positivo significa adicionar algo de que eu gosto para me incentivar a repetir determinado comportamento. Se eu der uma palestra e as pessoas aplaudirem de pé, terei um reforço da experiência de palestrar e vou querer repetir a experiência. O reforço negativo costuma ser visto como equivalente à punição, mas não é a mesma coisa. O reforço negativo se dá quando reforçamos um comportamento *removendo* algo de que alguém *não* gosta. A dra. Clearman usa o exemplo de quando tomamos uma aspirina por causa de uma dor de cabeça. Quando ela está com dor de cabeça, toma uma aspirina e a dor desaparece, conseguiu reforçar o ato de tomar aspirina. O remédio eliminou a dor de cabeça – aquilo de que ela não gostava.

Punição positiva, por outro lado, significa *adicionar* algo de que não gosto para me desencorajar a repetir determinado comportamento. Se eu der uma palestra e todos na platéia vaiarem, gritarem e jogarem coisas em mim, será uma punição positiva.

Vou repensar minha abordagem para a próxima palestra, para evitar uma experiência como essa novamente. Punição negativa é tirar de mim algo de que gosto. Quando digo a Andre que ele está proibido de jogar *videogame* por três semanas, estou aplicando uma punição negativa. Não se esqueça de que as palavras "positivo" e "negativo" não têm nada a ver com as conseqüências serem boas ou ruins. Não se trata de julgamento – apesar de geralmente reagirmos a essas palavras com julgamento. Trata-se apenas de matemática.

Com base nas explicações da dra. Clearman, algumas de minhas técnicas para trabalhar com cães problemáticos poderiam ser chamadas de *punição positiva*, mas, como a palavra "punição" tem uma conotação humana para mim, prefiro pensar nessas técnicas simplesmente como *correções*. Por exemplo, costumo curvar os dedos das mãos para que fiquem parecidos com garras, para simular a boca e os dentes de uma cadela mãe ou de um cão mais dominante, e toco com firmeza o pescoço do cachorro.

É importante deixar bem claro que *não estou batendo no cão nem o beliscando!* Estou simplesmente imitando o que, entre os cachorros, é um corretivo natural, que tem significado instintivo para eles. É uma forma de toque com um significado bastante claro: "Não concordo com esse comportamento". Se um cão se descontrola quando está preso à guia, posso dar um leve puxão na lateral da guia ou do enforcador (veja o capítulo 3), ou posso usar meu pé para dar um toque no traseiro do animal. Isso serve para tirá-lo do comportamento indesejado e também para avisar: "Esse tipo de comportamento não é aceito em minha matilha". *Não se trata de um chute.* Trata-se de um *toque*. É o mesmo tipo de toque que damos no ombro de um amigo para chamar sua atenção. Acima de tudo, *a energia por trás desse toque* é o segredo. Não pode ser raivosa, frustrada, hesitante ou medrosa – deve ser sempre calma e assertiva. Não estou corrigindo o cão porque estou bravo com ele, ou porque minha paciência terminou, ou por estar envergonhado com o que ele está fazendo, ou morrendo de medo do que pode vir depois. Como líder da matilha, estou sempre concentrado. Tenho em minha mente a visão do que é um comportamento adequado à minha matilha, e estou lembrando ao cão que ele deve prestar atenção em mim quando lhe indico qual deve ser seu comportamento.

A recompensa pelo comportamento correto poderiam ser petiscos, carinhos, elogios, ou simplesmente meu orgulho silencioso e minha felicidade interior pela conquista do animal. Isso, por si só, é afeto para um cão! Muitas pessoas que lidam profissionalmente com esses animais – em caças, missões de resgate ou relacionadas ao cumprimento da lei, ou mesmo em estúdios de gravação – não ficam perto o suficiente deles para lhes dar petiscos ou fazer algum elogio. Mas comunicam o grande apreço que sentem pelo trabalho do animal por meio de um aceno de cabeça, um sinal com as mãos e, acima de tudo, pela emoção, pura, concentrada e positiva. Lembre-se: seu cão sempre lerá sua energia e suas emoções – e se comportará guiado por elas.

Quando há visitantes no Centro de Psicologia Canina e eles estão prestes a andar entre minha matilha de trinta a quarenta cachorros pela primeira vez, além de lhes dizer: "Não fale, não toque, não estabeleça contato visual", sempre aviso que eles devem continuar caminhando, mesmo que os cães se aproximem ou encostem neles. Os cães não levam para o lado pessoal se, enquanto caminha, você tocá-los de maneira firme ou encostar neles, desde que não faça isso com uma energia abusiva, raivosa ou agressiva. Se sua energia for realmente calma e assertiva, um toque para eles é apenas comunicação. Os cães se comunicam o tempo todo usando toques e energia. Empurram, encostam e batem com o focinho uns nos outros. É uma maneira de exigir espaço pessoal; de mostrar interesse ou afeto; de concordar ou não com determinado comportamento de outro cachorro. De fato, a primeira comunicação entre uma cadela mãe e o filhote é feita pelo toque – o filhote se esfrega na mãe quando vai mamar, e ela o afasta quando já está cansada.[1] Eu costumo usar meu corpo simplesmente para bloquear ou redirecionar um cão que esteja se comportando de um modo com o qual não concordo. No mundo animal, é uma maneira muito simples e direta de passar uma mensagem.

O reforço positivo tem grande poder para mudar o comportamento dos seres humanos e dos animais, e geralmente é a forma de "disciplina" com a qual as pessoas se sentem mais à vontade. Ele faz com que o sujeito e o objeto se sintam bem – mas é importante que seja aplicado com certos limites. Vejamos um exemplo do mundo humano explicado pela dra. Clearman. Se seu filho chegar da escola com um desenho e você disser: "Que desenho bonito! Você fez um bom trabalho ao desenhar essas palmeiras. São difíceis de fazer", esse é um uso bom e limitado do reforço positivo. É um *feedback* positivo – além de poderoso. No entanto, se todos os dias ele aparecer com um desenho e você tentar agradá-lo, dizendo sobre todos eles: "Que maravilhoso! Você é o melhor menino do mundo! Você é um gênio! Esse desenho está fabuloso! Tudo que você faz é perfeito!", seu elogio perderá a força quando você realmente precisar usá-lo. Como fará com que ele acredite em você quando precisar encorajá-lo depois de um fracasso? Como você está sempre recompensando seu filho, independentemente do que ele fizer, acabará perdendo sua credibilidade. Reforço positivo em excesso pode dar a aparência de fraqueza a quem faz o elogio – ou a quem dá os petiscos, o aplauso ou qualquer que seja a recompensa.

---

[1] Bruce Fogle, *The Dog's Mind*. Nova York: Macmillan, 1990, pp. 26-27.

Já vi esse tipo de reação em cães que nunca tiveram respeito total por seus donos, mas que são reforçados com guloseimas por praticamente qualquer comportamento. O dono usa os petiscos como recompensa para condicionar o animal a se sentar e a ficar parado, mas também em situações em que não estão claras a causa e a conseqüência. Se o cão está rosnando para outro, o dono lhe oferece petiscos para redirecionar o comportamento. Se está roendo um móvel, ganha petiscos para que tenha outra coisa para mastigar. Se está no sofá, o dono joga petiscos no chão para que o animal desça dali. O problema é que essa pessoa pode ter direcionado o comportamento temporariamente, mas não abordou o estado mental que o estava causando. Ela não ganhou o respeito do cachorro fazendo com que ele percebesse, por meio da energia e da linguagem corporal, que não estava feliz por ele ter sentado no sofá. E também, com essa atitude, está tornando o animal "apático" em relação ao método de reforço, fazendo com que este passe a ser menos eficiente – e pode até, ao mesmo tempo, estar cultivando o mau comportamento! Eu não me surpreenderia se muitos desses cães voltassem a rosnar, a roer e a pular no sofá assim que os petiscos acabassem. Assim como nossas palavras de elogio perdem a força quando emitidas a todo momento, os petiscos perdem o sentido, porque não são vistos pelo cão como diretamente ligados ao comportamento indesejado.

O reforço positivo pode dar errado por alimentar um comportamento que não queremos que o cão tenha. No mundo dos humanos, se uma criança se machuca e começa a chorar, os pais naturalmente vão confortá-la, acariciá-la, dizendo: "Tudo bem, não foi nada" e outras palavras que tenham o mesmo efeito. Mas a maioria dos pais sabe que, se forem longe demais no comportamento protetor – se entrarem em pânico ou ficarem muito emocionais –, só vão aumentar o desconforto da criança. Apesar de as carícias que fazemos nos cachorros terem um efeito calmante, também indicam afeto – que é uma ferramenta poderosa de reforço positivo. Lembre-se: é positivo – o que significa que você está *somando* energia. Em meu primeiro livro, *O encantador de cães*, dei o exemplo de Kane, um dogue alemão que tinha medo de pisos escorregadios. Depois de ter escorregado em um piso liso e batido contra uma parede de vidro, poderia ter se recuperado sozinho, ao menos se sua vida fosse ordenada da maneira certa no mundo natural. Talvez ele se tornasse mais cuidadoso, mas não completamente medroso. Como sua dona fez um grande estardalhaço por causa de seu escorregão, o choque e o trauma foram intensificados dez vezes. Sempre que ele e a dona retornavam à "cena do crime", ela reforçava a insegurança do cão, dando-lhe atenção e grandes doses de carícias, conforto e afeto. A dra. Clearman me deu mais um exemplo do mundo humano: um aluno que está nervoso e com receio de ser reprovado em um exame porque não se sente preparado para fazê-lo. Se um colega dele disser: "Você tem toda razão de estar preocupado. Eu já tive aulas com esse professor, e ele é um pesadelo... Você nunca estará preparado o bastante e provavelmente vai ser reprovado", o colega está *concordando* com o comportamento e reconhecendo os sentimentos, mas reforçando o medo. Da mesma maneira, acariciar ou dar petiscos a um cão que está com medo pode distraí-lo a curto prazo, mas também pode comunicar que você concorda com aquele estado de espírito.

O treinamento usando reforço positivo com base em guloseimas existe desde que existem cães e seres humanos que querem controlá-los. Usar alimentos como incentivo para um animal fazer algo – qualquer animal, de *hamsters* a ursos ou crianças – é uma escolha óbvia. Já o treinamento com *clickers* é um passo mais sofisticado. O *clicker* foi desenvolvido há mais de trinta anos, por treinadores de mamíferos marinhos, para fazer com que realizassem certos truques e adotassem determinados comportamentos. O *clicker* – ou o apito, no caso do treinamento de cetáceos* e pinípedes** – serve como ponte entre a recompensa com comida e o comportamento. Ele permite que haja um *feedback* instantâneo entre o animal e o treinador, para que, no exato momento em que o animal "acertar o ponto", por assim dizer, seja emitido um som que sinaliza que a comida está vindo. Nas primeiras fases do treinamento com *clicker*, a recompensa vem logo depois do som, quando o animal teve o comportamento correto. Quando o animal já estiver totalmente condicionado e à vontade com aquele comportamento, geralmente só é preciso usar o *clicker* para o reforço positivo, uma vez que ele está associado com a recompensa e promete que ela está prestes a chegar. Em situações controladas, o treinamento com *clickers* é muito eficaz e tem demonstrado *acelerar* o processo de aprendizado de muitas espécies animais. Ele funciona de modo mais eficiente para adicionar comportamentos, apesar de poder ser utilizado para eliminar comportamentos indesejados, moldando-se e recompensando-se novas respostas.

As técnicas de reforço positivo com base em petiscos ou com *clickers* são ideais para ensinar o cão a realizar truques, a caçar, a buscar objetos – basicamente qualquer coisa que ele já seja capaz de fazer naturalmente de alguma forma. Também servem para controlar o comportamento e o básico da obediência em animais de energia baixa a média, felizes e já equilibrados. Mas muitos dos cães com os quais trabalho são extremamente instáveis e não se sentirão tentados a mudar de comportamento por um petisco, por mais saboroso que seja. Você pode jogar um filé delicioso na frente de um cão que esteja na zona de alerta – um

---

*Mamíferos aquáticos como baleias, botos e golfinhos. (N. do E.)
**Mamíferos aquáticos como focas, leões-marinhos e morsas. (N. do E.)

animal que queira matar outro – e ele não vai nem notar. Você consegue se imaginar clicando ou jogando petiscos para o seu cão enquanto luta de todas as maneiras para impedir que ele ataque uma pessoa ou outro cachorro? Um cliente meu, que teve seu caso mostrado em *Dog Whisperer*, enfrentou essa situação, só que sem o *clicker*. Pete já havia consultado diversos treinadores e não sabia mais o que fazer com seu cachorro em zona de alerta, Curly, uma mistura de labrador com galgo inglês. Um treinador disse que Pete deveria jogar petiscos sempre que a agressividade de Curly em relação a outros cães surgisse durante os passeios. Pete me disse: "Logo ele percebeu que, se comesse o biscoito bem depressa, conseguiria o petisco e *depois* poderia atacar o outro cão. Ele tinha as duas coisas".

Acredito que existem muitas maneiras de ajudar os cães a se tornarem equilibrados – e entre elas estão as técnicas de reforço *e* os corretivos humanos. No fim, o objetivo é o mesmo: ajudar o cão.

Wilshire em chamas

A história de Wilshire, o cão de bombeiro, é um ótimo exemplo do que considero a combinação perfeita entre treinamento com reforço positivo *e* minha fórmula de exercícios, disciplina e carinho. Wilshire, um filhote de dálmata, tinha cerca de 2 meses de vida quando apareceu na entrada do 29º Batalhão do Corpo de Bombeiros de Los Angeles. Seus donos o compraram de um criador – sem dúvida para satisfazer um capricho dos filhos, depois de terem assistido ao filme *101 dálmatas* –, mas logo o consideraram muito ativo para a vida da família. Quando o levaram para um abrigo, no entanto, foram informados de que, se o cão não fosse adotado em 24 horas, teria que ser sacrificado. Sentindo-se culpada, essa família estava passando em frente ao

29º Batalhão quando um deles pensou: *Dálmata = cão de bombeiro!* Então, levaram o filhote ao capitão Gilbert Reyna e imploraram a ele e ao resto dos bombeiros que ficassem com o cãozinho. A princípio, o capitão disse: "De jeito nenhum". Como aquele batalhão tão ocupado conseguiria cuidar de um dálmata órfão e hiperativo? Mas outros bombeiros se aproximaram do cão. Fizeram carinho, brincaram com ele e lhe deram alguns biscoitos. Você sabe como é – 45 bombeiros machões mais um adorável cãozinho é igual a amor à primeira vista. Não poderiam abandoná-lo.

Wilshire instantaneamente conquistou o coração dos bombeiros, mas eles não ganharam o respeito do animal. Na verdade, no segundo dia ali, o cãozinho já estava correndo por todo lado. Subia nas mesas do refeitório e roubava a comida de todos. Roía casacos, chapéus, além de mangueiras, cabos e fios importantíssimos para salvamento. Corria e fazia xixi onde queria – uma violação às regras municipais de higiene. Os bombeiros viviam tensos, porque, sempre que recebiam um chamado e precisavam tirar os equipamentos da garagem, Wilshire saía correndo e fugia em direção à rua. Às vezes ele corria diante do enorme caminhão do corpo de bombeiros – sem que o motorista pudesse vê-lo. Um dia, um grupo de crianças de uma escola foi até o batalhão para conhecer suas dependências, e Wilshire ficou tão empolgado que saiu correndo e se lançou no ar como um foguete – batendo em cheio no peito de um menino, que caiu no chão! O capitão Reyna recebeu um aviso da prefeitura de Los Angeles exigindo que o cão fosse controlado, ou teria que ir embora. É claro que todos eles já haviam se afeiçoado a Wilshire e não permitiriam de jeito nenhum que ele fosse embora. Wilshire precisava ser reabilitado!

Quando os bombeiros me telefonaram pedindo minha ajuda, Wilshire já tinha 3 meses e era o rei do corpo de bombeiros.

Aqueles homens ficavam correndo de um lado para o outro, desesperados, gritando atrás dele: "Meu Deus, Wilshire! Não, Wilshire! Pare, Wilshire!" Não consegui controlar o riso – afinal, aqueles eram homens que todos os dias arriscavam a vida para salvar pessoas dos piores desastres imagináveis, permanecendo o tempo todo calmos e controlados. E agora aquele cãozinho os estava deixando em pânico. Quando comentei isso com eles, todos se sentiram envergonhados, mas também riram. Perguntei: "Quando vocês tiram alguém de um prédio em chamas, dizem a essa pessoa: 'Oh, meu Deus, você está horrível! Essas queimaduras estão péssimas! O que vamos fazer?'" É claro que não! Eles demonstram liderança e energia calma e assertiva – exatamente o tipo de energia necessário para ser um perfeito líder de matilha. Aqueles eram homens que já tinham todas as habilidades necessárias para cuidar de Wilshire. Só não tinham a informação correta para colocá-las em prática.

O corpo de bombeiros é um exemplo ideal de como uma "matilha" de seres humanos pode funcionar bem. O capitão estabelece as regras, mas só as reforça quando necessário. Todos conhecem seu lugar e sua função. A operação toda tem a ordem sólida porém reconfortante de uma colméia, produtiva e eficiente. O dia começa e termina com uma rotina, mas as emergências são a regra. Quando uma chamada é feita, há uma seqüência de atividades, e os bombeiros reagem de maneira organizada e disciplinada – assim como os lobos e outros carnívoros sociais atuam em conjunto em uma caça. Wilshire, como um animal de matilha, não poderia ter encontrado lugar melhor do que o corpo de bombeiros. Mas ele precisava se tornar um membro disciplinado do grupo – e não um líder de matilha descontrolado e menor de idade!

Meu trabalho era fazer com que o comportamento de Wilshire ficasse sob controle e então mostrar aos bombeiros como continuar o que eu começara. É claro que, como o cachorro ainda era filhote, tinha fome de conhecimento. Estava praticamente implorando para receber regras, limites e restrições. Comecei a condicioná-lo com um toque firme, com os dedos curvados em posição de dentes, para afastá-lo da comida dos bombeiros sobre a mesa e na cozinha. Ele logo aprendeu a ser submisso. Depois de alguns toques, eu só precisava levantar um dedo, mover meu corpo na direção dele e enviar-lhe minha energia calma e assertiva. Como ele era filhote, não tinha hábitos muito arraigados para mudar. O que eu estava lhe dizendo – para se submeter às regras da matilha – era algo que já existia em seu interior. Com apenas um ou dois toques, e posteriormente com a linguagem corporal, consegui criar uma barreira invisível na garagem, pela qual ele não podia passar. Ele aprendeu rapidamente, assim como os bombeiros.

Essa é a grande vantagem de ter um filhote: você tem a oportunidade perfeita de moldar o comportamento dele. A capacidade e o desejo de cooperar e de se dar bem com os outros – de fazer parte de um ambiente social – já estão presentes, programados no cérebro de todos os cães. Quando cachorros adultos rosnam para os filhotes, para que estes percebam que a brincadeira está indo longe demais, ou para mostrar que estão quebrando as regras da matilha, não existe negociação – mas os filhotes não levam isso para o lado pessoal. Não se trata de punição, e sim de disciplina. Os seres humanos podem aprender muito com o treinamento que cães adultos dão aos filhotes. Se você observar filhotes de qualquer espécie canídea – sejam cães selvagens africanos, lobos ou dingos* –, perceberá que eles quase não se rebelam quando os membros adultos da matilha estabelecem regras

---

*Cão selvagem originário da Ásia e que hoje é mais comumente encontrado na Austrália. (N. do E.)

a ser seguidas. Os filhotes mais dominantes ou de energia mais alta podem ser um pouco mais resistentes – tentando testar os limites –, mas instintivamente sabem que sua sobrevivência depende da obediência às regras e aos rituais da matilha.

Outro aspecto da reabilitação de Wilshire era encontrar uma maneira de controlar seu alto nível de energia. Filhotes precisam de muito exercício, e Wilshire não era exceção. Quando os bombeiros voltavam para o batalhão, nem sempre tinham tempo de levá-lo para uma caminhada pelo bairro. Felizmente, as próprias regras e a disciplina dos bombeiros conseguiram dar a melhor solução para isso. Os funcionários do corpo de bombeiros de Los Angeles são obrigados a correr na esteira todos os dias, quando chegam à unidade. O 29º Batalhão tem duas esteiras, uma ao lado da outra. Primeiro ensinei Wilshire a correr com segurança no aparelho – usando comida como recompensa para mantê-lo interessado nos primeiros minutos, até que conseguisse dar continuidade. Daí em diante, só dependia dos bombeiros. Durante as três semanas que se passaram antes do meu retorno, eles decidiram designar um dos aparelhos como "a esteira de Wilshire" e, quase sempre que um dos funcionários começava a correr, o cão subia em "sua" esteira para acompanhá-lo. Wilshire tinha muita energia para queimar, e suas corridas diárias foram ótimas para torná-lo mais controlável. Não demorou até que o cão começasse a correr na esteira sem coleira, e o ato de tê-lo correndo ao lado de todos os membros da equipe criou um forte laço entre eles.

Quando Wilshire chegou ao corpo de bombeiros, o capitão Reyna e seu colega, o capitão Richard McLaren, decidiram torná-lo um assistente de ensino, para que tivesse sua própria função dentro da corporação. Um dos trabalhos dos bombeiros de Los Angeles é ministrar palestras educacionais, em escolas e outros grupos da comunidade, a respeito de segurança e sobrevivência a incêndios. O capitão Reyna queria treinar Wilshire para que ele parasse, deitasse e rolasse quando solicitado. Uma vez que o adorável cãozinho certamente chamaria a atenção das crianças, elas se lembrariam com mais facilidade da lição dada. Mas Wilshire, com seu comportamento instável, certamente não aprenderia a obedecer a comandos, nem mesmo para se sentar. É por isso que foi uma inteligente decisão deles me chamar para, primeiro, treinar *os bombeiros* a impor regras, limites e restrições ao cachorro e torná-lo parte da equipe. Durante as três semanas que se seguiram à minha partida, os bombeiros mostraram ser os melhores alunos. Os homens de um turno deixavam bilhetes para os do turno seguinte, para que todos soubessem como tratar Wilshire de modo consistente. Eles estabeleceram uma rotina para o cão e começaram a espalhar cartazes pelas dependências da unidade, lembrando os colegas dos comandos de uma palavra que deveriam ser usados. "Chão" era a palavra usada para fazer com que Wilshire parasse de pular nas pessoas. "Cama" era para mandá-lo para a cama. Ninguém mais podia lhe dar alimentos no refeitório. A coerência é algo muito importante quando existe mais de um líder de matilha. Todos tinham que estar comprometidos – ninguém podia ser "bonzinho" e permitir que Wilshire infringisse uma regra de vez em quando, do contrário o programa todo acabaria fracassando. Felizmente, a vida de um bombeiro se baseia em disciplina e trabalho em equipe, e eles mantinham a coerência 99% das vezes. Quando retornei, três semanas depois, Wilshire tinha tanta energia quanto antes, mas havia se tornado um filhote bem-comportado e respeitador – e um membro de verdade da "matilha" do 29º Batalhão. Ele era o que eu chamaria de *excitado-submisso*. E finalmente estava pronto para ser treinado.

Quando voltei, levei comigo Clint Rowe, um excelente treinador que trabalha com animais em filmes de Hollywood há mais de trinta anos. Seu currículo inclui filmes como *Caninos brancos*, *Uma dupla quase perfeita*, *Arquivo X*, *Viagem clandestina* e *Max – Fidelidade assassina*. Clint treinou também o azarado urso de *Borat*. Ele já trabalhou com diversos animais, desde cervos a pumas e lobos, além de cães, é claro, que são sua especialidade. Clint levou uma de suas ferramentas, um *clicker*, com alguns petiscos e começou a ensinar a Wilshire a parte do "parar e deitar". Treinar um cão para realizar truques pode ser demorado e requer paciência, tempo e muita repetição. Também é melhor não sobrecarregar o animal com sessões muito longas, mas ensinar um pouco por vez, talvez cerca de dez minutos, duas ou três vezes ao dia. Eu gostava muito de ver Clint trabalhando, e ele era claro e conciso quando explicava e demonstrava seus métodos aos bombeiros:

"Uma diferença entre mim e Cesar é que ele trabalha em 'tempo real', o que é muito interessante. No treinamento de animais para atuar em filmes, o único tempo real que existe é no estúdio, no dia da gravação. As pessoas não se dão conta de que nosso trabalho é feito na preparação, nos bastidores, dia após dia.

Em meu trabalho – principalmente em filmes –, queremos que o animal goste do que está fazendo; queremos que ele fique tão animado para realizar seu trabalho que nos puxe para o cenário. Com Wilshire, a primeira coisa que tive que descobrir foi o que o deixava animado, o que o motivava. Felizmente, percebi logo no começo que ele gostava muito de comida.

Começamos apenas com parar e deitar. Demos a ele um cobertor, para que o treino fosse mais confortável, e estabelecemos na manta um pequeno ponto de onde ele pudesse começar a seqüência de comportamento. Usei o *clicker* e o recompensei com comida a cada estágio. Parada no ponto, clique e recompensa. Chão ('deitar'), clique, recompensa. Por fim, paramos de usar a comida. O *clicker* oferece um ambiente neutro. Serve para separar qualquer tensão que ocorra, naturalmente ou não, entre você e o animal. Permite que ele trabalhe sozinho, reagindo ao ambiente sozinho. O processo de aprendizado se torna relaxado. Quando o processo de aprendizado acontece de modo relaxado, as lições são assimiladas com mais rapidez e tranqüilidade.

O segredo para trabalhar com o *clicker* é manter suas emoções 'neutras'. Cesar pode chamar isso de calmo e assertivo; para mim, trata-se apenas de um lugar não-emocional. Já vi pessoas gritando com animais, se irritando com eles, e elas não compreendem por que falharam. Concordo com Cesar quando ele diz que é a energia que enviamos ao cão que determina o resultado, e não as ferramentas que usamos. Se eu ficar frustrado, nervoso ou cansado – digamos que meu dia tenha sido difícil –, não importa se meu trabalho é bom, se o petisco é bom ou qualquer outra coisa. Se eu ficar muito empolgado, elogiando e recompensando em excesso, terei o mesmo problema. É preciso manter as emoções – a 'energia' – estáveis, ou não vai dar certo. A confiança e a segurança do animal – tanto em você como nele mesmo – são sempre construídas e fundamentadas em torno de suas emoções tranqüilas."

Vamos cortar para quatro semanas depois que Clint começou a trabalhar com Wilshire. A equipe do *Dog Whisperer*, sempre ligada aos prazos da televisão, ia filmar a primeira atuação do cachorro em uma escola de ensino fundamental. Clint também estava presente. Fiquei muito orgulhoso ao ver Wilshire, mais comportado e maduro, parar, deitar e rolar diante dos olhos maravilhados dos alunos. Mas lembre-se: tudo começou com as simples regras, limites e restrições que eu e os bombeiros estabelecemos em minha primeira visita. Antes disso, Wilshire não tinha capacidade de prestar atenção, de se concentrar e, mais importante, não tinha respeito pelos seres humanos. Apesar de ser possível *forçar* novos comportamentos ou truques em um cão que não é equilibrado – testemunhei isso certa vez, em um lugar onde trabalhei logo que cheguei aos Estados Unidos –, esse animal terá uma probabilidade muito menor de manter os comportamentos e pode se tornar inconsistente ao reagir a comandos. Como mencionei antes, um cão treinado não é necessariamente equilibrado, assim como uma pessoa formada em Harvard não é necessariamente sã mentalmente. No entanto, é possível obter equilíbrio com exercícios, disciplina e carinho e com um treinamento que tenha *a combinação certa entre reforço positivo e correções oportunas.*

Clint me disse que Wilshire se mostrou um ótimo aluno – o treinador continua adicionando truques cada vez mais difíceis em sua rotina. Quando filmamos o episódio de *Dog Whisperer* com o dálmata, Clint, ou o bombeiro que fosse o treinador do cãozinho naquele dia, tinha que estar ao lado dele para fazê-lo parar, deitar e rolar. Mas, recentemente, Wilshire fez uma apresentação em uma grande feira de adoção de animais, com centenas de pessoas na platéia. O treinador de Wilshire estava distante dele, e o cachorro fez uma ótima apresentação! Clint e os bombeiros já ensinaram o cão a "encolher" – ou seja, encolher a cabeça como se quisesse escondê-la – e agora o estão ensinando a rastejar, outra lição sobre segurança em caso de incêndio. Wilshire é o exemplo perfeito de como a fórmula de exercícios, disciplina e carinho, a liderança calma, assertiva e consistente e o condicionamento comportamental com o uso de recompensas podem ser usados em conjunto para criar um cão feliz e equilibrado. De filhote cuja vida estava em risco, Wilshire está se tornando um modelo para todos os cães de bombeiros – além de uma verdadeira celebridade de Los Angeles. O capitão Reyan diz que, quando o caminhão se aproxima com Wilshire no banco da frente, as pessoas espontaneamente se levantam e aplaudem.

Uma vez que o cão esteja estável e equilibrado, com o uso de minha fórmula de exercícios, disciplina e carinho; uma vez que o líder de matilha humano tenha conquistado a confiança e o respeito de seu cão – *aí então* os benefícios do treinamento com recompensas e do condicionamento são incontáveis. Os cães precisam de desafios psicológicos e físicos, e aprender novos comportamentos – principalmente aqueles que fazem com que o cão se sinta útil ou orgulhoso de si mesmo – faz parte disso. Assim como os seres humanos, os cães são animais sociais que prosperam quando sabem qual é sua função dentro da matilha. Recentemente, a maioria dos etólogos* e de outros especialistas que estudam animais selvagens em cativeiro tem concordado que *todos* os animais precisam de um tipo de "trabalho", ou propósito, para serem psicologicamente saudáveis, principalmente quando vivem em nosso ambiente artificial e humano, ou seja, atrás de paredes. O enriquecimento comportamental para os animais é um novo campo, em que os especialistas estudam que ferramentas, jogos e desafios funcionam melhor para manter animais cativos comprometidos e empolgados com o ambiente. Aqueles que trabalham com animais já perceberam há muito tempo que, para que eles sejam felizes, precisam sentir que têm um propósito na vida. Durante anos, Clint Rowe treinou um grupo muito unido de híbridos de lobo para representarem uma alcatéia de lobos de verdade em filmes. Os híbridos de lobo estão entre os cães mais difíceis de treinar, uma vez que são geneticamente muito próximos dos lobos e têm muitos dos instintos de sobrevivência e das sensibilidades que os animais não domesticados costumam ter. Mas Clint descreve o período passado com essa matilha como uma das experiências mais profundas de conexão com animais que já viveu: "Trabalhar com a matilha de híbridos de

---

*Estudioso do comportamento social e individual dos animais. (N. do E.)

lobo na preparação do filme e no *set* foi como um balé. Eles previam quais seriam os passos seguintes e estavam extremamente ligados ao ambiente e, é claro, a mim, já que eu era o foco – o líder. A matilha sabia tudo que eu estava pensando e o que queria que eles fizessem – e eu sabia que eles executariam tudo com habilidade. Estávamos completamente conectados – existia um campo de energia entre nós que ninguém podia ver, mas até mesmo a equipe de filmagem sentia que havia algo poderoso acontecendo".

Aqui vai um alerta sobre os híbridos de lobo, para quem possa estar interessado nesses maravilhosos animais: Clint diz que sempre os tratou como se fossem *lobos puros*, e não metade cães, e enfatiza que pessoas não familiarizadas com animais selvagens não devem tê-los como animais de estimação. Muitos leigos adotam esses belos animais pela "emoção" ou pelo *status* de possuí-los e acabam tendo experiências terríveis, às vezes até fatais. A mistura genética única de híbridos de lobo os mantém totalmente no domínio selvagem. Alguns especialistas defendem a teoria de que os híbridos de lobo são tão potencialmente perigosos porque têm os instintos predatórios dos lobos (que não são predominantemente agressivos) e os instintos agressivos dos cães (que não são predominantemente predatórios). Não se deixe enganar pelas características caninas – eles devem ser tratados com o mesmo cuidado e respeito dados a qualquer animal selvagem.

Assim como Clint e sua matilha de híbridos de lobo, cães de terapia, de *agility*,* cães caçadores, pastores, policiais, cães de resgate e até mesmo cães de guerra geralmente formam laços incrivelmente profundos com seus donos ou tratadores. Dar um "tra-

---

* Esporte praticado por duplas compostas do cão e de seu condutor, que surgiu com base no hipismo. O cão deve percorrer um circuito de obstáculos no menor tempo possível e com o menor número de infrações, enquanto o condutor o guia por meio de gestos e comandos verbais. (N. do E.)

balho" ao cão significa ter que se tornar um líder de matilha ainda mais forte do que um simples "dono de animal de estimação" costuma ser. Você, o dono, está criando um propósito e uma estrutura para o cão que refletem o tipo de vida e de função para as quais ele nasceu.

Transformando o negativo em positivo

O propósito de *todo* trabalho comportamental com animais é terminar com uma experiência positiva e uma situação favorável a todos, tanto para o animal quanto para quem lida com ele. Na natureza, disciplina, regras e limites são coisas positivas, porque garantem a sobrevivência. Quando um cão mais dominante corrige outro mais submisso, o resultado é que o segundo animal aprende a se relacionar melhor dentro da matilha. O cão dominante ajuda a criar um ambiente com menos conflito. Por meio de uma correção momentânea, alcança-se um resultado positivo. É por isso que digo que, ao trabalhar com cães, você deve sempre ter em mente o resultado positivo que deseja obter, o que permitirá que transforme o negativo em positivo.

Se uma experiência é positiva, pode até prevalecer sobre os instintos naturais do animal, para ajudá-lo a assimilar melhor o mundo humano. Por exemplo, as três leoas-marinhas do zoológico do Central Park, em Nova York, executam dezenas de variações de seu comportamento brincalhão natural na hora de comer, três vezes por dia. Mas os profissionais do zoológico também precisam fazer um exame médico nelas diariamente, algo a que os animais não se submeteriam na natureza. Lembre-se de que, no mundo selvagem, um animal doente ou machucado pode atrair predadores, ameaçar a segurança do grupo e até mesmo virar alvo do próprio grupo – por isso, eles não "anunciam" quando não estão se sentindo bem. Exceto pelos seres humanos, não encontramos nenhum hipocondríaco reclamão no mundo animal. Dessa maneira, os treinadores do zoológico do Central Park precisam incentivar os animais a adotarem determinados comportamentos, como abrir bastante a boca para a realização de exames e a limpeza dos dentes, em troca de incentivo positivo e recompensa com alimentos. Existe enorme confiança e respeito entre as leoas-marinhas e seus tratadores – porque eles transformam em positivo um comportamento que, na natureza, seria visto como negativo.

Quando alimento minha matilha no Centro de Psicologia Canina, faço com que todos esperem e então alimento os mais calmos e submissos antes. Na natureza, obviamente, o cão mais submisso come por último. Ao fazer isso, incentivo o restante da matilha a repetir o comportamento que foi recompensado com comida. Apesar de continuar acreditando que devemos trabalhar com a Mãe Natureza e não contra ela quando se trata de cães, também acredito que tomar a decisão de trabalhar instintos que não são mais vantajosos para um animal que precisa sobreviver em nosso mundo *não* é uma exceção a essa regra. Nesse caso, estamos manipulando instintos para melhorar a vida do animal, de modo que ele possa viver com mais paz e estabilidade em *nosso* ambiente – mesmo que nosso mundo moderno seja um substituto ruim para o lugar que a natureza teria escolhido para ele.

Democracia canina

Parece que, em nosso atual clima "politicamente correto", muitos de nós concluímos que é errado impor liderança aos nossos animais de estimação. Passamos de um antigo extremo autoritário – no qual os animais existiam apenas para nos obedecer – a outro extremo prejudicial – em que os animais são considerados nossos parceiros e iguais em todas as áreas da vida. Isso não quer dizer que somos melhores que eles. Absolutamente não! Somos apenas diferentes. Um dos claros motivos pelos quais temos que estar no controle de nossos animais é que *nós* os colocamos em *nosso* mundo, e não o contrário. Nós os trouxemos para um mundo repleto de perigos desconhecidos – pisos de concreto, veículos, fios elétricos e apartamentos em arranha-céus. Nada em nosso mundo é natural para eles. É claro que, com a nossa orientação, eles podem aprender a viver de modo seguro, podem se acostumar com isso e até conseguir viver felizes. Mas, ainda assim, não foi dessa maneira que a Mãe Natureza planejou que eles vivessem, e nunca será. Quanto mais entendermos o modo como nossos cães pensam, mais aprenderemos a satisfazer suas necessidades, apesar de viverem conosco em um mundo estranho para eles – e, em um nível mais profundo, para o animal existente dentro de nós também.

Dizer que devemos assumir o papel de líderes de nossos cães não significa que devemos nos tornar ditadores implacáveis, e dizer que nossos cães devem ser calmos e submissos não significa fazer deles "menos" que nós. Assim como todos os animais sociais, tanto os cães quanto os humanos precisam de estrutura e liderança; do contrário, sua vida pode se transformar em um caos. Apesar de a democracia ser o mais alto ideal a que as sociedades aspiram, até mesmo as democracias têm figuras de liderança. E pode acreditar – seu cão não deseja viver em uma democracia! Ele certamente prefere ter uma estrutura social clara, com um líder de matilha justo e coerente, em quem possa confiar e a quem possa respeitar, a ter um "papel de igualdade" dentro do ambiente doméstico e *humano*. Seria sensato que os seres humanos se preocupassem em aperfeiçoar o conceito de democracia entre eles primeiro, antes de começar a impô-lo a outras espécies animais.

Punição, abuso e emoções descontroladas

Mostrar liderança sólida e impor regras ao animal não é o mesmo que causar medo e puni-lo de modo abusivo. Um toque rápido e assertivo não é o mesmo que um golpe. Criar respeito não é o mesmo que criar intimidação.

A primeira vez que testemunhei abusos contra animais foi quando me mudei para Mazatlán, no México, ainda criança. Eu ficava com o coração partido ao ver pessoas atirarem pedras em cães e xingá-los. Mais tarde, já adulto, pude testemunhar os efeitos dos abusos nos cães. Já vi animais que levaram pancadas e chutes, já vi filhotes serem amarrados a árvores durante dias e cães privados de alimento e água. Nunca me esqueço de Popeye, um pit bull. Ele perdeu um olho em uma rinha ilegal. Depois disso, seus donos o abandonaram. Com seu novo problema de visão, Popeye se sentia vulnerável, passou a ficar desconfiado e se tornou agressivo com outros cães, na tentativa de intimidá-los. Rosemary também participou de rinhas entre pit bulls. Quando perdeu uma luta muito importante, seus donos derramaram gasolina sobre ela e atearam fogo. Uma organização de proteção dos animais interferiu e conseguiu salvá-la, mas a terrível experiência fez com que ela se tornasse uma cadela perigosamente agressiva.

Felizmente, consegui reabilitar Popeye e Rosemary e dar-lhes a liderança adequada de que precisavam para se sentirem realizados e seguros. Entretanto, nem todos os cachorros têm a mesma sorte. Por medo, cães que sofreram abusos podem atacar e matar outros cães e às vezes até mesmo seres humanos. A sociedade costuma sacrificar esses animais, apesar de terem se tornado instáveis e perigosos por causa dos seres humanos.

Na minha opinião, a maioria dos abusos contra animais decorre de sentimentos humanos desequilibrados e de nossas energias negativas reprimidas. Assim como não adianta os pais punirem a criança quando estão fora de controle, é inútil extravasar sua raiva ou infelicidade maltratando um animal que não compreende o motivo de sua frustração. E, por mais difícil que seja admitir, amor também não é suficiente – nem para os animais nem para os seres humanos! Sempre digo que, se o amor bastasse para transformar um comportamento indesejado em bom comportamento, não haveria pessoas desequilibradas no mundo! Da mesma maneira, se amor bastasse para transformar seu cão no animal perfeito, ele pensaria: *Meu dono me ama tanto, não vou perseguir o gato hoje*. É claro que seu cachorro não pensa assim. Ele não consegue raciocinar nem avaliar o próprio comportamento. Isso é motivo suficiente para nunca permitir que seu cão o "provoque". Nunca, nunca corrija um animal quando estiver bravo ou frustrado. Quando você tenta corrigir seu cão demonstrando raiva, geralmente está mais fora de controle que ele. Está satisfazendo suas próprias necessidades, e não as do animal – e de modo profundamente prejudicial. Acredite: seu cão vai sentir sua energia instável e geralmente aumentar o comportamento indesejado.

Lembre-se: seu cão é seu espelho. O comportamento que você recebe dele costuma ser, de certo modo, um reflexo do seu.

REGRAS BÁSICAS DA DISCIPLINA

🐾 Estabeleça regras, limites e restrições entre os membros *humanos* de sua matilha *antes* de levar um cão para viver na sua casa.

🐾 Certifique-se de que todos tenham a mesma atitude a respeito do que é ou não é permitido.

🐾 Seja claro e consistente com seu cão a respeito das regras.

- Comece a reforçar as regras a partir do primeiro dia do cão na sua casa – ele não entende o conceito de "dia especial" ou "feriado"!

- Sempre mantenha a energia calma e assertiva quando perceber um comportamento que precise ser corrigido.

- Ofereça ao cão uma alternativa ao comportamento reprovado.

- Recompense seu cão com petiscos ou carinho, mas apenas quando ele estiver em um estado calmo e submisso ou ativo e submisso.

- Não reforce regras quando estiver frustrado, nervoso, emotivo ou cansado. Espere até poder reagir sem emoção ao comportamento do cachorro.

- Não grite ou bata em seu cão por raiva, em hipótese nenhuma!

- Não espere que o cachorro leia seus pensamentos.

- Não espere que seu cão siga regras que não sejam consistentemente reforçadas.

- Não reforce nem incentive um estado de espírito medroso ou agressivo.

🐾 🐾 🐾

HISTÓRIA DE SUCESSO
Bill, Maryan e Lulu

"Resgatamos nossa cadela, Lulu, de um abrigo da região. Assim que a trouxemos para casa, ela rolava e fazia xixi toda vez que tentávamos fazer carinho nela... Tinha medo principalmente de mim, e normalmente deitava de barriga para cima, com o rabo entre as pernas, quando eu entrava no cômodo onde ela estava.

Fora de casa, era muito difícil controlá-la na coleira. Sem a coleira, ela escapava e saía correndo pelo jardim, depois passava para o jardim do vizinho, e eu ia parar no final da rua para conseguir pegá-la.

Maryan e eu nos preocupávamos com nossa incapacidade de controlá-la e com o fato de ela parecer interessada nos gatos mais como refeição (ou petisco) do que para tê-los como amigos.

Como já havíamos assistido ao programa *Dog Whisperer* e ficado impressionados com o que vimos, decidimos que tentaríamos alguns dos métodos de Cesar. A filosofia dele de exercícios, disciplina e carinho é tão simples que é difícil acreditar na diferença que faz.

Dois métodos em especial se destacaram para nós. O primeiro foi o som 'tshhhst' que ele faz no programa – sempre chama a atenção do cão, e quase que instantaneamente. O segundo foi o uso da coleira bem alta, atrás das orelhas, e não mais baixa, perto da base do pescoço.

Um terceiro método, com uma esteira para oferecer exercícios ao cão quando não pudéssemos levá-lo para passear, era algo que gostaríamos de experimentar (uma vez que Maryan tem dificuldade para caminhar muito), *se* conseguíssemos fazer Lulu andar na esteira. No começo ela subia e logo descia, mas, mantendo-a na coleira e deixando-a em cima da esteira, finalmente começou a andar. Hoje em dia, ela chama nossa atenção e vai para a esteira, como se estivesse pedindo para andar. Foi uma transformação maravilhosa.

Fico feliz por poder dizer que, em poucas semanas, essas três técnicas aparentemente pequenas transformaram nossa vida com Lulu. Ela está muito mais confiante, calma e dando bem menos trabalho. Maryan agora consegue levar Lulu quando vai até o correio; Lulu está atenta, calma e bastante tranqüila na coleira. Não se apressa nem se recusa a andar... aliás, ela se transformou em uma ótima companheira para caminhadas.

Ela fez amizade com os gatos. Nossa gata Preciosa e Lulu se tornaram ótimas amigas, a ponto de dormirem ao lado uma da outra de vez em quando! Agora nos tornamos 'uma matilha' – meu único desejo é que esses mesmos métodos funcionassem com os gatos!

A filosofia de Cesar, que tem por base o equilíbrio, está muito em acordo com a minha. Acredito que, para sermos equilibrados, precisamos viver o agora. É uma crença pregada mais pelas religiões orientais... que, uma vez avaliada, faz com que nós (pelo menos foi o que aconteceu comigo) percebamos que o agora é tudo o que temos. O passado já se foi, e nada a respeito do futuro é garantido; temos apenas o momento em que vivemos, o agora."

3

A MELHOR FERRAMENTA
DO MUNDO

Treinamento é um termo que fomos condicionados a aceitar
como algo que fazemos por meio de tarefas e ferramentas.
Isso é verdade, mas às vezes usamos ferramentas que não
conseguimos ver, comer, ouvir, cheirar ou sentir fisicamente.

– *Brandon Carpenter, treinador de cavalos*

Muitas vezes, quando estou fazendo uma aparição pública ou ministrando uma de minhas palestras, sou abordado por pessoas que querem saber qual é a ferramenta número 1, a melhor, a mais confiável para o treinamento ou a reabilitação de cães. Elas sempre se mostram surpresas quando digo que a melhor ferramenta que podem usar para controlar um cão é algo que já têm. Carregam-na todos os dias e para todos os lugares aonde vão. Essa ferramenta é a *energia*. E essa é a *única* ferramenta que sempre defenderei.

Você – sua energia, sua existência – é a ferramenta mais poderosa já criada. Como ser humano, você tem capacidades que são únicas no reino animal. Apenas os humanos conseguem reunir diversas espécies no mesmo lugar – espécies que, na natureza, poderiam estar matando umas às outras – e influenciá-las para que se relacionem bem. Você já viu filmes – como *Ace Ventura: um detetive diferente* ou *Dr. Dolittle* – nos quais há galinhas, porcos, cavalos, gatos, cães, cobras, vacas, todos juntos num só lugar? É claro que foi um ser humano que teve a idéia de criar uma cena como essa, que desenvolveu a estratégia para que isso acontecesse e cuja energia possibilitou essa reunião. Todos os animais no *set* de filmagem tiveram treinadores humanos – como meu amigo Clint Rowe – capazes de controlá-los sem fazer uso de coleiras, correntes ou jaulas – no mínimo, pelo período de filmagem da cena. Se algum desses treinadores ficasse nervoso ou assustado, ou acordasse de manhã pensando: *Não vou conseguir controlar aquele porco de jeito nenhum!*, a cena não aconteceria.

Excluindo a energia, defino uma "ferramenta" como qualquer item que usamos para estabelecer um elo físico com nossos animais. Assim como a energia, as ferramentas servem para *comunicar* aos cães nossas intenções e expectativas. As técnicas são o modo como aplicamos as ferramentas escolhidas e outros métodos para nos tornarmos líderes de matilha mais eficientes.

A corda do meu avô

Sempre digo que empresas de produtos para animais de estimação nunca ganhariam tanto dinheiro na área rural do México como ganham nos Estados Unidos. Isso porque no meu país, em vez de uma bela coleira, usamos a mesma corda velha por gerações: "Ei, vá buscar a corda do meu avô no celeiro". É por isso que, com freqüência, uso uma coleira simples, de 35 centavos, para mostrar que não é a coleira que controla o animal, e sim a energia por trás dela. No livro *O encantador de cães*, contei que os moradores de rua estão entre os melhores líderes de matilha que já vi nos Estados Unidos. Eles lideram os cães por meio de sua energia, e os animais lhes obedecem, sem coleira. Esses líderes de matilha têm uma missão simples: ir em frente e fazer o que for preciso para garantir a sobrevivência. A energia deles se reflete na missão que têm, que por sua vez se reflete na missão do cão. Em muitas culturas primitivas, os cães ainda vagueiam livres por vilarejos, vasculhando o lixo à procura de restos de comida. Seguem os seres humanos, sem coleira, quando precisam caçar. Esses líderes de matilha humanos sabem, instintivamente, que a melhor ferramenta de que dispõem para se comunicar com outras espécies é a energia.

Antes de a civilização humana começar a invadir o território dos animais, forçando-os a se tornarem agressivos para sobreviver, a maioria dos animais – até mesmo alguns dos mais ferozes do mundo – tinha medo dos seres humanos. Lobos, leopardos, leões e elefantes instintivamente compreendiam que os humanos tinham algo que eles não tinham – uma combinação de energia poderosamente instintiva, psicológica e intelectual, que superou o fato de o *Homo sapiens* ser mais lento, mais fraco e não possuir dentes afiados ou garras com os quais se defender. Hoje em dia, vamos às lojas e compramos guias e coleiras que *achamos* que nos dão mais poder sobre os animais. Na verdade, a maioria de nós perdeu a energia instintiva que se mostrou uma vantagem natural a princípio. Esquecemos o que nossos ancestrais sabiam a respeito dos animais – que a única maneira infalível de ter uma vantagem real sobre eles seria usar nossa mente.

Ao longo dos anos de civilização, o homem inventou milhares de ferramentas para controlar e influenciar diversos membros do reino animal. Algumas são vistas hoje como desumanas, outras ainda são utilizadas. Tenho certeza de que muitas outras serão desenvolvidas no futuro. Mas nunca haverá ferramenta mais eficiente do que aquela que você já possui. Não existe arte ou invenção alguma que supere você nesse aspecto. Lembre-se: você faz parte da Mãe Natureza e pode se conectar a ela a qualquer momento. Você é sua energia no reino animal – e essa energia não tem limites. O segredo é saber como quebrar a barreira e entrar em contato com o animal que existe dentro de você. Sua energia instintiva é a ferramenta número 1 que você tem para controlar ou influenciar o comportamento do seu cão.

Ferramentas têm a ver
com autonomia e controle

Uma ferramenta não se torna energia até que você toque nela. Um galho é apenas um galho até que o chimpanzé o utilize para cavar a terra à procura de algum bichinho. Ele não tem nenhuma função especial até que o chimpanzé o utilize com *intenção*. Uma faca pode estar sobre uma tábua de madeira ao lado de um pedaço de queijo e de torradas, mas, se um homem pegá-la e esfaquear alguém num momento de raiva, ela se torna uma arma – devido simplesmente à intenção. É desumano usar uma faca para cortar queijo? É claro que não! É desumano utilizar uma faca para esfaquear alguém? Sim! Com isso, quero dizer que qualquer ferramenta que você utilize com seu cão não foi inventada para feri-lo. Ela foi criada para fortalecer a autonomia e o controle de quem cuida do animal, dada a possibilidade de que essa pessoa não consiga controlar o cachorro apenas com sua energia. Se o tratador do cão utiliza determinadas ferramentas com ansiedade, frustração, raiva ou um sentimento de impotência, acredito que a energia negativa da pessoa é muito mais desumana do que a maioria das ferramentas existentes. Se uma ferramenta não for utilizada corretamente e com energia calma e assertiva, não apenas não vai funcionar como pode se tornar algo que machuque o animal.

Existem muitos casos em que o dono do cão não consegue controlar o animal somente com energia ou com uma guia simples – e ninguém precisa sentir vergonha disso. Afinal de contas, existem leis a respeito do uso da coleira. Até mesmo os criadores das leis imaginam que boa parte das pessoas pode não conseguir controlar o cão numa emergência. Coleiras, enforcadores e outras ferramentas funcionam como objetos de apoio. Em alguns casos, o cachorro é simplesmente mais forte que o homem. Minha amiga e cliente Kathleen é um bom exemplo disso. Ela adotou Nicky, um rottweiler de quarenta quilos que havia sido agredido pelo dono anterior, e não restam dúvidas de que, se minha amiga não tivesse surgido para salvá-lo, ele seria morto. Kathleen é uma mulher delicada e pequena e tem osteoporose. E, como Nicky é um cão forte e de alta energia, precisa caminhar regularmente. Ela não é forte o bastante para controlar o animal se ele ficar empolgado e correr na direção de outro cachorro durante o passeio. É exatamente o tipo de pessoa que precisa da ferramenta correta para conseguir ter mais controle e manter Nicky e outros cães em segurança.

Usei uma estratégia tripla para ajudar a fortalecer a autonomia e o controle de Kathleen e torná-la uma ótima e responsável dona para Nicky. Primeiro, levei-o ao Centro de Psicologia Canina e o deixei ali por duas semanas, para que se socializasse melhor com os membros de sua espécie. Como seu primeiro dono o manteve amarrado a um poste durante anos, ele tinha grande energia e frustração acumuladas, que descarregava em outros cães. No Centro, Nicky se transformou em um animal alegre e brincalhão quando se acostumou ao "poder da matilha", com vigorosos exercícios físicos diários e uma rotina equilibrada e previsível. Em seguida trabalhei com Kathleen, para que ela aprendesse a canalizar sua energia calma e assertiva. Ela é uma mulher forte e determinada, mas seu problema de saúde fez com que se sentisse um pouco insegura. Também se deixava levar pela pena que sentia de Nicky, por todo o sofrimento a que fora submetido no passado. Eu a ajudei a utilizar seu lado lutador e resiliente ao lidar com seu animal de estimação, e também a ajudei a começar a viver o presente com ele. Por fim, ensinei-lhe como usar a ferramenta que ela havia escolhido para ele, o enforcador de pinos, o que fez com que ela conseguisse aplicar correções mais rápidas e mais fortes em Nicky, principalmente devido à osteoporose.

Assim, sabendo que tinha o enforcador para auxiliá-la, Kathleen se sentiu mais forte e confiante ao caminhar com Nicky. No fim das contas, foi a autoconfiança recém-desenvolvida de minha amiga que fez com que Nicky se tornasse um cão mais obediente – e não o enforcador! Repito: não é a ferramenta, mas a energia por trás dela que importa. Teria sido mais "humano" da parte de Kathleen abandonar Nicky, o que possivelmente o condenaria à morte? Acredito que ela tomou a decisão certa, ao encontrar uma ferramenta que conseguia usar sem prejudicar seu cão, aprender a usá-la corretamente, desenvolver sua autonomia e seu controle e assim se tornar uma líder de matilha muito mais eficiente para seu cão. Mas não foi o enforcador *em si* que transformou Nicky – o objeto foi apenas um passo na caminhada de Kathleen para aceitar sua força e seu potencial.

A arma de Dillinger e o jornal da vovó

As pessoas costumam se esquecer de como o poder da intenção, da psicologia e da energia contribui para a eficiência de uma ferramenta. Tornou-se lendária a história de John Dillinger, infame fora-da-lei da época da Depressão, que conseguiu escapar de uma cadeia de "segurança máxima" em Crown Point, Indiana, usando uma arma de madeira pintada com graxa de sapato. Se essa pitoresca história é verdade, pode apostar que o carisma, a determinação e a fama de destemido de Dillinger foram os elementos determinantes para sua fuga – e provavelmente fizeram com que os carcereiros não examinassem seu "revólver" com mais atenção.

Se sua avó de 80 anos tivesse um cão, provavelmente manteria por perto um jornal enrolado. Essa era a maneira antiga de disciplinar um cão (muitos de meus clientes mais idosos ainda a usam), e eu certamente não a defendo, por motivos práticos que explicarei posteriormente. Mas isso é errado? Se for utilizado de modo abusivo, é claro que é errado. Ainda assim, clientes que tiveram pais ou avós que usavam esse método afirmam que o jornal nem chegava a encostar no animal. Bastava que a pessoa demonstrasse a intenção de pegar o jornal para que o cão percebesse que a situação era séria. Isso porque o simples ato de se mover na direção do jornal a fortalece *na mente dela*, e o cão muda de comportamento. Ele percebe a mudança na energia da pessoa e compreende que ela agora parece mais poderosa. Mais uma vez, é a energia, e não o jornal, que causa a mudança. Se você acha que uma ferramenta, por si só, vai conseguir o resultado desejado, pode esquecer. A energia calma e assertiva que você coloca na ferramenta é muito mais importante que o objeto em si.

Posso fazer qualquer ferramenta funcionar para mim, mas isso não significa que todas elas sejam adequadas para a pessoa que estou tentando ajudar. Quando vou à casa dos meus clientes, sempre pergunto: "Qual é a ferramenta que deixa *você* mais à vontade?" Prefiro trabalhar com um objeto que já seja familiar para a pessoa, mas, é claro, treinando-a para o uso correto dele – uma vez que o uso incorreto de qualquer ferramenta pode ser prejudicial ao cão. Às vezes, sinto que o cliente se daria melhor com outra ferramenta, porque talvez não esteja no nível certo de domínio do objeto que está usando. Nesse caso, sugiro um método que julgo ser melhor para dar o controle e, mais importante, a autoconfiança de que ele precisa para ser eficiente. Mais uma vez, o segredo é a autoconfiança – a energia calma e assertiva. O objetivo ideal é recuperar a conexão primordial entre o ser humano e o cão, para dominar a experiência livre da coleira – e isso é possível para muitas pessoas. O sonho é ser capaz de usar sua energia para se conectar e se comunicar com seu cão, de modo que sua necessidade de qualquer ferramenta seja mínima.

Veja, por exemplo, meu relacionamento com meu pit bull Daddy. Apesar de eu usar nele uma coleira comum de 35 centavos, em situações em que a lei assim exige ou para a proteção do cão, basicamente a única ferramenta de que preciso para influenciá-lo são minha mente, minha energia e minha relação com ele – que é 100% baseada em confiança e respeito. Quando Daddy e eu estamos caminhando juntos, sinto que existe um elo entre nós. Ele percebe minha energia, eu percebo a dele e vamos em frente como um só ser. Se eu tiver uma intenção qualquer, quase sempre consigo comunicá-la a ele com um gesto ou um pensamento. Para mim, essa é a relação ideal entre ser humano e cão – e um objetivo pelo qual devemos lutar.

Apesar de, até aqui, ter me concentrado na energia que as pessoas usam para controlar o comportamento do animal, quero deixar claro que sou a favor das leis de uso da coleira. Por ter crescido em um país que não tinha essas leis, acredito que é certo exigir que os donos mantenham seus cães presos a coleiras quando estiverem na rua. Cães são animais, e estes são controlados pelo instinto, não pela razão. Até mesmo o dono mais cuidadoso pode ter que enfrentar uma situação na qual seu cão seja atraído a uma criança que esteja comendo um lanche, ou a um bebê no carrinho com uma mamadeira de leite, ou a um cão do outro lado da rua. O animal pode sair em disparada e machucar uma criança ou outro cão, ou pode correr para o meio da rua e acabar sendo atropelado por um carro. Infelizmente, a experiência nos mostra que a maioria dos donos tem pouco controle sobre seus cães em situações como essas. Outra vantagem da lei da coleira é ajudar no controle da população canina. Um dos mais fortes desejos naturais dos cães é o de cruzar e, sem coleiras, uma fêmea no cio pode ficar prenhe em um piscar de olhos. Resumindo, a lei da coleira tem a ver com enfrentar a realidade e evitar acidentes, e sou totalmente a favor dessa importante medida de segurança.

Agora que você compreende minha filosofia a respeito das ferramentas – não é o objeto que resolve, mas a energia por trás dele –, vamos analisar algumas das ferramentas mais comuns utilizadas para corrigir cães, examinar os prós e os contras de cada uma e discutir situações nas quais elas são ou não são apropriadas.

A corda ou guia simples

Desde a corda do meu avô no México até as guias de náilon de 35 centavos que podem ser compradas em qualquer *pet shop*, essa ferramenta pode ser qualquer objeto que você consiga amarrar em torno do pescoço do animal para garantir sua obediência. O objetivo desse tipo de guia é apenas a comunicação básica entre você e seu cão – para que você possa lhe dizer, da maneira mais simples possível, que ele pode confiar em você e segui-lo, ou ir na direção em que você está indo.

O uso da guia simples é uma maneira básica de garantir que o animal não fuja. Em geral, serve para o bem dele. Lembro-me de algumas vezes, na fazenda do meu avô, quando uma vaca ou um cavalo caía em uma vala. O animal entrava em pânico, debatia-se e fazia coisas que obviamente o feririam. Meu avô buscava sua corda, enlaçava o pescoço do animal e utilizava a energia calma e assertiva para fazê-lo relaxar. Em seguida, usava a corda para tirá-lo do perigo. A corda fazia com que ele obtivesse confiança, respeito e liderança – e permitia que meu avô mostrasse diretamente ao animal a direção na qual ele precisava seguir para sair da situação complicada.

A guia simples é a ferramenta que escolho quando saio com a minha matilha. Quando vou passear com Coco, o chiuaua, Louis, o cão de crista chinês, e Sid, o buldogue francês, passo as guias de náilon no pescoço deles e "migramos" por alguns quarteirões. Gosto de manter a coleira na parte alta do pescoço, para ter mais controle sobre a cabeça do animal e impedi-lo de se distrair ou ficar cheirando o chão. Como ocorre com Daddy, Coco, Louis e eu ficamos em total sintonia com o uso da coleira, então consigo fazer com que eles me obedeçam facilmente sem a coleira, em lugares onde isso é permitido. Sid, no entanto, é outra história. Nós o adotamos há poucos meses, e infelizmente ele tem muito que aprender a respeito de limites e restrições – essas são as áreas que preciso trabalhar com ele. Sid é um cão de exposição aposentado e um vencedor de prêmios. Sua experiência de vida, até pouco tempo atrás, se resumia em grande parte aos espaços de apresentação. Ele nunca havia caminhado em espaços abertos nem ficado ao ar livre, por isso, se algum bicho passa por perto, Sid faz disso um grande evento e se distrai. Ele ainda não entende que, quando está ao ar livre, não pode simplesmente sair correndo em qualquer direção. Até que ele e eu passemos mais tempo juntos, repetindo sem parar os exercícios que o farão compreender o conceito de limites invisíveis, a única coisa que pode detê-lo é a guia, e ela pode salvar a vida dele.

A coleira simples

A segunda ferramenta mais básica para influenciar um cão é a coleira simples – aquela que parece um cinto. Ela permite colocar medalhas de identificação no animal. A maioria das coleiras vem com uma peça na qual se pode prender a guia, criando uma combinação entre as duas ferramentas. Se o animal não for domesticado, vai lutar contra uma coleira muito restritiva, mas o cão de estimação comum não terá problemas com ela. Representa um passo à frente em relação às guias de náilon que uso e oferece mais segurança aos donos. Além disso, existem coleiras de muitos estilos diferentes, que podem custar de menos de um dólar a milhares de dólares. Algumas coleiras com tachinhas ou outros enfeites conseguem impedir que outro animal machuque o pescoço do seu cão se por acaso ele for atacado, mas a maioria delas serve simplesmente para fins estéticos. Quando Daddy e eu fomos apresentadores das categorias de artes criativas do Emmy Awards, em Los Angeles, coloquei nele a coleira mais enfeitada que encontrei. Ele percebeu a diferença? É claro que não. Mas os *paparazzi* o acharam muito fotogênico quando ele atravessou o tapete vermelho!

Uma coisa muito importante a ser lembrada quando usamos qualquer guia ou coleira em um cão é que *nunca* levamos a ferramenta até ele; em vez disso, convidamos o animal a se aproximar da ferramenta. Podemos tornar essa experiência positiva usando petiscos ou apenas a nossa energia. Correr atrás do cachorro e tentar colocar à força, no pescoço dele, um objeto estranho não nos fará conquistar confiança nem respeito. Ele pode pensar que você está apenas brincando, ou passar a ter medo da coleira. Nunca permita que uma ferramenta seja associada a algo negativo na mente do seu cão.

A guia retrátil

As guias retráteis foram originalmente criadas para ser usadas em cães farejadores. Antes dessas guias, quem lidava com esses cães tinha que andar com correias de até doze metros, para permitir que o animal perseguisse um odor; depois disso, era preciso cumprir o longo e tedioso processo de enrolar a guia de volta. A guia retrátil foi a solução perfeita, pois a pessoa passou a ser capaz de dar o comando para que o cão fosse farejar e então deixar que ele fosse à frente; quando o animal encontra o que está procurando, basta a pessoa seguir a guia para encontrá-lo, rebobinando a correia conforme caminha. A guia retrátil se tornou muito popular entre os donos de cães, devido ao que julgo ser um mito: o de que o cachorro precisa de "liberdade" em seus passeios.

Sim, os cães precisam de liberdade – todos os animais precisam. Mas o termo "liberdade" pode ter diversas definições. O objetivo de uma caminhada com o líder da matilha não é permitir que o cão vagueie sem direção; é proporcionar a ele uma experiência poderosa, primitiva e bem estruturada de ligação com o ser humano. A maioria das pessoas não compreende que um passeio bem estruturado em si pode ser uma experiência "libertadora" para o cachorro. Geralmente o dono, que se preocupa tanto com a "liberdade" de seu cão, está na verdade secretamente se sentindo culpado por ter deixado o animal sozinho em casa o dia todo. De alguma maneira, permitir que o cão o arraste pela vizinhança em nome da "liberdade" consegue suavizar seu sentimento de culpa.

Quando o cachorro está sendo levado com uma guia retrátil e sai correndo na frente do dono, o animal está no controle. O cão não está farejando, o que seria uma atividade estruturada e controlada, está apenas cheirando. Muitos donos permitem esse comportamento porque acreditam que assim o cão "recebe as notícias" a respeito de outros cães. Sim, seu cachorro realmente obtém as "notícias do dia" cheirando o chão, os arbustos, as árvores, os hidrantes e outros elementos da rua. Consegue saber quem passou por ali recentemente, se alguém tem um problema de saúde e as "fofocas" a respeito de outros cães. No entanto, existe uma maneira correta e outra errada de permitir que o cão se atualize com as notícias da região. Em primeiro lugar, o animal consegue obter as mesmas informações quando está caminhando atrás de você ou ao seu lado. Ele não precisa arrastá-lo, agindo como líder da matilha. Em segundo lugar, sempre recomendo que o líder de matilha humano permita que o cão faça uma ou duas paradas curtas no meio da caminhada para andar sem direção, explorar o ambiente, cheirar e urinar. A diferença é que, dessa forma, o dono controla o comportamento – dá permissão ao cão, determinando quando e onde explorar, depois decide que é hora de voltar para a caminhada estruturada. Dessa maneira, você consegue manter o sólido *status* de líder da matilha do começo ao fim da caminhada, recompensando seu cão ao mesmo tempo.

Existem outros pontos negativos em relação a controle e segurança quando se usam as guias retráteis. Elas permitem um controle mínimo sobre o cão. Muitas vezes as pessoas se atrapalham na liderança, e às vezes os animais também. Um cão de alta energia, ativo e dominante, tem grande probabilidade de se meter em confusão quando há tanto espaço entre ele e o dono. Quanto mais forte for o animal, maior será a probabilidade de sair correndo e puxar o dono, ou até arrancar a guia das mãos dele, atrapalhando o objetivo da caminhada. Guias retráteis funcionam melhor com cães mansos e de média energia, ou com cães leves que não tenham problemas de dominância e sejam obedientes na maioria das situações.

O enforcador

O enforcador, provavelmente a ferramenta de treinamento com o nome mais negativo do mundo, originou-se da mesma idéia da correia ao redor do pescoço para controlar o movimento do animal. Voltamos ao conceito da corda do meu avô. Quando usada corretamente, essa ferramenta não deve fazer com que o animal seja "enforcado", fique sem respirar ou sinta algum desconforto. A premissa é que apertar o enforcador ao redor do pescoço do cão envia a ele uma mensagem de correção, e soltá-lo implica que a correção foi acatada. É claro que, se o enforcador for usado incorretamente – puxando o pescoço do cão para cima com muita força –, pode de fato causar uma reação de sufocamento. Ele deve ser utilizado com um puxão para o lado, firme porém delicado e que dure um milésimo de segundo; um movimento que comunique "pare com isso" e tenha como único objetivo chamar a atenção do animal. Gostaria que essa ferramenta tivesse recebido um nome diferente – corrente de pescoço, corrente de controle, qualquer nome que não estivesse relacionado com causar dor ao cachorro. Mas parece que o termo "enforcador" já está muito assimilado, por isso vou usá-lo aqui.

O enforcador não precisa ser uma corrente. Embora o tradicional seja de metal, algumas pessoas acreditam que enforcadores feitos de algodão ou com aros interligados de náilon são mais humanos para o cão. Os enforcadores que os treinadores usam em exposições de cães são feitos com pequenos pedaços retorcidos de ferro, unidos para darem a impressão de uma linha contínua. Eles têm o mesmo propósito de uma corrente pesada. Quanto mais grossa for a corrente, menor a probabilidade de o cão roê-la ou estourá-la acidentalmente. Logicamente, quanto mais forte o animal, mais grossa ela deverá ser. O conceito do enforcador de metal grosso foi desenvolvido originalmente para cães muito fortes, que podem ferir uma pessoa, outro cão ou eles mesmos se conseguirem escapar.

Como sempre, é importante lembrar que, ao escolher uma ferramenta um pouco mais avançada, como o enforcador, o dono deve receber as orientações de um profissional, ou pelo menos do vendedor do *pet shop*, a respeito de como usá-la corretamente. Mais importante ainda é que a energia por trás do enforcador *precisa* ser calma e assertiva, e não frustrada, tensa, ansiosa ou nervosa. Ao se utilizar o enforcador com raiva e frustração, essa ferramenta útil e inocente pode, de fato, causar enforcamento – e se tornar o instrumento cruel a que seu nome se refere.

Uma observação a respeito de correntes em geral

Meu Centro de Psicologia Canina, em South Los Angeles, fica no meio de um território de gangues barra-pesada. Ao longo da história, homens agressivos têm andado com cães grandes e fortes, para passarem a imagem de poderosos. Hoje em dia, os pit bulls parecem ser os cães escolhidos por membros de gangues, traficantes e outros tipos anti-sociais. Nos últimos quinze anos, a cultura brutal e clandestina das rinhas de cães se tornou uma grande fonte de lucro para membros de gangues e outros criminosos. Muitos dos cães que hoje estão no Centro são sobreviventes dessa brutalidade – e, se você visitar canis públicos ou abrigos em grande parte de Los Angeles, verá muitos pit bulls que provavelmente vão ser sacrificados, pois pertenciam a membros dessa cultura. Sou totalmente contra esse modo de vida. Além de ser desumano com os animais, muitas pessoas que assistem a essas rinhas levam os filhos consigo, criando uma nova geração de pessoas adeptas da crueldade contra os animais. Também cria uma atmosfera de preconceito contra os pit bulls ou contra cães considerados de "raças agressivas", mas isso não é culpa da raça, e sim do dono.

As correntes parecem ter um papel importante nessa cultura destrutiva. Os membros de gangues colocam grossas correntes no pescoço de seus cães, para deixá-los com aparência mais agressiva ou porque acreditam que esse objeto os torna melhores cães de rinha. É um engano pensar que colocar peso no pescoço do cachorro fará com que ele seja um lutador melhor. Se o pescoço for forte, mas o corpo magro, o cão não se tornará melhor lutador. Correntes pesadas podem causar problemas na cabeça e no pescoço dos cães. Elas também são utilizadas para prender o animal no quintal, seja para que proteja a casa ou apenas para se livrar dele por um tempo – ato realizado por criminosos ou por pessoas desinformadas ou indiferentes à crueldade contra animais. Essa prática é muito perigosa e cruel – quanto mais o cão for acorrentado, mais energia acumulada ele terá e, conseqüentemente, mais agressividade. Um cão frustrado preso a uma corrente se torna uma arma e tem quase três vezes mais probabilidade de atacar ou morder alguém do que um cão solto no quintal.[1] Muitos ativistas de Los Angeles vêm lutando para estabelecer leis contra essa prática, e eu apoio esse esforço.

Antes de começar a reabilitar cachorros, eu treinava cães de guarda e de ataque. Como qualquer treinador de cães de polícia pode atestar, um animal condicionado à agressão humana não é facilmente desligado desse estado. Quem trabalha com esses cães é experiente e tem treinamento especializado para controlá-los. Como mencionei no livro *O encantador de cães*, as pessoas deveriam pensar muito bem antes de decidir usar um cão como arma.

O enforcador ajustável

O enforcador ajustável, ou meio-enforcador, foi feito para ajudar o cão a se sentir confortável enquanto estiver preso à guia. Tem uma parte mais comprida e mais larga, geralmente feita de couro, corrente ou náilon, unida a outra, menor e mais fina – com a maior posicionada de modo mais folgado ao redor do pescoço do cão e a menor presa à guia. Se o cão puxar a guia, a tensão puxa a volta menor, ajustando a maior ao redor do pescoço. A parte mais larga impede que a corrente enrole no pêlo do cachorro e também que a coleira aperte demais e feche as vias respiratórias do animal. Pela minha experiência, o enforcador ajustável é uma boa alternativa para cães mansos, que não precisam de muita correção, e para aqueles que costumam ser obedientes, mas precisam de um lembrete de vez em quando.

---

[1] Kenneth A. Gershman, Jeffrey J. Sacks e John C. Wright, "Which Dogs Bite? A Case-Control Study of Risk Factors", *Pediatrics*, vol. 93, n° 6, 1994, pp. 913-17.

A coleira ilusória

Alguns anos atrás, minha esposa, Ilusion, sugeriu que eu inventasse uma guia que ajudasse os donos a manter o pescoço do cachorro o mais ereto possível durante a caminhada – como faço em meu programa de televisão. Sugeri que ela mesma tentasse. Com a ajuda da *designer* Jaci Rohr, Ilusion aperfeiçoou o desenho original da coleira ilusória – como a batizamos –, que ajuda você, o dono, a colocar a arquitetura natural do pescoço do cão para trabalhar a seu favor.

Em termos de manuseio e do trabalho com a coleira, o pescoço do cão tem três partes – a parte alta, a do meio e a baixa. A parte baixa é a mais forte do pescoço, onde o cão tem mais controle. Tentar controlar um animal instável com uma guia nessa posição pode fazer com que ele sufoque, puxe e relute – e você pode acabar sendo o perdedor. Mas, quando a guia é presa à parte alta do pescoço, está posicionada na parte mais sensível. É preciso pouco esforço para se comunicar com o cão, guiá-lo e corrigi-lo quando a guia é segurada nessa posição. É mais natural que ele se entregue e tenha uma experiência positiva de aprendizado. Isso também faz com que o focinho do cachorro fique distante do chão, desviando-o das distrações do ambiente que o cerca. A coleira ilusória foi desenhada para usar a parte baixa do pescoço como apoio, enquanto usa, ao mesmo tempo, a parte superior para a comunicação e o controle.

Ela também ajuda o cão a adquirir uma linguagem corporal que transmita altivez. Acredito que é por isso que os treinadores de cães de exposição puxam a coleira para cima – para manter a cabeça do cachorro levantada e mostrar ao júri e à platéia que ele é um candidato orgulhoso e confiante. Qualquer coleira ou guia posicionada bem alta no pescoço é capaz de fazer isso – apenas projetamos a nossa para ser infalível nesse sentido. Quando o cão ergue a cabeça e olha para a frente, toda a linguagem corporal dele muda. É possível visualizar essa mudança. O rabo e o peito acompanham a cabeça. Quando a linguagem corporal muda, a energia segue na mesma direção. Quando o cão levanta a cabeça, está deixando claro que sente orgulho de si mesmo.

Dizer que os cães se sentem orgulhosos é uma tentativa de projetar neles emoções humanas? Na minha opinião, não. Vemos demonstrações de linguagem corporal que expressam orgulho em todo o reino animal. Você conhece a expressão "orgulhoso como um pavão"? Quando o pavão macho abre as asas multicoloridas, enche o peito e se empertiga, está tentando atrair a parceira. Isso, para mim, é a versão animal do orgulho. No mundo animal, esse sentimento é a autoconfiança, a auto-estima, o nível de energia, a atitude ou até mesmo a dominância. Essa última parte pode vir até de um cão mais submisso – pois, com o tipo de orgulho ou auto-estima que estou descrevendo, também há descontração. Não se trata de dominância total, aquela que exige submissão dos outros – trata-se apenas de um cachorro se sentindo ótimo por ser um cachorro.

Pensando bem, o que acabei de escrever não é muito diferente do que chamamos de orgulho no mundo humano. Acredito que sentir orgulho de si mesmo é um estado natural que engloba todo o reino animal. Assim como a baixa auto-estima. E a linguagem corporal que sinaliza esses estados não varia muito de animal para animal, nem mesmo de animal para ser humano.

A coleira peitoral

Recentemente, estive no Central Park, em Nova York, observando os milhares de cães e seus donos. Os nova-iorquinos são ótimos! Muito mais que os moradores de Los Angeles, com seus grandes quintais, os habitantes de Nova York intuitivamente compreendem que os cães precisam caminhar. Obviamente, se o cachorro vive dentro de um apartamento pequeno o dia todo, ele tem que caminhar. Os nova-iorquinos também caminham bastante. No entanto, apenas uma pequena parte dos cães que vi no parque estava sendo guiada de modo correto. Havia muitos donos sendo arrastados por seus animais. Também percebi que era muito comum encontrar cachorros com coleiras peitorais.

Em relação a esse tipo de coleira, precisamos lembrar que ele foi inventado para ser usado em cães farejadores ou cuja tarefa é puxar coisas. Não foi criado com o propósito de controlar o animal. Os huskies usaram essas coleiras antes de qualquer outra raça, para puxar trenós na neve. Cães de carga, como o swiss mountain dog e o pastor alemão, usavam os peitorais para puxar cargas. O são-bernardo utiliza esse tipo de coleira para resgatar pessoas na neve. A coleira peitoral permite que o cão utilize todo o peso de seu corpo como alavanca para realizar a tarefa. Obviamente, o que estiver sendo puxado fica atrás do cão, mesmo que seja o dono.

Na caminhada, o peitoral permite que o focinho tenha total contato com o chão. Uma coleira ou guia simples ao redor do pescoço do animal não permite que ele fareje livremente, o que é essencial para manter a ordem na caminhada.

Sei, por experiência, que quem não sabe como usar a guia ou a coleira da maneira certa pode ouvir o cão tossir e temer que ele engasgue. Alguns cachorros têm a garganta mais macia e sensível que outros, ou problemas de saúde – ou simplesmente não foram condicionados corretamente a aceitar a coleira. Os donos desses cães costumam escolher a coleira peitoral como principal ferramenta. Essa pode ser uma boa opção se a etiqueta correta da caminhada estiver estabelecida, com o cão caminhando ao lado do dono. Um cachorro tranqüilo e sem problemas de obediência se adapta bem ao peitoral. O problema é que, em muitos cães, esse tipo de coleira pode desencadear o reflexo de puxar. Pelo que pude observar, parece que algumas pessoas gostam de ser puxadas por seus cães! Pode até ser divertido – como esqui aquático –, mas dessa forma você nunca terá o respeito do seu animal.

Vejo muitas pessoas, principalmente homens, sendo puxadas por cães agressivos em peitorais. Parece que estão querendo dizer: "Olhem para mim! Sou forte porque tenho um cão forte". O animal se torna um símbolo de *status* de machão, como uma moto ou uma Ferrari. Gostaria de lembrar a todas as pessoas que se encaixam nessa descrição que o cachorro é um ser vivo, que tem necessidades próprias – e não um equipamento a ser exibido. Além disso, se você não tem um cão que o respeita, não pode se considerar muito "macho", não é?

A coleira peitoral antipuxão

Existem diversas marcas e estilos de coleira peitoral antipuxão – também conhecida como peitoral americano. Ela foi projetada para ser mais humana e servir de modo mais natural no corpo do animal (pode ser usada até em porcos, gatos, coelhos etc.!) do que o peitoral normal, a guia ou outros tipos de coleira. O peitoral antipuxão aperta delicadamente o peito do cachorro quando ele começa a puxar. Cria uma sensação desconfortável que serve para desencorajá-lo de puxar. Muitos donos gostam dessa ferramenta, mas, como todas as outras que relacionei aqui, ela pode ter um lado ruim. Vi muitos cães no Central Park usando esse tipo de coleira, e eles não tinham nenhuma dificuldade para puxar os donos! Apenas se contorciam de modo estranho e puxavam para um lado. Eu não recomendaria essa ferramenta para cães com energia alta ou muito alta. Apesar de oferecer mais controle do que a coleira peitoral comum – principalmente em passeios –, não é ideal para um animal que já tem problemas para ser controlado.

A coleira de cabeça

Guiar um animal pela cabeça, e não pelo pescoço, não é um conceito novo. Temos feito isso há milhares de anos. É nossa maneira mais básica de lidar com cavalos, animais muito maiores e mais fortes que nós. A coleira de cabeça, ou *head collar*, é vendida em diversos modelos. Como qualquer outra ferramenta, ela funciona quando usada adequadamente, com a energia correta, e é melhor para cães de determinado tipo – principalmente aqueles de focinho alongado. Existem donos de cães que confiam plenamente nessa coleira e dizem que é, de longe, a melhor ferramenta para controlar um cachorro. Mas, nas mãos erradas, pode ser tão ineficaz quanto qualquer outra ferramenta, e às vezes desconfortável para o animal.

Um aspecto positivo desse tipo de coleira é que, se você não for forte o bastante para usar uma coleira normal de treinamento em um cão difícil de ser controlado, a coleira de cabeça lhe dá mais controle para evitar que o animal o puxe. Deve ser colocada ao redor da face do cão, posicionada na parte mais baixa do nariz. O princípio é o mesmo de qualquer outra ferramenta que permite corrigir o cão quando ele se comporta de maneira com a qual você não concorde. Quando o cão puxa, a coleira de cabeça aperta em volta da boca; quando ele relaxa, fica folgada. A correção de causa e efeito tem a intenção de manter o cão na posição em que o dono quer que ele fique.

Um ponto negativo da coleira de cabeça é que alguns cães se sentem automaticamente desconfortáveis ao usá-la – não é natural terem algo estranho na boca –, e é um equipamento simples contra o qual podem se rebelar. Podem tentar arrancá-la com as patas, ou ficar girando a cabeça tentando afastá-la. A melhor solução para isso é tomar o cuidado de associar as primeiras experiências com essa coleira a recompensas muito positivas, como alimento e massagem. Como sempre, recomendo um treinador profissional, um especialista em comportamento animal, um veterinário ou, no mínimo, um atendente experiente de *pet shop* para que possam certificar que a coleira serve direito no cão e não haja a possibilidade de desgastes ou danos físicos. E qualquer pessoa que escolha essa ferramenta deve exercitar sua liderança em casa, para garantir que o cão não se torne dependente da coleira como a única forma de adotar um bom comportamento.

A focinheira

Usar uma focinheira não é uma sensação natural para o cão. Diferentemente da coleira de cabeça, ela impede que o animal use a boca e pode ser muito desconfortável a princípio. A focinheira foi criada especificamente para prevenção – para impedir que o cachorro morda uma pessoa ou animal. Só a recomendo como ajuda temporária, enquanto se trabalha com o cão para que ele seja reabilitado de modo geral. Se você só consegue sair com seu bicho de estimação se ele estiver usando a focinheira, então seu problema vai além de simplesmente não ter a ferramenta certa.

Uma vez que o cão vai naturalmente resistir à focinheira, é essencial apresentá-la aos poucos, tendo o cuidado de criar uma experiência agradável na medida do possível. Recomendo exercitá-lo numa caminhada vigorosa ou mesmo numa corrida antes de apresentar qualquer ferramenta de treinamento nova. O animal não deve estar com calor nem com sede, apenas cansado pelo exercício e relaxado. Então, lançando mão de petiscos especiais, como salsicha, hambúrguer ou pedaços de frango cozido, apresente a ele a focinheira, deixando que a cheire e a explore. Depois disso, recompense-o com a comida.

O próximo passo é colocar a focinheira na cabeça do cachorro, mas sem prender no focinho. Ele talvez fique desconfortável a princípio, mas deixe-a ali até que ele relaxe, então recompense-o novamente com a comida. Só o alimente quando ele estiver relaxado. O objetivo é que o cão associe a focinheira ao prazer (alimento) e ao relaxamento. O passo seguinte é colocar o alimento dentro da focinheira e tentar vesti-la no animal enquanto continua oferecendo a comida. Deixe-a com ele um pouco até que fique totalmente relaxado, então retire-a e volte mais tarde. Não espere que o cão aceite a focinheira e queira sair para um passeio logo no início. Volte para perto do animal uma ou duas horas depois e recomece o processo de recompensa com a focinheira na face dele. Quando já tiver conseguido prender a focinheira e o cão estiver caminhando com ela, recompense-o com petiscos sempre que retirar o objeto. Muitos cães tentam se livrar de qualquer objeto que é colocado em seu corpo – mesmo que seja para o bem deles. Botas para neve ou para calor extremo, bandagens ou qualquer coisa do tipo não são naturais para o cão no começo. Depende de você ter tempo e paciência para construir uma associação, fazendo com que o animal estabeleça uma relação entre a ferramenta e a recompensa.

DIRETRIZES BÁSICAS PARA O USO DA FOCINHEIRA

- Tente apresentá-la depois de exercícios.
- Comece quando o corpo do animal estiver relaxado.

O enforcador de pinos

O enforcador de pinos – ou de garras – é outra ferramenta que pode ser muito útil, quando utilizada corretamente, ou potencialmente prejudicial, se usada incorretamente. O cão de Kathleen, Nicky, no exemplo que dei anteriormente, era o candidato ideal para esse tipo de coleira. O enforcador de pinos não é necessário para um cão manso; para um animal pequeno, leve, de até quinze quilos; ou, ainda mais importante, para uma pessoa que não sabe o que está fazendo. Em outros casos, no entanto, como o de Kathleen, ele pode representar a diferença entre um dono responsável e um acidente prestes a acontecer, ou entre salvar um animal instável e ser obrigado a devolvê-lo a um canil público, onde a única escolha seja sacrificá-lo.

O enforcador de pinos foi feito para simular a mordida da mãe ou de um cão mais dominante, como o corretivo de "mão em garra" que utilizo como método natural de reabilitação. A maioria dos carnívoros – mesmo aqueles com garras poderosas – usa os dentes como a principal ferramenta disciplinar. Eles mostram os dentes como um aviso e mordem – com ou sem força – para demonstrar que não estão gostando da atitude de outro animal. Mães ursas, tigresas e cadelas mordem o pescoço ou a nuca dos filhotes em sinal de repreensão. Não é uma mordida que rasga a pele ou causa dor, mas passa a mensagem necessária. Usado corretamente, acredito que o enforcador de pinos pode criar uma reação instantânea com muito mais rapidez do que outras ferramentas, simplesmente por estar baseado na natureza.

Ele é formado por aros interligados com pontas voltadas para a pele ao redor do pescoço do cão. Quando o dono aperta a coleira, dá um corretivo rápido e que assusta, como uma mordida – e, se aplicado corretamente, não deve ser dolorido. O corretivo ideal feito com um enforcador de pinos deve ser sentido pelo animal como uma pressão, e não um beliscão – afundando no músculo de modo que cause relaxamento. Imagine um experiente massagista afundando os polegares nos músculos rígidos do seu pescoço. Primeiro você sente a pressão, depois um afrouxamento imediato. Uma pessoa informada que use um enforcador de pinos pode criar tal relaxamento em um cão tenso, mas o uso incorreto pode criar mais tensão e levar o cão a se rebelar.

Volto a dizer que um corretivo dado com a energia errada (frustração, raiva) ou no momento errado (aplicado depois, não quando o comportamento ocorre) vai machucar o animal. Se a pessoa exagerar, aplicando o corretivo sem parar devido à falta de reação do cachorro, ele pode se tornar apático em relação ao corretivo. Um enforcador de pinos que esteja muito frouxo pode sair da posição correta. Puxões violentos e repetidos podem ferir a pele do animal, principalmente se o enforcador não estiver colocado corretamente. O objetivo é pressionar, nunca causar dor. Felizmente, já existem enforcadores de pinos com pontas de plástico ou de borracha, para que o animal nem sequer tenha que sentir o metal, apenas uma ponta macia.

De modo geral, quem tem cães que reagem de modo violento em relação ao território ou são dominantes com outros cães deve ser treinado por um profissional a respeito da maneira certa de usar o enforcador de pinos, uma vez que essa ferramenta pode passar a um animal já ferido a impressão de uma "mordida".

Como todas as ferramentas, a utilidade ideal do enforcador de pinos é melhorar o relacionamento entre o ser humano e o cão, de modo que o animal aprenda a compreender qual comportamento é aceitável e qual não é. O objetivo é que o cão passe a respeitar o ser humano como líder de matilha, para que este dependa mais de suas habilidades e energia de liderança – e não de qualquer ferramenta – para comunicar seus desejos ao cão.

A coleira eletrônica

Talvez nenhuma ferramenta comportamental inventada pelo homem tenha sido mais criticada do que a coleira eletrônica – ou, como alguns preferem dizer, a *coleira de choque*. Concordo totalmente com as críticas a respeito dessa ferramenta, que dizem que, usada de modo incorreto ou nas mãos erradas, pode não apenas traumatizar o cão como arruinar a relação de confiança que você pretende construir com ele. No entanto, quando usada de modo adequado, em circunstâncias adequadas, acredito que essa ferramenta pode significar a diferença entre a vida e a morte de seu bicho de estimação.

A coleira eletrônica foi originalmente inventada para a caça. As primeiras patentes para o conceito desse dispositivo podem ser encontradas no ano de 1935.[2] O objetivo dessa ferramenta era conseguir corrigir um cão que estivesse seguindo o cheiro errado e a centenas de metros do dono. Como alcançar o animal e lhe dar algum sinal de que ele está no caminho errado quando não se pode vê-lo? Além disso, raças caçadoras têm o focinho altamente desenvolvido e, uma vez que estejam seguindo um odor, redirecioná-las é quase impossível, até mesmo quando estão por perto, que dirá longe do alcance do dono ou do treinador. Nesses casos, não apenas a caça, mas o cão também pode estar em risco. Ele pode se perder, ser morto – são muitos os riscos para um cão obcecado pelo cheiro errado. A coleira ele-

---

2 Cf. <www.freepatentsonline.com/6047664.html> e <www.gundogsonline. com/ ArticleServer.asp?strArticleID=CC9C3CA9-813B-11D6-9BF8-00D0B74D6C6A>.

trônica resolveu o problema, por ser acionada por controle remoto para estabelecer comunicação com o cão e colocá-lo de volta no caminho certo.

Muitas pessoas que não estão acostumadas com o uso correto dessa ferramenta se enganam, acreditando que a coleira eletrônica pode causar dor ao cão. O mito é que ele sofre com o que imaginamos ser uma terapia de choque, como aquela utilizada no passado em hospitais psiquiátricos. Como essas coleiras têm sido utilizadas há décadas, os modelos mais antigos não têm opção de variação de comprimento ou de intensidade de estímulo e certamente eram desenvolvidos com menos preocupação com o cão do que aqueles que estão à venda hoje em dia. Mas, como a tecnologia mudou, nossas ferramentas também mudaram. A verdade é que a intensidade da corrente elétrica produzida por boas coleiras eletrônicas é mais comparável ao tipo de estímulo de uma unidade TENS (da expressão em inglês *transcutaneous electrical nerve stimulation* – neuroestimulação elétrica transcutânea), que os seres humanos utilizam voluntariamente durante sessões de fisioterapia. Minha co-autora recebe estimulação intramuscular com TENS durante vinte minutos duas vezes por semana, em suas sessões de quiropraxia. Ela diz que a sensação é parecida com a de leves agulhadas.

Outra coisa que devemos lembrar a respeito das correções realizadas por uma boa coleira eletrônica (e por um dono bem informado e responsável) é a duração do pulso. Um corretivo eficiente deve durar apenas um quarto de segundo – menos tempo do que é necessário para alguém estalar os dedos. Como mencionei anteriormente neste capítulo, correções eficientes de *qualquer* tipo devem sempre ser rápidas. Como os cães vivem o momento, o corretivo deve vir no segundo em que o comportamento inadequado começa. É assim que o cão se torna condicionado e muda o comportamento.

Então por que, mesmo quando a coleira eletrônica é usada corretamente, vemos o cão pular, se assustar ou até chorar quando o pulso é acionado? Para quem olha, parece óbvio que o animal está se ferindo – algo que, certamente, queremos evitar a qualquer custo. A resposta está na mais básica diferença entre o ser humano e o animal – a capacidade de raciocinar. A maioria dos seres humanos aprende sobre a eletricidade na infância. Escutamos a história de Benjamin Franklin empinando sua pipa durante a tempestade e de Thomas Edison e sua lâmpada. Aprendemos que não devemos colocar o dedo no buraco da tomada, usar aparelhos elétricos durante o banho e carregar um guarda-chuva de metal durante uma tempestade de raios. Em outras palavras, temos conhecimento a respeito das causas e dos efeitos da eletricidade, algo que o cão desconhece. A sensação de um choque elétrico leve – como o de raspar os pés em um carpete ou o de uma unidade TENS relaxando nossos músculos – não é totalmente estranha para nós. No caso da unidade TENS, sabemos que a sensação pode ser meio estranha a princípio, mas que nos fará bem. No entanto, para um ser humano primitivo que vivesse fora de nossa civilização, provavelmente causaria a mesma sensação de susto e desconforto que a coleira eletrônica causa no cão. Felizmente, as coleiras eletrônicas de hoje têm graus de estimulação que podemos controlar, começando em um nível muito baixo, a ponto de o cão quase não sentir nada. É assim que devemos começar a apresentar essa coleira ao cachorro.

Outro alerta importante para aqueles que escolhem a coleira eletrônica é nunca permitir que o controle da coleira caia em mãos erradas. Os membros da família responsáveis pelo condicionamento com essa ferramenta devem manter o controle remoto com eles em todas as situações, ou guardá-lo em um lugar seguro, no caso de crianças ou outras pessoas não compreenderem o processo.

Como eu disse no capítulo 2, a punição positiva pode ser um método eficaz de treinamento. Também pode ser o método mais destrutivo se usado incorretamente. Quando o cão se assusta com o pulso emitido pela coleira, instantaneamente o relaciona a um objeto ou a um comportamento que esteja adotando no momento. O uso inadequado da coleira eletrônica pode estragar a relação de confiança existente entre você e seu cão. Assim, recomendo que qualquer pessoa que deseje usar essa ferramenta consulte um profissional familiarizado com ela para que ele ensine a minimizar a punição. Também acredito que a coleira eletrônica *não é* uma ferramenta para ser usada durante *longos* períodos de condicionamento. Quando usada de modo correto e por um bom treinador, pode salvar a vida do cão, mas, como sempre, nosso objetivo deve ser remover a necessidade do uso e trocá-la pela liderança calma e assertiva.

Molly e a colheitadeira

Vou dar um exemplo de um caso da terceira temporada de *Dog Whisperer*. Molly, uma blue heeler de 1 ano e meio da fazenda Eggers, em Omaha, Nebraska, era a perfeita cadela de fazenda – exceto por um problema. Ela era obcecada por pneus – desde aqueles pequenos da caminhonete de seu dono, Mark Eggers, até os gigantes, de quase dois metros de diâmetro, da colheitadeira da fazenda. Quando a conheci, Molly mordia pneus em movimento e já havia perdido um olho e ferido seriamente a mandíbula. Ainda assim, a obsessão dela continuava – indo contra o que seria a reação natural de parar aquele comportamento. Seus donos, Mark e Lesha, estavam muito estressados. Molly era muito querida e fazia parte da vida deles, mas ambos sabiam que era apenas uma questão de tempo até que ela morresse perseguindo um pneu em movimento.

Quando visitei a fazenda da família, soube que Mark e Lesha haviam tentado usar a coleira eletrônica em Molly no ano anterior. A ferramenta funcionara temporariamente, mas eles não deram continuidade à prática. A coleira era grande demais para o pescoço da cadela, por isso os corretivos que ela estava recebendo não eram consistentes. Os donos também não faziam com que ela usasse a coleira diariamente e não a deixavam com o dispositivo dez horas por dia, o tempo necessário. Então, as épocas de plantio e de colheita passaram, uma após a outra. Por trabalharem na fazenda, os Eggers tiveram que dar preferência à sua subsistência, deixando o recondicionamento de Molly em segundo plano. Assim, a idéia da coleira foi abandonada – e não demorou muito para que a cadela sofresse outro sério acidente.

Levei uma coleira eletrônica do tamanho certo para Molly, que serviu perfeitamente em seu pequeno pescoço. Tivemos o cuidado de garantir que ela se sentisse à vontade com a ferramenta antes de dar início aos exercícios de correção. Então, nós a provocamos com os pneus da picape. Assim que ela correu em direção ao veículo, apertei o botão de pulso no nível 40. Sem pestanejar, Molly deu meia-volta e desistiu do pneu. Depois se aproximou da ferramenta mais perigosa da fazenda: a colheitadeira. Ensinei Mark e Lesha a reconhecer o segundo exato em que ela começava a se concentrar no pneu – e os instruí a acionar o botão. Mais uma vez, Molly se afastou. Não houve expressão de dor nem de desconforto, apenas um movimento rápido de distanciamento do objeto que ela já começava a associar ao estímulo. Esse é o poder de uma coleira eletrônica usada apropriada e corretamente. No final do dia, Mark e Lesha só precisavam pressionar o nível mais baixo de vibração para que Molly compreendesse a mensagem. Antes da minha partida, dirigi a colheitadeira passando por Molly, que ficou deitada tranqüilamente, sem se mexer. Era a primeira vez que aquilo acontecia.

Instruí os Eggers para que mantivessem a coleira no pescoço do animal dez horas por dia durante três meses, e que continuassem usando o nível mais baixo de correção necessário (nesse caso, a vibração) quando Molly começasse a ficar obcecada por pneus. Três meses depois, a obsessão já não existia, assim como a necessidade do uso da coleira eletrônica. Com desconforto mínimo, Molly agora pode esperar a longa e produtiva vida de um cão de fazenda – e sua família pode esperar por muitos anos de amor e felicidade com ela.

Rocco e a cascavel

A coleira eletrônica também pode ser usada por curtos períodos de condicionamento negativo em situações de vida ou morte. Recentemente, minha amiga Jada Pinkett Smith perdeu seu querido cão Rocco depois que ele foi atacado por uma cascavel na propriedade da família. A Escola de Medicina Veterinária da Universidade da Califórnia, *campus* de Davis, estima que 150 mil animais domésticos são picados por cobras venenosas a cada ano. Essa estatística me deixou chocado, pois os cães com os quais tive contato no México pareciam saber instintivamente que deviam se manter distantes de cobras e escorpiões. Por eu sempre levar minha matilha para caminhar nas trilhas da propriedade de Jada e em outras partes do sul da Califórnia, quis saber se meus animais também estariam vulneráveis a ataques de cobras. Fiz uma experiência no Centro: levei uma cascavel dentro de uma gaiola e a mostrei aos meus cães. Fiquei surpreso ao constatar que, se a cascavel estivesse fora da gaiola, eu teria perdido pelo menos cinco cães em um intervalo de poucos minutos. Isso se deve ao fato de que, sendo cães criados na cidade, a maioria da matilha havia perdido o instinto de se manter distante de cobras – em vez disso, eles se mostraram curiosos. Nos poucos segundos entre a curiosidade inicial e a percepção de que a cobra poderia feri-los, ela teria atacado vários deles, assim como a cascavel havia atacado e matado Rocco. Jada e eu decidimos contratar um profissional cuja especialidade é condicionar cães para evitarem cobras, para que treinasse cada membro da minha matilha e da dela também.

Bob Kettle era um homem sério e honesto, e sua ferramenta era a coleira eletrônica. Ele usava mais de um tipo de cobra para ter certeza de que as associações feitas pelos cães não fossem muito específicas, uma vez que cobras diferentes têm cheiros distintos. Ele me instruiu a levar meus cães para perto da gaiola das cobras. Daddy foi o primeiro que levei. Assim que o cão se aproximava das cobras, Bob gritava "Sai!" para mim e, no mesmo instante em que ele lançava um pulso, eu me virava e puxava Daddy para longe da gaiola. Fizemos isso durante menos de dez minutos; quando terminamos, a última coisa que Daddy queria fazer na vida era se aproximar de uma cobra. Ele passou no teste com louvor e brincou comigo alegremente, por uma hora, depois disso. Uma semana mais tarde, levei a cobra na gaiola para o Centro para aplicar o exame final em Daddy. Ele nem precisou ver a cobra para se pôr atrás de mim e se manter afastado. O condicionamento demorou apenas dez minutos – mas ganhei uma vida inteira de paz de espírito ao caminhar com Daddy e o restante da matilha nas montanhas infestadas de cobras de Santa Mônica.

Esses são dois exemplos nos quais acredito que a coleira eletrônica foi uma escolha sábia e humana para os cães. Em casos de vida ou morte, como esses, quando as pessoas me perguntam se apóio o uso das coleiras eletrônicas, tenho que dizer que sim.

Perigos da coleira eletrônica

Como eu disse anteriormente, as coleiras eletrônicas podem ter conseqüências negativas se usadas incorretamente. No entanto, graças aos avanços nessa tecnologia, o uso de técnicas que aplicam estímulos de baixo nível tem se mostrado útil no treinamento e na modificação comportamental em situações apropriadas. A coleira eletrônica deve sempre ser apresentada ao cão com o pulso em um nível que quase não seja sentido, para que ele compreenda o que os estímulos significam. Não deve ser assustador nem preocupante, mas uma sensação nova e diferente à qual ele reaja, como a sensação de usar uma coleira nova. Sem uma introdução delicada para oferecer compreensão, você corre o risco de arruinar seu relacionamento e possivelmente destruir a confiança existente entre você e ele. Volto a dizer que, para usar qualquer ferramenta de modo eficaz, precisamos ser líderes calmos e assertivos. A confiança e o respeito são a base do relacionamento entre ser humano e cachorro. Se você não tiver as duas coisas, então não tem um relacionamento equilibrado com seu animal.

O uso menos eficaz da coleira eletrônica é no caso de compulsões. No entanto, existem pessoas que praticam esse método. Por quê? Porque geralmente ele produz resultados mais rapidamente, apesar de, na maioria das vezes, serem superficiais e temporários.

Quando eu trabalhava em um local de treinamento canino que também adestrava cães de guarda e de ataque, muitos dos métodos que hoje vejo como perigosos e negativos eram usados diariamente. O estabelecimento recebia muito dinheiro para fazer com que os cães reagissem a comandos no período de duas semanas, então os funcionários recebiam a ordem de fazer o que fosse preciso para obter tais resultados em duas semanas. Essa foi uma das razões pelas quais comecei a mudar minha visão a respeito dos cães e do treinamento canino e desenvolvi meu conceito de reabilitação desses animais. Não existe nada que justifique dar o prazo de duas semanas para que um cão inseguro aprenda a ser obediente. Cada cachorro precisa de um período diferente para aprender e se tornar equilibrado – não é um processo que pode ser apressado nem algo que você pode mandar alguém fazer por você. Como já disse aqui, cães não são equipamentos. É preciso paciência, liderança e respeito para fazer com que se tornem obedientes. E, apesar de a coleira eletrônica geralmente dar resultados rápidos, repito que, a menos que a situação seja de vida ou morte, é uma ferramenta que pode causar estragos e exploração. Mais uma vez, se a energia por trás da coleira for nervosa, frustrada ou carregar qualquer emoção negativa, suas chances de conseguir um bom resultado a longo prazo são quase nulas.

Como sempre, acredito que a escolha da ferramenta – como a escolha de qualquer coisa que diga respeito aos animais que estão sob seus cuidados – é uma questão entre você e sua consciência, você e sua espiritualidade, você e qualquer força superior na qual acredite. Se a coleira eletrônica ainda parece a escolha errada para o seu caso, felizmente existem várias outras opções disponíveis. Independentemente de você escolher uma coleira desse tipo, recomendo que procure um profissional cujos métodos e filosofias soem corretos para você e que obtenha as instruções certas antes de tentar influenciar o comportamento do seu cão.

A coleira eletrônica antilatidos

Outro uso para as coleiras eletrônicas é impedir que o cão comece a latir obsessivamente – sim, ela *pode* funcionar nesse caso. Costumo perceber, entretanto, que um cachorro que late obsessivamente é quase sempre aquele que tem frustração acumulada, que fica muito tempo preso e não consegue se exercitar o suficiente – principalmente em caminhadas na companhia do dono. Às vezes este quer pegar o caminho mais fácil, por isso, quando sai para trabalhar, ativa a coleira via controle remoto para impedir que o cão lata dentro de casa. A coleira causa uma sensação no cachorro toda vez que ele late, independentemente de o dono estar ou não por perto.

Antigamente, esse tipo de coleira podia ser ativado por outros sons além dos latidos. Podia ser outro cão latindo fora da casa, um eco dentro da residência ou mesmo uma reação, se o animal se aproximasse de algo metálico. De repente, o cão passava a receber os estímulos não apenas quando latia, mas também em diversas outras ocasiões, inconsistentes e imprevisíveis. O cachorro não conseguia estabelecer a relação entre causa e efeito – o que é crucial para qualquer tipo de condicionamento. Os cães vivem em um mundo claro de causa e efeito e sabem, naturalmente, que toda ação tem uma reação. Receber punições imprevisíveis e aleatórias é uma das piores coisas que podem ocorrer a um cão. Isso pode resultar em um animal com medo de tudo, ansioso, nervoso e até mesmo, em alguns casos, em um cachorro agressivo, que talvez nunca tivesse se comportado dessa forma antes do início das correções inapropriadas. Nunca use uma coleira antilatidos que tenha apenas um microfone. Felizmente, as coleiras atuais desse tipo têm sensores que só podem ser ativados pelo latido do animal, e não por outros sons.

Ainda acredito que existem opções mais naturais para ajudar cães com esse tipo de problema, mas que demandam muito mais tempo e trabalho da parte do dono. A primeira são – você já sabe – caminhadas vigorosas e regulares, uma hora por dia, em sua companhia.

A coleira de citronela

Uma opção para quem não se sente à vontade com a coleira eletrônica antilatidos é a coleira de citronela, comercializada desde 1995. Um estudo realizado pela Faculdade de Medicina Veterinária da Cornell University descobriu que esse método – que solta um jato de citronela (a mesma substância natural usada para fazer as velas contra pernilongos que você utiliza no verão) sob o queixo do cão – é mais eficiente do que a coleira eletrônica contra o que os autores chamam de "latido perturbador".[3] Um microfone na coleira ativa o jato, que assusta o cão por ter um odor estranho e desconhecido, que irrita o olfato delicado do cachorro. Pelo desconforto, o cérebro do animal envia um sinal para parar de latir e apenas respirar, para acabar com a sensação desagradável. Assim como a coleira eletrônica, a de citronela é um corretivo físico, baseado em um odor irritante em vez de um choque irritante.

Com base na mesma filosofia de usar a coleira eletrônica por dez horas diárias, estando ou não ativada, a coleira de citronela pode ser substituída por uma comum quando o cachorro começar a reagir do modo desejado regularmente. Porém, como nas coleiras eletrônicas mais antigas, o microfone nas coleiras de citronela pode ser ativado por outros sons – mas apenas se o barulho for emitido de uma distância de até dez centímetros do dispositivo. Se você escolher esse aparelho, certifique-se de que o microfone seja ajustado por um profissional, para que você seja justo com seu cão e não o repreenda por algo que ele não fez.

O objetivo tanto das coleiras eletrônicas antilatidos quanto das coleiras de citronela é que sejam usadas como medida temporária. Mas, nos dois casos, o cão pode surpreender o ser humano e perceber que, quando não está usando a coleira, pode fazer o que quiser. É por isso que a consistência é crucial sempre.

---

[3] S. V. Juarbe-Diaz e K. A. Houpt, "Comparison of Two Antibarking Collars for Treatment of Nuisance Barking", *Journal of the American Animal Hospital Association*, maio-jun., 1996, pp. 231-35.

A cerca elétrica

Aqui nos Estados Unidos, existem alguns lugares onde, de acordo com a lei, não se podem construir cercas ao redor das propriedades. Além disso, construir uma cerca pode custar milhares de dólares, e alguns donos de cães podem não ter dinheiro para isso. A cerca elétrica cria uma fronteira artificial, para que o animal aprenda quais são os limites de seu território. Ele recebe um leve choque sempre que se aproxima da fronteira.

A cerca elétrica funciona bem para muitas pessoas, e pode-se dizer que ela imita a Mãe Natureza, que ensina limites aos animais o tempo todo. Quando um cão que vive solto na natureza vê um penhasco, ele sabe que, se chegar muito perto, vai se ferir. Se houver um arbusto repleto de espinhos, ele pode chegar perto demais e aprender, por meio do desconforto, que aquela não é uma área segura. Os cães aprendem rapidamente com o ambiente, e esse é o princípio por trás da cerca elétrica; na minha opinião, trata-se de uma ferramenta que pode salvar muitas vidas. Mas os donos precisam aprender a condicionar seus cães da maneira certa quando instalam a cerca. Você não deve "testar" seu cão jogando uma bola por cima da cerca para que ele leve um choque ao tentar pegá-la, porque assim ele vai associar o choque a você. Quando for lhe apresentar a cerca, certifique-se de que ele esteja bem cansado ou com um nível baixo de energia, pois um cachorro de energia muito alta pode ignorar o choque por estar agitado demais. Pode ser impossível condicionar um cão que esteja agitado ou obcecado. Canse seu animal e então o deixe explorar os novos limites sozinho. Pode ser que você só tenha uma chance de acertar – e pode ser uma questão de vida ou morte para o seu cão.

O tapete elétrico

Os tapetes elétricos têm como base a mesma filosofia da cerca elétrica – o uso da tecnologia para tentar reproduzir os avisos naturais dados pela Mãe Natureza para que os animais se afastem de certas coisas. O tapete foi originalmente projetado para os gatos, que têm o hábito de subir em móveis, balcões, estantes – o que for. É feito de plástico, com vários fios por dentro, geralmente acionados por uma bateria de nove volts. Emite um pulso de três segundos – a sensação é mais ou menos a mesma que temos ao levarmos um choque de um carpete por causa da estática natural. O choque faz com que o gato salte do móvel e geralmente, depois de duas ou três experiências, o evite definitivamente. O tapete, é claro, tem o mesmo propósito para os cães.

Como a cerca elétrica (mas em intensidade menor), os tapetes elétricos funcionam porque o animal associa a conseqüência ao ambiente. Como com todos os equipamentos elétricos, é importante que o dono cuide para que o produto esteja em boas condições de funcionamento – que não haja pontas ou fios soltos, ou qualquer outra coisa que possa tornar esse equipamento perigoso para seu animal de estimação ou seu filho.

Outras ferramentas comportamentais

O jornal da vovó

Sua avó e seu avô costumavam usar o jornal enrolado, com o qual batiam no focinho do cão e que consideravam a única "ferramenta de treinamento" de que precisavam. É uma forma de disciplina antiga, de baixa tecnologia e barata. Pode ser que funcionasse para a sua avó. Como eu já disse, o fato de pegar o jornal provavelmente era o que a fortalecia – e esse ato se associou, na mente do cão, com algo que ele não deveria fazer. *Mas qualquer tipo de disciplina que envolva bater com as mãos pode causar complicações bastante negativas para os cães.* Apanhar não é algo natural no mundo canino – eles não disciplinam uns aos outros dessa maneira –, por isso, na mente do cachorro, fugir da pancada é uma reação instintiva de medo que pode causar timidez, desconfiança e outros sentimentos negativos. Uma mão indo com força na direção deles é uma experiência totalmente estranha a seus instintos, por isso podem ficar tímidos diante de todas as mãos, não apenas daquelas que seguram o jornal. E temer uma mão pode significar evitá-la ou mordê-la.

Ferramentas para assustar e relacionadas a sons

Um uso mais benigno do jornal para a disciplina consiste apenas em enrolá-lo e batê-lo na própria mão para assustar o animal. Os cães têm audição aguçada – estão sempre alertas – e são facilmente afetados por sons estranhos e altos. Esse é o princípio por trás de todo um subgrupo de ferramentas de treinamento, como sacos de sementes e correntes. Elas eram mais usadas para treinar o cão a não fazer as necessidades fisiológicas dentro de casa – quando ele ia na direção de determinada área para se aliviar, o dono jogava um objeto para assustá-lo. O problema com objetos lançados é que geralmente o cão não acredita que eles vieram do espaço. Os cachorros têm um bom senso de causa e efeito e de direção. Quando começarem a associar o objeto estranho a você, o elo de confiança entre vocês poderá ser quebrado, pois ter um objeto lançado na direção dele não faz sentido para o cão. Pode ser que o assuste o bastante para que deixe de repetir o comportamento, mas não vai fazer com que ele o respeito nem seja calmo e submisso.

Passe um dia no zoológico observando qualquer sociedade pequena de primatas. Você verá que lançar objetos para chamar a atenção de outro animal é algo bastante "primata"[4] – vá a um jardim-de-infância na hora do recreio e testemunhará a mesma coisa. É uma atividade natural e inata aos primatas – mas *não* se trata de uma atividade canina! Sou muito a favor de técnicas de comportamento que imitem o mais próximo possível o que os cães fazem uns aos outros, ou como aprendem na natureza. Para que essa técnica seja eficaz, em primeiro lugar é preciso surpreender o cão. Em segundo lugar, você precisa ser furtivo como um caçador – e lançar o objeto de maneira que o animal não saiba exatamente de onde ele surgiu. Terceiro, precisa carregar o objeto com você em todos os momentos; e, quarto, precisa ser absolutamente preciso em relação ao momento da correção. É uma técnica que requer paciência, precisão e certo grau de inconveniência e, apesar de funcionar na teoria e de ser, para a maioria das pessoas, humana, de acordo com minha experiência nove entre dez pessoas falham – e abandonam a técnica devido à frustração.

O spray

Uma lata de *spray* é considerada por muitos outra maneira humana de abordar um comportamento negativo do cão, mas na verdade se trata de uma abordagem que envolve maior confronto. Como qualquer uma das ferramentas que assustam mencionadas anteriormente, sua eficácia depende totalmente da consistência e do momento correto – o que significa que o dono deve carregar a lata de *spray* para todo lado. De acordo com minha experiência, esse método é eficiente 40% das vezes e apenas para comportamentos específicos. Além disso, não é totalmente

---

[4] P. J. Darlington, "Group Selection, Altruism, Reinforcement, and Throwing in Human Evolution", *Proceedings of the National Academy of Sciences of the United States of America*, vol. 72, nº 9, 1975, pp. 3.748-52.

seguro. Os cães podem desenvolver irritações e infecções de olho, orelha e focinho e outros problemas menores de saúde, devido ao uso incorreto da lata de *spray*. Na minha opinião, como qualquer coisa usada para bater no cachorro ou jogar na direção dele, não se trata de um método disciplinar natural no mundo canino. E lembre-se: o cão não deixará de associar o *spray* a você, por isso manter-se calmo e assertivo é essencial.

Reduzindo a necessidade de ferramentas

Este capítulo teve a intenção de apresentar algumas das ferramentas de mudança de comportamento disponíveis para ajudá-lo no relacionamento com seu cão. Não defendo nenhuma delas mais que as outras, apesar de, como deixo claro em minhas explicações, acreditar que algumas ferramentas funcionam melhor em determinadas situações e com certos tipos de cães. Algumas pessoas podem discordar de minhas opiniões e ter evidências ou experiências para sustentar seu ponto de vista. Sugiro que você faça uma pesquisa, para ficar muito bem informado a respeito dos recursos existentes.

O que quero dizer é que saber quais ferramentas usar e quais evitar é uma questão muito pessoal. Cada cão é diferente; cada um tem problemas diferentes; e cada dono é diferente. Em relação a qualquer ferramenta avançada (como a coleira eletrônica, o enforcador de pinos, a focinheira etc.), não canso de repetir que é preciso procurar auxílio profissional antes de usá-las. Se você precisa de uma dessas ferramentas para conseguir lidar com seu cão, não existe substituto para a orientação profissional – mesmo que seja apenas um encontro para tirar dúvidas com um vendedor ou representante de um bom *pet shop*. Existem também milhares de treinadores qualificados e especialistas em comportamento animal à espera de um telefonema, e vale a pena investir um pouco de dinheiro em uma visita a um deles, para que demonstre como usar o equipamento corretamente e responda qualquer pergunta que você possa ter. Com qualquer treinador, assim como com qualquer ferramenta, você precisa encontrar o profissional que combine com sua filosofia e com seus valores, e deve sempre procurar referências e conversar com o profissional a respeito das opiniões e métodos dele, antes de permitir que ele treine seu cão. Dizem que, se há uma coisa com a qual dois profissionais que trabalham com animais concordam, é que um terceiro profissional está fazendo tudo errado. Pode acreditar – existem pontos de vista, métodos e filosofias suficientes para que você encontre uma que lhe pareça certa. Quando o assunto são nossos bichos de estimação, sempre é preciso equilibrar o coração com o lado prático. Um bom profissional deve ser capaz de ajudá-lo a combinar as duas coisas para formar um elo mais forte e saudável com seu cão.

Por fim, acredito que a ferramenta ideal é aquela que lhe dá acesso à melhor e mais confiável ferramenta de todas: sua energia. O ideal seria que você começasse com uma ferramenta mais pesada, como o enforcador de pinos, adquirisse confiança e estabelecesse um laço mais forte de confiança e respeito com o animal, para então passar a usar um enforcador simples de náilon. Depois de mais ou menos um ano, você poderia passar para uma corda simples – e, um ano mais tarde, curtir momentos com seu animal sem coleira. Você deve se sentir mal se, depois de três anos, ainda precisar usar uma ferramenta avançada com seu cão? É claro que não. Isso quer dizer que você deve desistir de desenvolver suas habilidades de liderança e de tentar ser um líder de matilha mais forte? Não! Está em nossa natureza, como seres humanos, lutar para tornar nosso mundo e a nós mesmos melhores. Acredito que sou um bom pai, mas nem por um minuto deixo de pensar que poderia ser melhor. Tenho percebido em meus clientes que, conforme a autoconfiança aumenta, os elos com o cão se fortalecem, e eles começam a naturalmente depender menos de ferramentas e aprender a comunicar regras, limites e restrições por meio da energia. Não existe substituto para essa energia e esse elo – nenhuma ferramenta que o dinheiro possa comprar –, e quase nenhuma experiência no mundo pode superar a aproximação espiritual que ocorre quando você e seu cão estão real e naturalmente em sintonia.

O QUE FAZER E O QUE NÃO FAZER COM AS FERRAMENTAS

🐾 Pesquise a fundo a respeito da ferramenta que está pensando em utilizar. Não siga cegamente a opinião de outra pessoa – consulte pelo menos três fontes distintas.

🐾 Contrate um profissional se não estiver familiarizado com a ferramenta.

🐾 Lembre-se de que a ferramenta é apenas uma extensão de você e de sua energia.

🐾 Esforce-se para reduzir sua necessidade de ferramentas, principalmente as mais avançadas.

🐾 Continue trabalhando sua energia calma e assertiva e suas habilidades de liderança, independentemente da ferramenta usada.

🐾 Não use nenhuma ferramenta se estiver tenso, ansioso, nervoso ou frustrado.

🐾 Não pense em nenhuma ferramenta como punição.

🐾 Não conte com ferramentas avançadas – como coleiras eletrônicas – como soluções permanentes.

🐾 Não use nenhuma ferramenta com a qual não se sinta totalmente à vontade – intelectual, moral ou espiritualmente, independentemente do que os especialistas disserem.

4

ENTENDENDO AS RAÇAS

Um cão realmente companheiro e indispensável
é um acidente da natureza. Não é possível consegui-lo
pela raça nem comprá-lo com dinheiro.

– *E. B. White*

"Temos amigos que são caçadores", disse John Grogan, autor do livro *Marley & eu*. "Eles vêm à nossa casa, olham para Gracie e falam: 'Puxa, que desperdício!' Dizem que é uma pena uma pessoa que não caça ter um cão caçador tão magnífico. Eles conseguem ver que ela tem esse instinto de caça."

Isso foi no verão de 2006, e Marley, o querido labrador amarelo que conquistou corações no mundo todo, já havia morrido. Eu estava em um local tranqüilo da zona rural da Pensilvânia, a pedido de John e Jenny Grogan, os dedicados donos de Marley, para conhecer sua nova cadela da raça labrador, chamada Gracie. E, apesar de Gracie ser da mesma raça de Marley, os problemas deles eram muito, muito diferentes.

Os Grogan, Gracie e eu

Após um período de luto pela morte do adorado Marley, os Grogan perceberam, assim como muitos de nós, que a casa onde viviam nunca mais voltaria a ser um lar se não houvesse um cão ali. Nove meses depois da morte do cachorro, Jenny visitou um criador e escolheu um labrador puro adorável, fêmea, que lembrava o amigo morto. Como Marley havia sido um animal de alta energia e muito travesso, a aparente calma do segundo filhote atraiu Jenny, e ela decidiu levá-lo para casa – acreditando que, depois de treze anos com Marley, era grande a chance de terem um cão "perfeito" dessa vez. A família deu à cadela o nome de Gracie.

Como Jenny esperava, Gracie cresceu e se mostrou um animal muito mais calmo e tranqüilo que Marley. Diferentemente de seu antecessor, ela não devorava móveis e roupas nem se machucava tentando fazer buracos nas paredes para escapar sempre que escutava trovões. Gracie não tinha o medo de barulhos altos, a hiperatividade e a necessidade incontrolável de pular em qualquer estranho que entrasse na casa que Marley tinha. Dentro de casa, ela era calma e obediente, apesar de às vezes se tornar um tanto indiferente e decidir fazer tudo sozinha, muito diferente de Marley, que sempre queria ser o centro das atenções em qualquer atividade familiar. Mas era fora de casa que a cadela se transformava em um grande problema para os Grogan.

John e Jenny são donos de uma bela e vasta propriedade, cercada por montes, árvores, riachos, lagos, esquilos, coelhos e outros animais selvagens – um tranqüilo e afastado oásis, um paraíso para qualquer cão. Eles instalaram uma cerca subterrânea para criar limites para Gracie e permitiam que ela percorresse livremente o espaço o dia todo. Como muitos de meus clientes, acreditavam que ela já tinha uma boa cota de exercícios físicos, sem a necessidade de sair para caminhadas diárias com a família. No entanto, quando saía de casa, Gracie se transformava em um animal totalmente diferente. Ela se recusava a entrar quando chamada, e a única maneira de atraí-la para dentro era com fatias de mortadela. "Funciona bem, até que acabe a mortadela", Jenny me disse com bom humor. O outro problema (que os Grogan acreditavam nada ter a ver com a falta de obediência da cadela) era sua obsessão pela caça. Ela passava o dia todo perseguindo e devorando pequenos animais ou pássaros que passavam pelo jardim. A família tinha diversas galinhas, que lhe forneciam ovos e ciscavam livremente pela propriedade, comendo insetos e outras pragas de jardim, o que era muito útil. É claro que a família se afeiçoou às galinhas e as tratava como bichos de estimação. Infelizmente, duas delas foram para o brejo quando Gracie pousou seu olhar predador sobre elas. "Gracie comeu Liberace", Jenny admitiu com uma careta. "Você passa a ver seu cão com outros olhos quando ele come um dos seus animais de estimação." Os Grogan então mudaram a cerca de lugar, de modo que o galinheiro ficasse a pouco mais de um metro do limite que precisava ser respeitado pela cadela, mas ela continuava perseguindo as galinhas de modo obsessivo – assim, elas não podiam mais ficar soltas para ciscar. E, é claro, quando estava com o lado predador aflorado, nem mesmo as fatias de mortadela conseguiam fazê-la obedecer aos donos.

Para mim, o problema era claro. A dificuldade de obedecer e o comportamento de caça estavam totalmente interligados. Os Grogan haviam comprado um labrador *top* de linha, de raça pura, e, ao levarem Gracie para casa, também levaram suas características genéticas. Apesar de a cadela ser confiável, leal e amigável, os donos não estavam satisfazendo suas necessidades em relação ao que chamo de "*animal e cão* em primeiro lugar", com exercícios estruturados e regras, limites e restrições claras. Com isso, estavam indo diretamente contra sua *raça*, que assumiu o controle, como uma forma de o animal extravasar toda a energia em excesso e a frustração acumulada. *Quanto mais puro o cão, mais intensas são suas necessidades de raça.* A genética de Gracie – sua raça – estava fazendo com que ela se tornasse uma caçadora excepcional e concentrada – mas um animal de estimação que não respeitava ninguém.

A importância da raça

Para satisfazer as necessidades de seu cão, de modo que ele viva feliz e possa satisfazer as suas necessidades, é essencial começar se dirigindo ao *animal* que existe dentro dele. Todos os animais precisam trabalhar para ter comida e água e se comunicam com os outros por meio da energia. O nível seguinte de comunicação é se dirigir ao *cão* que existe em seu bicho de estimação. Por ser um carnívoro social, o cachorro naturalmente deseja fazer parte de uma matilha. Ele vê o mundo de maneira bastante organizada, com regras definidas e claras às quais obedecer e uma hierarquia bem estabelecida de funções e *status*. Ele enxerga o mundo primeiro por meio do focinho, depois com os olhos e por último com os ouvidos. Acredite se quiser – apenas abordando e satisfazendo as necessidades de seu bicho de estimação levando em conta que ele é um animal em primeiro lugar e um cão em segundo, é possível aprender a evitar e superar muitos dos problemas que você possa ter com ele.

O nível seguinte na psicologia do cão é a *raça*. Assim como ele recebe "sinais" de seus lados animal e cão, quanto mais puro ele for, mais sintonizado estará com os sinais emitidos pela raça e mais reagirá a eles.

Raça não é destino

Não concordo com o pensamento corrente de que a raça do cão vai determinar a vida dele – principalmente se for visto, antes de mais nada, como *animal e cão*. Quando as pessoas me dizem: "Tenho muito medo de pit bulls; eles são assassinos", lhes apresento Daddy, o pit bull "celebridade" da minha matilha, que é o cão mais doce, calmo e manso que existe. Com sua cabeça e seu pescoço enormes, parece bastante intimidador. Mas quem o conhece passa a vê-lo como um animal maravilhoso e adorável sob a *pele* de um pit bull. Contanto que eu aborde e satisfaça todas as suas necessidades de animal e cachorro em primeiro lugar, o lado pit bull dele não vai emergir de modo negativo. Mas, quando essas necessidades não são satisfeitas, a *raça* pode se tornar – e geralmente se torna mesmo – um fator em suas reações físicas e psicológicas aos estresses da vida e à energia acumulada que vem junto.

O DNA da raça de um cão traz parte de seu "manual de instruções", por assim dizer. A raça do cachorro é formada pelas funções que ele deve ter, por isso, quanto mais puro ele for, mais vai se valer das características da raça para poder extravasar a energia e a frustração em excesso.

Comecei a trabalhar com Daddy quando ele tinha 4 meses. Se eu não tivesse criado uma rotina de exercícios físicos diários quando ele era jovem, se não tivesse sido claro e consistente a respeito das regras, dos limites e das restrições desde quando ele era filhote e se não tivesse me mantido como seu líder de matilha o tempo todo, talvez os genes de pit bull de Daddy fizessem com que ele se tornasse destrutivo, se ficasse frustrado com alguma coisa. Mas acontece que, com uma sólida liderança, eu o libertei do destino de viver os estereótipos negativos de seus genes. Nem mesmo os outros seis pit bulls da minha matilha, que já foram agressivos com seres humanos ou com cães antes da reabilitação, vão passar a vida desempenhando o papel do "pit bull assassino". Ao satisfazer as necessidades mais básicas deles, consegui arrancar-lhes a capa de pit bull e deixá-los aproveitar a vida simplesmente sendo cães entre outros cães.

É importante lembrar que nós, humanos, somos os responsáveis pela criação das raças – somos os *designers* originais dos projetos ou dos "manuais de instruções" que fazem com que nossos cães sejam de determinada maneira ou demonstrem certas habilidades. É fascinante pensar em todos os processos e gerações necessárias para criar as centenas de raças que existem atualmente. Milhares de anos antes de o monge Gregor Mendel descobrir, no século XIX, os princípios da genética moderna, os seres humanos de alguma maneira perceberam que, se cruzassem uma cadela rápida com um cão rápido, provavelmente nasceriam ao menos alguns filhotes rápidos. Ou, se cruzassem um cão e uma cadela de caça, seriam grandes as chances de os filhotes terem ótimas habilidades caçadoras. Conforme os seres humanos e os cães se desenvolviam juntos, as pessoas começaram a perceber que alguns desses animais podiam ajudá-las na fazenda; outros na proteção da propriedade; outros ainda podiam buscar coisas que caíssem dentro d'água. Nossos ancestrais começaram a prestar atenção e a pensar a respeito das características que cada cachorro parecia ter, e então aprenderam a adaptar essas habilidades para benefício humano. Em alguns casos, apenas nos apropriamos de seus talentos naturais – a caça, por exemplo – e os condicionamos a desempenhar tais funções para nós. Em outros, adaptamos suas aptidões inatas para que realizassem tarefas criadas pelo homem, mas que parecem primitivas para os cães. Por exemplo, o pastoreio utiliza o comportamento natural de caça do cão, mas bloqueia o ato de matar. O resgate é outra atividade criada pelo homem que parece natural para os cachorros. E há atividades completamente artificiais para os cães, como o transporte. Escolhemos cães específicos, pelo tamanho e pela forma, e os criamos para que desempenhem tarefas como essa para nós. Nesse processo, criamos gerações de cães que nasceram com habilidades específicas para fazer o trabalho para o qual foram concebidos – e com impulsos poderosos que se originaram dessas habilidades. O problema é que, no mundo moderno, muitos animais não têm a oportunidade de desempenhar essas tarefas ou de usar suas habilidades inatas. Mas todos esses impulsos ainda existem em seus genes.

Lembre-se de que a porção raça do seu bicho de estimação é muito menos primitiva que a porção animal ou a porção cão. Como no caso de Daddy, é possível bloquear, no cérebro do cachorro, os sinais da raça. Como fazer isso? "Gastando" a energia do cão. Exercícios, atividade física e desafios psicológicos são as três maneiras de fazer isso. Nada supera uma caminhada vigorosa, feita corretamente, como exercício primal para gastar energia. Se vocês fizerem uma caminhada bem longa ou bem rápida, o cachorro vai usar mais energia, sobrando pouca quantidade para atividades relacionadas à raça. Um dos meus exemplos favoritos de boa liderança de matilha são alguns dos sem-teto de Los Angeles. É comum ver pit bulls de aparência aterradora seguindo moradores de rua. Os cães caminham focados, obedientes e com determinação. Não puxam o dono, não pulam nem brigam. Não se distraem com gatos, esquilos, carros ou crianças. E, como andam por longos períodos – e com intenção –, toda a energia que há no animal, no cão e na raça é canalizada de maneira construtiva. É importante perceber que esses cães não estão apenas dando uma volta no quarteirão para fazer xixi – estão caminhando com poderosa *intenção*. Eles sentem, de maneira primitiva, que estão usando suas habilidades para sobreviver. É isso que tento criar para a minha matilha quando caminhamos longamente nas montanhas, ou quando os deixo correr ao meu lado enquanto patino por uma hora. Uma experiência primitiva e focada com o líder da matilha gasta energia, desafia a mente e acalma o espírito até do cão de raça mais pura.

Mas sejamos realistas – a maioria das pessoas não consegue caminhar com o cachorro o dia todo. Os animais podem ser uma parte muito importante da vida delas, mas elas também precisam trabalhar, cuidar da família e de todos os outros detalhes de nossa complicada vida moderna. A maioria de meus clientes se encaixa nessa categoria, por isso tento ajudá-los a criar uma combinação de desafios físicos e psicológicos para que ajudem seus cães a satisfazer as porções animal, cão e raça destes, nessa ordem.

O American Kennel Club dividiu as raças em categorias gerais, com base geralmente nas tarefas originais para as quais os cães eram usados. Vamos avaliar essas categorias e falar sobre coisas que você pode adicionar à rotina do cão, além da caminhada – desde atividades organizadas a coisas simples que podem ser feitas no jardim ou na sala de estar –, para ajudar a satisfazer as necessidades relacionadas à raça que seu animal possa ter.

O grupo dos esportistas

Os cães que chamamos de "esportistas" são descendentes daqueles criados para trabalhar com caçadores humanos, para localizar, levantar* ou buscar caças, principalmente pássaros. Pointers e setters são os cães que localizam e apontam a caça; spaniels são os que a levantam; e retrievers são os que vão buscá-la depois que o caçador atira. Lembre-se: dizemos "esportistas" porque eles não *matam*. Com o tempo, os seres humanos adaptaram esses instintos e comportamentos predatórios, herdados dos lobos, e fizeram com que esses cães parassem de matar. Isso se tornou um esporte para o animal – o único predador completo nesse processo é o ser humano.

Não concordo com os diversos guias de raças que afirmam que todos os cães de determinada raça têm um nível de energia predeterminado. Da mesma maneira que pode haver crianças de alta e de baixa energia na mesma família, pode haver uma grande diferença entre os níveis de energia em cada raça e mesmo em cada ninhada. Só porque o cão vem de uma linhagem superior,

---

*"Levantar" a caça é fazê-la sair de seu esconderijo (cf. *Dicionário eletrônico Houaiss da língua portuguesa*). (N. do E.)

não quer dizer que vai necessariamente se tornar um modelo das características ideais da raça. Se você cruzar dois setters campeões, pode obter uma ninhada com dois filhotes de alta energia e potencial para ser campeões; um filhote de energia média, que fica cansado ou entediado após uma hora de caça; e um cão tranquilo e pacífico, que só quer ficar deitado perto da lareira. Acredito que, assim como nos seres humanos, o nível de energia é algo com que se nasce.[1]

Como eu disse no capítulo 1, a energia faz parte da identidade e do que chamamos de *personalidade*. Nenhum nível de energia é melhor ou pior que o outro, apesar de determinados níveis se adequarem melhor a determinadas funções. É preciso ser um ser humano de energia mais baixa para gostar de ficar sentado diante do computador o dia todo; e, obviamente, é preciso ter energia mais alta para ser professor de aeróbica. O mesmo ocorre com os cães. As pessoas descobriram há milhares de anos que, para o cão ser um esportista bem-sucedido, precisa ter alta energia, por isso começaram a selecionar o melhor que podiam para garantir o nível alto de energia na maioria dos filhotes da ninhada. Um bom animal esportista precisa de vigor. A caça é um esporte que combina horas e horas de atividade intensa com espera focada, o que requer muita paciência e concentração. Você precisa ir adiante e ter certeza de que está seguindo o caminho e o cheiro certos. É por isso que é seguro dizer que cães de raças esportistas costumam ter alta energia. Quanto mais puro é o animal, mais intensas tendem a ser as características específicas da raça.

---

[1] Interessante notar que o neurofisiologista russo I. P. Pavlov também acreditava que os cães com os quais trabalhou em seus famosos (ou infames) experimentos haviam nascido com diferentes níveis de energia: "forte e excitado", "vigoroso", "calmo e imperturbável" e "fraco e inibido" (William Sargant, *Battle for the Mind*, 3ª ed. Cambridge: Malor Books, 1997, pp. 4-5). Esses níveis correspondem às minhas categorias de energia dos cães: "muito alta", "alta", "média" e "baixa".

Gracie e Marley: dois lados da mesma raça

Tanto Gracie quanto Marley são labradores e pertencem ao grupo dos esportistas, criados para localizar, levantar e buscar a caça. No entanto, por mais parecidos que sejam por fora, são ótimos exemplos da diferença de temperamento que pode ser encontrada em cães da mesma raça. Apesar de os criadores de Marley afirmarem que ele era de raça pura, era filho de cães da cidade e foi criado em um ambiente urbano, sem situações ambientais que pudessem acionar seus instintos reprimidos. Na verdade, parecia que Marley tinha alguns poucos instintos herdados de seus ancestrais esportistas – mas tinha toda a energia acumulada que decorria desses instintos. John Grogan escreve, em seu livro, que Marley adorava sair para longas caminhadas na Flórida – as quais eram insuficientes para desafiar seu alto nível de energia. Ao brincarem com ele no quintal, os Grogan se divertiam e ao mesmo tempo se frustravam com a incapacidade do cão de compreender o conceito de buscar. Marley não compreendia que buscar não significa pegar e *ficar* com a bola, mas também *devolvê-la*! A energia e os instintos de Marley eram muito intensos – e geralmente encontravam uma válvula de escape na destruição. Quando os Grogan se mudaram para a zona rural da Pensilvânia, nos últimos anos de vida do cão, perceberam que Marley relaxou naquele ambiente, pois, em um nível muito primal, deve ter se sentido mais familiarizado com ele.

Gracie, por outro lado, originou-se de cães caçadores que viviam e prosperavam na área rural havia gerações. Ela era uma cadela *top* de linha em relação aos genes de caça e ao nível de energia. E, quando se trata de um cão desse calibre, você pode ver nele, desde filhote, toda a grandiosidade da linhagem. Desde cedo, você vê o filhote perseguir o espanador de pó dentro de casa, por causa das penas; procurar penas de pássaros no quintal; ficar paralisado e se colocar em posição de perseguição ao ver aves e pequenos animais passarem por perto. É muito claro para eles qual é o propósito de sua vida. Se um cão como Gracie vivesse na cidade, com a mesma estrutura condescendente que ela tinha naquele momento, provavelmente se tornaria neurótico e desenvolveria tendências obsessivas, possessivas ou destrutivas. Mas, vivendo no campo, ela tinha várias maneiras naturais de extravasar suas frustrações. E, como seus donos me contaram, quando ela adotava aquele olhar assassino, era como se ninguém mais existisse. Ela se tornava uma cadela completamente diferente, com apenas um mestre – seu instinto. Desde cedo, donos de cachorros como Gracie precisam aprender a canalizar essa energia e redirecionar tal comportamento, se não quiserem que o cão assuma o controle.

Os Grogan me disseram que Gracie era calma e controlada dentro de casa, o que faz total sentido. A energia dela não era extravasada com pulos nas paredes, como Marley fazia; ela conservava sua energia cuidadosamente, para conseguir a resistência que grandes cães de caça precisam ter para localizar e perseguir sua presa. Instintivamente, ela sabia que não deveria gastar sua energia dentro de casa, pois havia galinhas no quintal esperando por ela. Ela não se cansaria roendo sofás e derrubando móveis – como Marley fazia –, pois tinha um *propósito* maior para as habilidades com as quais nascera. Esse propósito se encontrava ao ar livre, com todas as tentações do ambiente.

Tanto Marley quanto Gracie eram, no fundo, animais frustrados. Apesar de nenhum dos dois ser carente de amor, eram carentes de liderança, de regras, limites e restrições, e não tinham desafios físicos e psicológicos suficientes. Mas, no caso de Gracie, seus genes de raça pura determinavam uma válvula de escape bastante específica para sua frustração. O *animal* existente dentro dela não estava sendo satisfeito, porque não tinha atividade física suficiente para simular o processo de ter que trabalhar para obter comida e água. O *cão* existente nela não estava sendo satisfeito, porque não tinha regras, limites e restrições. Mas era a *raça* existente dentro dela que estava dizendo: "*Essa* é a atividade que praticamos para extravasar nosso excesso de energia". Foi por isso que eu disse aos Grogan que precisávamos considerar a *raça* em primeiro lugar para diminuir a intensidade de suas necessidades. E conseguiríamos fazer isso orientando Gracie em relação ao que ela já estava fazendo, mas do ponto de vista esportista, não do ponto de vista assassino. Era óbvio para mim que precisávamos recuperar o controle desse lado dela para diminuir a frustração nos outros lados também.

Satisfazendo cães esportistas

Se você tem um cão de raça esportista com impulso genético tão forte quanto o de Gracie, não vai conseguir ser um verdadeiro líder de matilha a menos que tenha controle sobre as atividades que surgem desse impulso. Quando John Grogan percebeu isso, criou uma brilhante metáfora, que vou copiar aqui. O que acontece quando um pai e uma mãe, ambos muito práticos, interessados em ciências exatas, têm um filho que nasce com o talento e o impulso para ser extremamente artístico? A criança vai prosperar se os pais a orientarem nesse talento – dando-lhe giz de cera e papel, mostrando-lhe livros de arte e incentivando-a a fazer aulas de artes na escola. Mas o que acontece se os pais ignorarem totalmente o talento do filho e sua necessidade de expressá-lo? A criança será naturalmente impulsionada a encontrar uma maneira de expressar seu talento sozinha. Se não receber o apoio da escola, pode fazer elaborados rabiscos no caderno em vez de prestar atenção no que a professora diz, fazendo com que seu rendimento escolar seja prejudicado. Ou pode grafitar paredes e muros para exercitar sua paixão, podendo ter problemas com as autoridades. Na primeira situação, os pais fazem parte da experiência e são capazes de mostrar ao filho como incorporar seu talento em uma vida equilibrada e estável. Na segunda, o filho cria uma vida com base em seu talento *fora* do mundo dos pais. Assim, não existem regras, limites ou restrições. Além disso, o filho vai se distanciar dos pais e perder o respeito por eles – pois não respeitaram nem compreenderam sua verdadeira natureza. Agora, aplique essa metáfora ao relacionamento com o seu cão. Se você satisfizer os três impulsos dele – o animal, o canino e o da raça –, estará criando um elo com base na confiança e no respeito mútuo. Mas, se seu cachorro precisar se virar para satisfazer as próprias necessidades inatas, então por que precisa aprender a respeitar você?

Os impulsos específicos da raça de cães esportistas podem ser satisfeitos de diversas maneiras diferentes. É claro que esgotar a energia satisfazendo o animal e o cão vem em primeiro lugar, o que, para cães de alta energia, significa fazer caminhadas longas e vigorosas pelo menos duas vezes ao dia – para qualquer categoria de raça. Entre as ferramentas e técnicas que podem ajudá-lo a reduzir o tempo ou a distância da caminhada, ou simplesmente criar experiências ainda mais desafiadoras para seu cão, estão andar de bicicleta, patinar, andar de *skate* e colocar uma mochila nas costas do animal durante a caminhada. Existem cães que precisam correr – ou aumentar o ritmo do exercício –, e a bicicleta, o *skate* e os patins podem ajudá-lo a conseguir isso, mas apenas se você souber utilizá-los. A mochila oferece peso extra para garantir que a caminhada seja mais vigorosa e também oferece um desafio psicológico, que é carregá-la. Todas essas atividades podem ajudar muito no estabelecimento de seu papel de líder da matilha na mente do seu cão.

USANDO A MOCHILA PARA GASTAR ENERGIA

- Peça ao veterinário que faça uma avaliação física completa no cão, para determinar se ele tem algum problema de coluna que possa impedi-lo de usar a mochila com segurança. Informe-se também a respeito de quanto peso seu cão pode levar com segurança e por quanto tempo.

- Escolha uma mochila feita especificamente para cães. Você pode encontrá-la em grandes *pet shops* ou mesmo na Internet. Use um mecanismo de busca para encontrar "mochilas para cães".

- Procure o tamanho certo de mochila para o cão, com base no tamanho, no peso e na raça dele.

- Adicione peso extra, dependendo da intensidade da atividade física de que seu cão necessite. Recomendo que seja um peso extra de 10% a 20% do peso do animal. Algumas mochilas vêm com pesos extras incluídos, outras não. Você pode adicionar seus próprios pesos ou qualquer coisa que precise que seu cão carregue para você – água, mantimentos, livros etc.

- Prenda bem a mochila às costas do cachorro e boa caminhada!

Depois de completar a tarefa principal de gastar a energia do cachorro na caminhada, você pode adicionar atividades específicas para ajudá-lo a se conectar com a raça existente nele. Para pointers e setters, recomendo jogos estruturados, que possam ser jogados no quintal ou no parque, nos quais você apresenta a ele um objeto com cheiro familiar, depois o esconde e guia o animal até que ele o aponte. Recompense o cão apenas na fase da localização, para não tornar o exercício voltado para a presa. Para spaniels, o mesmo exercício pode ser usado, mas com o cão encontrando e pegando o objeto escondido. E, para retrievers, o objetivo é ensiná-los a encontrar o objeto, buscá-lo e trazê-lo de volta a você sem nenhum dano. *Frisbee* e outros jogos de quintal são excelentes – mas lembre-se de que, mesmo que você lance o disco centenas de vezes, se estiver em um espaço fechado e não tiver realizado a caminhada, estará apenas criando excitação, sem removê-la. Muitos dos retrievers foram criados para ser cães de água – incluindo o labrador, o spaniel d'água irlandês e o americano, o nova scotia duck tolling retriever, também conhecido como toller, o flat-coated retriever, o curly-coated retriever e o chesapeake bay retriever. Natação, mergulho e a busca de objetos dentro d'água certamente são atividades que satisfazem esse tipo de cachorro.

Os cães esportistas costumam ser excelentes em atividades de busca e resgate. Assim, uma variação desses jogos que gosto de recomendar aos meus clientes é o exercício chamado "encontre a família", ou o que os treinadores chamam de "fugitivo". Membros da família devem se esconder em diversos lugares, então você dá ao cão uma peça de roupa e ele deve encontrar a pessoa cujo cheiro esteja na roupa. Acredito que essa atividade – independentemente de o cão estar procurando pessoas ou apenas objetos pertencentes a elas – incentiva a formação de um elo mais profundo entre o cão e a "matilha" de seres humanos. Como é você quem está no controle do exercício, seu valor como líder da matilha aumenta muito na visão do cachorro.

Se seu cão for um exímio caçador, como Gracie, satisfazer a raça dele é uma atividade na qual recomendo que você conte com a ajuda de um profissional. Não qualquer um – cada raça tem especialistas que se concentram especificamente nas necessidades dela. Eles podem lhe oferecer muitas informações e atividades novas, que você poderá explorar para conhecer melhor seu cão de acordo com os genes da raça.

Graça para Gracie

Assim que comecei a trabalhar com os Grogan, percebi que Gracie precisava de alguém que conhecesse seu mundo. Trabalhei com eles durante um dia na fazenda, mostrando como deveriam agir para mostrar que eram os líderes da matilha e os donos das galinhas, e dar a Gracie o entendimento de que atacá-las estava fora de cogitação. Ministrei a eles um curso básico sobre como cultivar a energia calma e assertiva e dei uma "lição de casa" um pouco complicada: encontrar um treinador profissional de cães de caça que ensinasse a Gracie e à família como canalizar a energia natural de caça da cachorra para válvulas de escape inofensivas.

Sempre incentivo meus clientes a não desistir de seus cães – e a nunca desistir de si mesmos, ainda que outras pessoas os desanimem a continuar. Os Grogan não desistiram. Jenny me contou, posteriormente, que entrou em contato com nove treinadores de sua região, e todos recusaram o trabalho. "Não é possível", foi o que lhe disseram, porque os Grogan não queriam ensinar Gracie a caçar, mas apenas redirecionar seu instinto caçador. Nove entre dez pessoas disseram a Jenny que isso era impossível! Mas ela perseverou até encontrar Missy Lemoi, treinadora do canil Hope Lock, em Easton, Pensilvânia. Missy tem experiência com treinamento de cães para corridas, provas de campo e testes de caça, e é um dos meus tipos preferidos de pessoa – não vê limites em nada e sempre encara um desafio como uma possibilidade. Ela resolveu ajudar os Grogan, ensinando-os a desenvolver as habilidades inatas do animal para ajudá-lo a se tornar o melhor cão que ele poderia ser.

Uma das primeiras coisas que Missy disse aos donos de Gracie é que precisariam de muito esforço e comprometimento para fazer com que ela se tornasse o cão que eles esperavam. A maioria das pessoas simplesmente não tem energia nem tempo suficiente para dedicar a um trabalho tão intenso com seus cães. Mas os Grogan – principalmente Jenny – estavam dispostos a encarar o desafio.

Missy começou com o mesmo exercício que eu – tentando dessensibilizar Gracie em relação às aves e reduzir sua obsessão por elas –, mas escolheu um pato, menos agitado que a galinha. O objetivo era dessensibilizá-la lentamente, por meio de comandos de obediência, até que ela começasse a ignorar o pato. Aquilo casava com o trabalho de obediência básica que Jenny estava fazendo com Gracie – comandos básicos que dizem ao cão: "Você tem que me escutar, tem que seguir o que eu digo".

A segunda fase do trabalho de Missy com Gracie envolveu o instinto de caça. "Tivemos que superar a desvantagem que Gracie tinha", Missy me contou, "uma vez que ela nasceu com todos os instintos, mas não foi criada para caçar de modo organizado desde que tinha 7 semanas de vida, como meus cães. Tivemos que encontrar alguma coisa que a motivasse, e escolhi sua família, porque isso a motiva. Ela ama sua família. Por isso, usando a técnica de busca e resgate do 'fugitivo', criamos um grande jogo de esconde-esconde, no qual os membros da família corriam para se esconder e a cadela tinha que encontrá-los. Quando os encontrava, recebia muitos elogios e um petisco."

De acordo com Jenny, desde o primeiro dia de trabalho com Missy, Gracie ficou visivelmente mais obediente com todos da família. Estava claro que ela era um cão com habilidades especiais, que apenas esperavam para ser canalizadas na direção certa.

Depois de cinco semanas de trabalho com Missy, os Grogan me convidaram para uma visita, para ver o progresso que havia sido feito. Gracie ainda tinha muito que aprender – Missy dava nota 2 ou 3 para ela, em uma escala de 1 a 10 –, mas houvera uma mudança significativa nela. Apesar de seus instintos caçadores ainda impulsionarem seu comportamento, ela estava começando a compreender e a respeitar o conceito de limites. No dia em que voltei à casa dos Grogan, Missy Lemoi tinha uma surpresa especial para todos nós – e principalmente para Gracie! Ela levou seu labrador campeão, Hawkeye, que fez uma bela demonstração de caça às cegas. Missy escondeu um objeto bem longe na propriedade e então, usando apenas sinais com as mãos e sua energia, direcionou o cão para encontrar e trazer o objeto. Ficamos impressionados com o modo como Missy e Hawkeye se comunicavam, apesar de não ser emitido nenhum som. Entre eles, havia grande respeito e confiança. Estavam em completa sintonia um com o outro, da mesma maneira que fico em sintonia com minha matilha. Missy estava satisfazendo as três dimensões de Hawkeye – animal, cão e labrador –, e ele agradecia com seu entusiasmo e sua obediência.

Acredito no poder da matilha – ou seja, que os cães aprendem com outros cães muito melhor e mais rápido do que com os seres humanos. Foi por isso que, durante o exercício, mantive Gracie parada para que ela pudesse observar Hawkeye cumprindo sua tarefa. Ela ficou claramente fascinada. Algo dentro dela reagiu à comunicação estabelecida entre Missy e o cão. Gracie teve uma ótima lição aquele dia, dada pelos seres humanos e pelo cão. Ela teve contato com dois profissionais – Missy e eu – que a entendiam e criaram uma situação na qual ela pôde se manter calma e submissa. Mas Hawkeye foi o melhor professor. Gracie testemunhou o resultado da colaboração entre cão e ser humano – e os Grogan também.

Seis meses depois do início do trabalho, Jenny e Gracie completaram o curso intermediário e Missy as convidou para continuar, indo para níveis mais avançados. Quanto aos ataques a animais pequenos, Gracie é um anjo quando os Grogan estão por perto. Usando as técnicas que lhes ensinei, eles desviam a atenção dela do objeto no qual está concentrada. O próximo objetivo de Jenny é trabalhar com Missy para fazer com que Gracie fique apta a realizar trabalho de terapia em hospitais de seres humanos.

Os Grogan agora reconhecem muitos dos erros que cometeram com Marley e tentam não repeti-los com Gracie. É claro que, graças ao livro de John, grande parte dos Estados Unidos e do mundo ama e valoriza Marley pelo que ele era – com suas instabilidades e tudo o mais. Mas agora é a vez de Gracie. E, apesar de ela ter sido levada à casa dos Grogan para preencher um vazio, agora eles percebem que ela também está ali para lhes dar a chance de pôr fim a um ciclo. Ao se tornarem os verdadeiros líderes de matilha de Gracie, os Grogan podem ter o cão de seus sonhos – e ela pode finalmente ser compreendida e satisfeita como o labrador especial que nasceu para ser.

O grupo dos hounds

Acredita-se que os hounds formem o grupo mais antigo de cães criados para colaborar com os seres humanos. Esqueletos de cachorros parecidos com basenjis foram encontrados em antigas escavações ao lado de humanos primitivos, e paredes de tumbas do Egito antigo estão cobertas por desenhos de cães que lembram galgos ingleses e cães do faraó. Os hounds são caçadores e perseguem suas presas – geralmente mamíferos, e não aves, como no caso dos cães esportistas – usando a visão, o olfato ou uma combinação dos dois. Entretanto, diferentemente do grupo dos esportistas, esses cães geralmente não esperavam pelos seres humanos, mais lentos, para sair à caça – corriam na frente dos caçadores.

O focinho sabe

A família dos hounds farejadores inclui o basset hound, o beagle, o coonhound, o bloodhound, o dachshund, o foxhound americano e o inglês, o harrier e o otterhound. Como já dissemos, o olfato é o sentido mais importante para todos os cães, mas o focinho é tudo para os animais desse grupo – e os seres humanos que começaram a criá-los aproveitaram sua biologia ao máximo. Acredita-se que as rugas da face de cães como o bloodhound ajudam a manter perto do focinho o cheiro do qual estão tentando se aproximar, e as orelhas longas e caídas impedem que sejam distraídos por barulhos quando estão na caça. Alguns deles – como o dachshund e o beagle – têm pernas mais curtas, para mantê-los mais próximos do chão. Geralmente, preferem caçar em grupos – e, se você tiver a chance de observar uma matilha de hounds procurar alguma coisa, testemunhará a força miraculosa da matilha em ação. Todos os cães ficam obstinados em sua busca pela presa, e a cooperação existente dentro da matilha é o segredo. É esse tipo de cooperação e coordenação que tem ajudado a família dos canídeos a se adaptar e sobreviver ao longo dos séculos. Se seu cão é um hound de raça pura, então, de uma forma ou de outra, é melhor satisfazer a necessidade que ele tem de usar seu poderoso focinho para um propósito.

A volta de Banjo

Um dos casos mais fortes e emocionantes de que cuidei durante a terceira temporada de *Dog Whisperer* foi o de Banjo, de Omaha, Nebraska. Beverly e Bruce Lachney, duas das pessoas mais altruístas que conheço nos Estados Unidos, cuidam de cães abandonados até que consigam encontrar famílias que queiram adotá-los. Quando Beverly trabalhava na Nebraska Humane Society, deparou com a jaula de um coonhound preto e marrom cujo relatório mostrava que ele estava com dia e hora marcados para ser submetido a eutanásia, porque "tinha muito medo de pessoas" e não conseguia se adaptar e viver com seres humanos.

Beverly imediatamente se comoveu com os olhos escuros e tristes e as orelhas macias e caídas de Banjo, então começou a analisar a história do animal. Banjo havia passado a vida toda como cão de laboratório em um centro de pesquisas e era cobaia em experiências médicas. Ele era mantido em uma jaula de metal esterilizada, perto de outros animais em jaulas parecidas, sem nenhum contato ou carinho de outro ser. A única interação que tinha com seres humanos era quando alguém de avental branco se aproximava com uma seringa para tirar amostras de seu sangue. Os funcionários do laboratório eram treinados para não interagir nem desenvolver qualquer tipo de elo emocional com os animais usados nos experimentos, por isso não havia carinho na vida de Banjo – nenhum tipo de respeito ou reconhecimento de sua dignidade como ser vivo. Não é de surpreender o fato de que ele não confiava nas pessoas.

Beverly adotou Banjo e o levou para casa. Ela acreditava que só seria preciso tempo, carinho e amor incondicional para que ele passasse a confiar nela. Mas quatro anos se passaram e o cão ainda morria de medo de todas as pessoas, até mesmo dela. Banjo parecia se divertir brincando no quintal dos Lachney com os outros cães abandonados, mas não queria nenhum contato com pessoas. Sem saber mais o que fazer, Beverly o levou a um veterinário para ter certeza de que o cachorro não tinha nenhum tipo de problema neurológico ou físico que pudesse ser a causa de seu grande medo, e recebeu a informação de que ele estava bem fisicamente, mas que sua experiência no laboratório havia prejudicado emocionalmente seu desenvolvimento. O veterinário sugeriu que Beverly colocasse fim ao sofrimento do animal e o tirasse deste mundo para sempre. Mas ela não é do tipo de pessoa que se rende com facilidade – principalmente quando se trata de um de seus animais. Em vez de sacrificar o cão, ela me telefonou.

A maioria dos casos que recebo envolve cães que amam o dono e confiam nele, mas não o respeitam – como no caso de Gracie e de Marley. Entretanto, no caso de Banjo, não havia sequer o alicerce básico da confiança. Parte do problema era que, apesar de Beverly cuidar do cão e lhe dar carinho, ela estava alimentando sua instabilidade. Depois ela poderia lhe dar amor, mas primeiro precisava ajudá-lo a melhorar.

Quando cheguei a Omaha, passei várias horas trabalhando com Banjo, permitindo que ele me conhecesse pouco a pouco e desenvolvesse os primeiros sinais do que mais tarde seria confiança em um ser humano. É preciso sempre lembrar que devemos aprender a praticar os níveis mais altos de paciência com qualquer animal medroso. É preciso deixá-lo tomar a iniciativa de se aproximar e nos conhecer – não podemos forçar nossa presença de jeito nenhum.

O passo seguinte seria ensinar aos Lachney como levar Banjo para caminhar com a matilha. Como ele já tinha uma certa confiança nos outros cães, se os donos se impusessem como líderes de matilha do grupo todo, a confiança neles acabaria se desenvolvendo naturalmente. Tornar-se líder de matilha significa ganhar confiança e respeito – é impossível ter um sem o outro.

Os exercícios ajudaram a satisfazer Banjo como animal e cão e tiveram efeito imediato sobre ele. Fui capaz de mostrar aos Lachney como ajudar a satisfazê-lo como animal por meio de caminhadas e de estrutura, e os outros cães da casa deram a Banjo uma certa identidade como cachorro. Mas e quanto à raça dele? Uma coisa que logo percebi a respeito dele foi que, apesar de ser um coonhound de raça pura, eu nunca o vira usar o focinho para nada. Ele não me cheirava para saber qual era meu odor. Não farejava o ambiente ao seu redor como uma maneira de conhecê-lo. Como ele poderia ter um senso de identidade ou de auto-estima se não sabia nem o que significava ser um hound?

No meio de um dia extremamente quente de julho, pedi que Christina, uma de nossas produtoras, me trouxesse um frasco com urina de guaxinim. Sim, urina de guaxinim! Esse provavelmente foi o pedido mais estranho que já fiz a ela, mas eu sabia que os caçadores usavam essa urina, e existem muitos caçadores na região de Omaha. Quando o líquido malcheiroso finalmente chegou, fiz um caminho com ele na grama, levando até uma árvore. Depois disso, levamos Banjo até o caminho. Nesse momento, ele já estava visivelmente mais à vontade com a nossa presença, mas ainda parecia inseguro, como se o mundo pudesse cair em sua cabeça a qualquer minuto. De repente, seu olhar demonstrou curiosidade. Ele encostou o focinho no chão, farejou e seguiu o caminho que eu havia feito com a urina por alguns passos, antes de parar e olhar para todos nós de modo interrogativo. Os Lachney ficaram muito felizes – em quatro anos, nunca o tinham visto usar o focinho para nada, nem mesmo para cheirar a comida! E eu fiquei muito orgulhoso de Banjo. Apesar de ter seguido o caminho por apenas alguns segundos, ele havia passado no teste. Havia tomado o primeiro passo para acordar o coonhound existente dentro dele.

Meu trabalho com Banjo durou apenas um dia, mas cumpri o que queria: mostrar ao cão uma nova maneira de viver e dar a ele a base de que precisava para começar a confiar nos seres humanos e a reaprender a ser um cão. Nos meses que se sucederam, ficou tudo a cargo dos Lachney. Felizmente, eles me informaram que Banjo continua progredindo milagrosamente. Já não anda com o rabo entre as pernas, caminha de modo confiante com a matilha e, o melhor de tudo, confia nos donos e lhes dá afeto. A questão é que, para Banjo se recuperar da grande privação sofrida em seus dois primeiros anos de vida, precisava ter as três dimensões de seu ser satisfeitas: a de animal, a de cão *e* a de raça. Ao realizar exercícios relacionados à sua raça, ele começou a se sentir bem consigo mesmo como um hound. O odor da urina de guaxinim acionou sua memória genética, e de repente ele percebeu sua utilidade – o valor de quem ele havia nascido para ser. Ao reagir à sensação de uma vida com propósito, Banjo não é diferente de nenhum outro animal – de ratos a cães e seres humanos. Todos nós precisamos sentir que temos um *propósito* na vida para nos sentirmos verdadeiramente felizes e realizados neste mundo.

Terapia de dachshund

Quando um cão perde sua identidade como membro de determinada raça, outro cão, que demonstre características fortes relacionadas à raça, pode ser o melhor terapeuta. Recentemente, cuidei de um dachshund chamado Lotus. Os donos dele, Julie Tolentino e Chari Birnholtz, o mimavam e cuidavam dele como se fosse uma criança. Não existia respeito no ambiente, e Lotus era bastante inseguro. Como o casal estava indo viajar para outro país, levei Lotus para o Centro, onde ficou por quatro semanas. Lá, logo percebi que ele não se sentia à vontade como cão. Aos poucos se adaptou à matilha, mas não estava agindo como um dachshund verdadeiro.

Existe um provérbio budista que diz: "Quando o aluno estiver pronto, o mestre aparecerá". O mestre de Lotus apareceu quando eu estava trabalhando com uma maravilhosa organização de resgate chamada United Hope for Animals, que resgata cães de rua em Los Angeles e livra animais da morte desumana por eletrocussão no México. Quando vi Molly em um vídeo da instituição, pensei em Lotus. Ela era *yin* e ele, *yang*. Molly era uma dachshund que claramente tivera uma vida terrível de privações – mas, de alguma forma, conseguiu manter vivo seu lado dachshund! Ela fazia as pequenas coisas típicas da raça, como cavar, se esconder, usar o focinho o tempo inteiro enquanto caminhava. Decidi adotá-la no mesmo instante – para se tornar membro da minha matilha e um "modelo de raça" para Lotus.

Quando Molly chegou, Lotus se mostrou muito curioso a respeito dela, mas tímido a princípio. Aos poucos, começou a se aproximar dela e a observá-la cavar no jardim – ela cavava tão profundamente que quase não dava para vê-la! Depois de um ou dois dias, Lotus já estava cavando também – e, de repente, os dois haviam se tornado uma equipe! Normalmente não permito que os cães destruam o jardim, mas, nesse caso, era para o bem da terapia de Lotus. Juntos, os dois dachshunds corriam dentro de túneis, se escondiam sob pilhas de roupas e usavam o focinho para chegar aonde queriam. Lotus não fazia nada disso antes de Molly surgir em nossa vida. Ela conseguiu o que nenhum humano conseguira: fazer aflorar o dachshund existente dentro do mimado e imaturo Lotus.

Satisfazendo hounds orientados pelo olfato

Obviamente, hounds orientados pelo olfato precisam usar o focinho – aliás, a maioria deles usa, independentemente de querermos ou não! Depois que você satisfizer as necessidades de exercícios e de disciplina do cão, o jogo do "fugitivo", que usamos com Gracie, é o exercício ideal para oferecer um desafio à raça. Em vez de permitir que o animal cheire todos os postes do bairro na caminhada, pegue peças de roupa com o cheiro das pessoas de sua família e mostre-as a ele. Depois, coloque cada uma delas em diversos pontos ao longo do caminho. Recompense seu cão sempre que ele encontrar um dos objetos. Essa passa a ser a função dele – e um desafio físico e psicológico. Encontrar um cheiro e ignorar todos os outros é uma tarefa que requer bastante concentração. E, quanto mais seu animal se concentrar em algo que você pede que ele faça, mais energia ele gasta. Os cães de energia alta podem fazer o mesmo exercício com uma mochila nas costas, para torná-lo ainda mais difícil.

Satisfazendo hounds orientados pela visão

Entre os hounds que utilizam mais a visão, estão o afghan hound ou galgo afegão, o basenji, o borzói, o galgo inglês, o ibizan hound ou podengo ibicenco, o wolfhound irlandês, o saluki, o deerhound escocês e o whippet. Diferentemente dos hounds orientados pelo olfato, que foram criados para farejar presas em áreas de mata, os ancestrais dos hounds orientados pela visão provavelmente caçavam em áreas mais abertas – desertos, planícies e savanas –, onde conseguiam enxergar a maiores distâncias. Esses cães são muito antigos – durante milhares de anos, os criadores trabalharam para refinar sua velocidade e suas habilidades de caça e captura. São atletas incríveis, e o mais rápido entre eles, o galgo inglês, pode correr à velocidade de setenta quilômetros por hora. Como o impulso para capturar a presa é enorme, poder ser difícil levar um hound orientado pela visão de volta para casa se por acaso ele escapar no meio da caminhada para correr atrás de um roedor ou de um gato – e é o movimento da presa fugindo, e não o odor de sangue, que o atrai. Por terem sido criados ao longo dos tempos para caçar em matilhas, costumam se sociabilizar bem com outros cães.

É claro que grandes caçadores precisam de alto nível de energia, e a maioria dos hounds orientados pela visão precisa de um tempo, todos os dias, para ficar solto e correr. Patins e bicicletas podem ajudar você nessa hora – apesar de muitos desses cães serem hábeis em ganhar velocidade rapidamente na corrida, mas não mantê-la por longas distâncias. Costumam dar piques curtos e vigorosos seguidos por caminhadas em ritmo normal. Alguns cães resgatados de competições de corrida têm sérios problemas de lesões por esforço repetitivo, portanto devem ser examinados por um veterinário antes de começarem qualquer programa de exercícios.

Apesar de ser natural para hounds orientados pela visão se divertirem correndo atrás de objetos em movimento, a corrida profissional de galgos ingleses não é nada boa para eles. Muitos desses cães corredores passam a vida espremidos em jaulas ou currais, com pouca interação com seres humanos, geralmente passando frio ou calor. Um galgo inglês bem cuidado pode viver treze anos ou mais, porém, se nascer em um ambiente de corrida, é grande a possibilidade de ser descartado – muitas vezes de modo desumano – depois de três ou quatro anos, para dar espaço a novos cães. Felizmente, defensores dos direitos dos animais já começaram a convencer algumas pessoas na indústria das corridas de cães a criarem condições mais humanas para eles, "planos de pensão" para aposentadoria e retiros para cães aposentados. É apenas um começo, mas trata-se de um passo na direção certa.

Donos cuidadosos podem usar os instintos de caça dos hounds orientados pela visão para atividades de realização da raça que sejam divertidas para o cão, como o *lure coursing*, esporte que utiliza um equipamento mecânico para puxar uma isca, a qual o cão deve perseguir. O *lure coursing* usa como isca desde pele sintética até sacos de lixo brancos, movimentados ao longo de uma linha por roldanas e um motor. Quem entende de mecânica pode fazer algo parecido no quintal.

Com os dois tipos de hounds, é importante lembrar que o instinto de caça pode ser poderoso, e o principal é que ele seja regulado pelo líder da matilha o tempo todo. Na natureza, nenhum cão que seja parte de uma matilha simplesmente sai correndo atrás de um cheiro sempre que quiser. As caçadas são esforços coordenados, com começos e términos bem definidos. Qualquer atividade relacionada à raça que você fizer com o seu cão deve seguir os mesmos padrões e regras que têm funcionado tão bem, há milhares de anos, para a Mãe Natureza. Isso significa que você, o líder da matilha, está sempre no comando.

O grupo dos trabalhadores

Conforme os seres humanos foram evoluindo de caçadores primitivos e começaram a criar animais domesticados e a formar vilarejos, começaram a procurar cães para ajudá-los de outras maneiras, além de caçar e farejar. Assim, o grupo dos cães trabalhadores foi criado para guardar, puxar e resgatar – algumas raças para apenas um desses propósitos; outras, para dois ou três. Os seres humanos que criaram essas raças as selecionaram pelo tamanho e pelo formato do corpo, pela força, pela perseverança e às vezes pela agressividade, no caso dos cães de guarda.

Trouxemos esses cães para casa, para caçar presas grandes, lutar com outros cães ou atacar pessoas e animais, há centenas de anos. E, ainda hoje, algumas das raças mais populares continuam tendo essas habilidades. O akita, o malamute do alasca, o dogue alemão e o kuvasz foram criados para caçar presas grandes e para ser cães de guarda. O mastim inglês e o mastim napolitano têm raízes antigas, como cães de guerra e lutadores, que combatiam homens, leões, tigres e até elefantes nas arenas romanas de gladiadores. Nos genes do terrier preto da rússia, do dobermann e do rottweiler, estão a guarda e a segurança – inclusive para uso militar. Sabe-se que esses cães são comumente utilizados para proteção pessoal, mas o rottweiler também era conhecido como "cão de açougueiro", graças à capacidade de pastorear e proteger o gado. Ele se tornou tão indispensável para os açougueiros que dizem que estes penduravam o lucro do dia em

157

uma bolsa ao redor do pescoço do cão quando iam ao bar, sabendo que o dinheiro estaria perfeitamente protegido. Quanto mais pura for a raça, mais as qualidades relacionadas a ela vão aparecer se você, como líder da matilha, não satisfizer o animal e o cão completamente. E, por causa do tamanho desses cães, obviamente podem causar muito mais estrago do que um beagle ou um galgo inglês quando a energia acumulada dentro deles irrompe.

Satisfazendo cães trabalhadores

Como com todos os cães, gastar energia física é condição essencial para viver bem com uma raça trabalhadora – talvez até mais importante para essas raças do que para as de outros grupos. Como elas foram criadas para ter força, poder e/ou ferocidade, é aí que as atividades de satisfação da raça devem começar. Uma vez que muitos desses animais já foram cães de carga em algum momento, atividades relacionadas a puxar ou carregar peso são ótimas para eles.

Em Dallas, no Texas, a equipe de *Dog Whisperer* e eu visitamos Rob Robertson e Diane Starke, que haviam levado Kane, um swiss mountain dog, para viver com eles quando o cão ainda era filhote. Possivelmente um parente próximo do mastim inglês e até do rottweiler, o swiss mountain dog já foi um ótimo cão de carga, pastor e de guarda. Infelizmente, apesar de ter apenas pouco mais de 1 ano, Kane havia desenvolvido uma perigosa agressividade possessiva em relação a sua tigela de comida. Depois de trabalhar, com Rob e Diane, os princípios da liderança calma e assertiva no momento da alimentação, os ajudei a criar uma atividade específica de raça para Kane, para auxiliar a gastar sua energia excessiva, fazendo surgir o antigo cão de carga existente dentro dele. Usando um carrinho de carga do tipo plataforma, nossa equipe de produção fez uma carruagem improvisada para Kane puxar. O cão ficou um pouco agitado no começo, mas, assim que se acostumou com o barulho do carrinho atrás dele, se entregou à alegria de viver como seus ancestrais. Ele teria puxado aquele carrinho a noite toda se tivéssemos deixado!

Apesar de os habitantes da cidade geralmente serem contrários à idéia de tornar nossos cães "animais de carga", a verdade é que cães de raças trabalhadoras, como o swiss mountain dog, o rottweiler, o samoieda e o husky siberiano, prosperam diante desse tipo de desafio físico e psicológico. Eles não vêem o ato de puxar como um serviço – mas como um desafio que faz com que se sintam úteis e que põe para fora o melhor que existe neles. Rob e Diane estão ansiosos para formar uma família em breve e esperam que Kane seja o cão mais popular do bairro, levando em sua carruagem o filho do casal e todos os amiguinhos dele.

Exercícios de Schutzhund

Uma maneira fantástica de canalizar muitos impulsos de força e de inteligência das raças trabalhadoras é por meio do Schutzhund. Originalmente desenvolvido para pastores alemães, Schutzhund é uma palavra alemã que significa "cão de proteção" e se transformou em um esporte sério e competitivo que testa e avalia o faro, a obediência e as habilidades de guarda dos cães. Para pastores alemães, dobermanns, rottweilers, pastores belgas, boxers e outros cães trabalhadores ágeis, com "impulso de luta", o Schutzhund é um treinamento de habilidades que desafia o animal e seu condutor no âmbito físico e psicológico. É um erro dizer que o Schutzhund cria cachorros assassinos descontrolados. Na verdade, os cães não conseguem passar pelos diversos testes rigorosos a menos que sejam equilibrados e interrompem instantaneamente qualquer comportamento agressivo ao som do comando do condutor. Se for feito adequadamente, esse exercício pode não apenas ser uma excelente maneira de *canalizar* a agressividade relacionada à raça de modo controlado, mas também criar um elo ainda mais forte entre o animal e o condutor.

Para realizar o Schutzhund, o cão deve passar por um teste de temperamento que vai confirmar se ele é mentalmente sadio, calmo e submisso. As duas primeiras partes do Schutzhund se concentram no faro e na obediência. Durante essas fases, o cão é instruído a reagir instantaneamente a comandos e a realizar provas de habilidade, apesar das diversas distrações, incluindo outros cães, pessoas desconhecidas e até um teste com arma de fogo! Na terceira fase, de proteção, o cão é instruído a rastrear uma isca humana escondida e a guardá-la até que o condutor se aproxime. Se a isca tentar escapar ou atacar, o cão deve perseguir e segurar o "intruso" (que estará usando uma proteção no braço) até que seu líder de matilha humano chegue e dê a ordem para que o cão o solte. Quando recebe a ordem de parar, o cão deve interromper o ataque instantaneamente.

A terceira fase desse treinamento é a mesma pela qual os cães de polícia, de segurança e militares passam. Se o cão trabalhador for adequadamente exercitado e realizado, com regras, limites e restrições, o Schutzhund não vai transformá-lo em um assassino. O ideal é que essas atividades ofereçam uma válvula de escape concentrada para muitos dos impulsos naturais do animal, e ajudem a criar um cachorro muito mais sensível, equilibrado e obediente. Exercícios parecidos são usados para treinar cães de busca e resgate (também cães trabalhadores). Os "jogos" do Schutzhund também podem ser aproveitados por outras raças com fortes impulsos de caça, apesar de que, sem o impulso de luta, eles não vão conseguir competir oficialmente no esporte. Ainda assim, os exercícios se tornam um desafio psicológico divertido e que gasta energia. De modo geral, muitas partes do Schutzhund podem ser adaptadas, de maneiras criativas e divertidas, para desafiar qualquer cão.[2]

O grupo dos pastores

O instinto de controlar o movimento de outros animais vem do impulso predador, que tem origem na natureza lobal dos cães domésticos. Se você observar uma matilha de cães caçadores em ação, verá como eles coordenam suas posições para eliminar os membros mais fracos do rebanho que estiverem tentando atacar, e como conduzem sem muito esforço os animais que estão perseguindo, para encurralá-los, preparando-se para o ataque. Ao longo dos séculos, a humanidade tem usado essa habilidade inata para criar cães que completam todas essas ações, menos a última. Esses cães, membros do grupo dos pastores, não matam os animais que encurralam – simplesmente os mantêm unidos para beneficiar o ser humano, seguindo o próprio discernimento e os comandos do dono. Alguns mordiscam os calcanhares do gado para mantê-los em ordem, outros latem, outros rosnam e encaram, e outros simplesmente usam seus movimentos e sua energia. Entre os pastores mais conhecidos, estão o pastor alemão (considerado por algumas pessoas um cão pastor e trabalhador), o pastor de shetland, o corgi galês, o old english sheepdog ou bobtail, o pastor australiano, o blue heeler, o collie de pêlo longo e o border collie, o australian cattle dog e o bouvier de flandres.

---

[2] Mais informações sobre o treinamento e os exercícios de Schutzhund para todas as raças podem ser encontradas no DVG (Deutscher Verband der Gebrauchshundsportvereine) America (www.dvgamerica.com), a organização de Schutzhund mais antiga do mundo. [Informações em português podem ser encontradas no *site* do Schutzhund Sport Club (www.schutzhund.org.br). (N. do E.)]

É preciso muito vigor físico para guardar e pastorear rebanhos, por isso os cães pastores costumam ter alto nível de energia. Se você tem um cão pastor de alta energia, caminhar, andar
de patins ou de bicicleta com ele, de trinta minutos a uma hora,
pelo menos uma vez ao dia, é absolutamente necessário para gastar energia e obter equilíbrio. Cães desse tipo não devem ser deixados no quintal sem nada para fazer. Lembre-se de que pastorear é um *trabalho*, por isso trabalhar é algo muito presente nos
genes de cães pastores. O animal fica mais feliz e realizado quando usa sua energia para um propósito. Dar um desafio a ele é a
melhor coisa que você pode fazer para impedir ou ajudar a resolver problemas causados pelo tédio ou pela energia reprimida.

Depois que você e o cão já tiverem saído para caminhar ou
correr, existem diversas outras atividades para a satisfação da
raça que os pastores gostam de realizar. É claro que a maioria de
nós não pode levar bois, cabras ou ovelhas para o quintal, mas
podemos instituir outras atividades desafiadoras. Devido à paciência e à agilidade desses cães, eles geralmente gostam muito
de jogos com *frisbee* – que se tornou um esporte canino oficial
em 1974. Cães de todos os tipos podem jogar *frisbee* – alguns
campeões mundiais eram cães de raças misturadas resgatados
de abrigos –, mas os cães pastores ganharam mais destaque nessa área. O campeão mundial de 2006 foi Captain Jack, um australian cattle dog conhecido como "o cão mais esforçado do esporte". Um fato de destaque no lançamento de *frisbee* é que, para jogar, só são necessários uma área gramada plana e um disco,
que pode ser comprado em qualquer loja de artigos esportivos.
Mesmo que seja apenas uma brincadeira no quintal, para o cão
é importante que você torne o exercício um desafio. Não é preciso ensinar saltos mortais, mas, em vez de simplesmente jogar
e pegar, faça com que seu cão espere entre as jogadas. Dê a ele
uma série de comandos simples que devem ser realizados antes

de você lançar o disco, como sentar, deitar ou pedir. O objetivo é criar um desafio psicológico, além do físico. Afinal de contas, o rebanho não passa disso: um exercício físico e psicológico.

Como foram criados para realizar intrincadas "danças" ao mover o rebanho, os pastores geralmente se saem bem em competições de *agility*. Como o Schutzhund, as competições e os exercícios de *agility* vêm se tornando cada vez mais populares e são ótimas atividades para redirecionar energia e fortalecer o elo entre ser humano e cão. Os cachorros aprendem a pular obstáculos, correr através de aros e túneis, passar por labirintos e completar percursos com obstáculos cada vez mais complicados, correndo contra o tempo, incentivados e guiados pelo condutor. Há instituições que têm todas as informações necessárias para começar no esporte,* mas você não precisa colocar seu cão para competir. Costumo ajudar clientes a criar jogos informais, que podem ser realizados no quintal e desafiam os cães em exercícios de obediência e agilidade, sem a pressão da competição. Um pneu velho, alguns bambolês, uma trave baixa e uma tábua equilibrada sobre dois tijolos, juntamente com uma recompensa no final, podem criar um desafio concentrado que oferece uma tarefa estimulante a ser executada, até mesmo para o cão de energia mais alta. E você vai perceber que, quanto mais guiar seu cão nessas atividades, mais próximos se tornarão, e vai descobrir cada vez mais o líder de matilha existente em seu ser.

Outro esporte ótimo para diversas raças, mas especialmente para os cães pastores, é o *flyball*. Trata-se de um jogo em equipe para cães – basicamente uma corrida de revezamento em uma pista com obstáculos, na qual o cão tem que tirar uma bola de uma caixa no final do percurso e então retornar. Assim como nas

---

*Você pode obter mais informações sobre esse esporte no Brasil no *site* da Comissão Brasileira de Agility (www.agilitybr.com.br). (N. do E.)

corridas de revezamento humanas, o próximo cão não pode começar até que o primeiro volte, por isso é preciso muita concentração, disciplina e respeito pelo condutor. O esporte também exige velocidade, intenção e consistência – todos os fatores presentes no pastoreio. Se você tem um cão pastor de alta energia, não precisa observá-lo extravasar a frustração nos móveis, no gato ou, pior ainda, nos cães da vizinhança. Existem muitas maneiras de criar válvulas de escape adicionais.

Gus, o bouvier saltador

Praticar esportes é uma ótima maneira de se aproximar de seu cão pastor, ao mesmo tempo em que faz com que ele mantenha contato com suas "raízes", mas existe uma maneira que é melhor ainda – a experiência de pastorear rebanhos de verdade! Na primeira temporada de *Dog Whisperer*, visitei Tedd Rosenfeld e Shellie Yaseen, dois profissionais de TV. Gus, o bouvier de flandres deles, de 1 ano de idade, tinha o hábito de saltar. É claro que, por ser um cão grande, com muita força e energia, os saltos de Gus estavam causando mais e mais problemas conforme ele crescia, a ponto de chegar a derrubar visitas e até mesmo sua dona. O casal não havia estabelecido uma rotina de caminhadas regulares com Gus e não sabia como guiá-lo adequadamente pelo bairro como líderes de matilha. Na verdade, Shellie se sentia um pouco intimidada pela força e pela energia de Gus.

Trabalhei com o casal, ensinando-os sobre as caminhadas e, é claro, melhorando suas habilidades de liderança. Depois de nossa primeira sessão, levei-os à All-Breed Herding, em Long Beach, na Califórnia, gerenciada pelo meu amigo Jerome Stewart, do American Kennel Club (AKC) e da American Herding Breed Association (AHBA), um verdadeiro especialista quando o assunto é qualquer coisa a respeito de cães pastores. A All-Breed

Herding é um local que disponibiliza rebanhos para cães pasto-rearem. Tedd e Shellie pareceram um pouco hesitantes quando viram o rebanho de carneiros no rancho de Jerry, e tenho certe-za de que tentaram imaginar se o cão deles, criado na cidade, saberia o que fazer com todos aqueles animais. Mas, enquanto Jerry os acalmava, a biologia e a genética já tinham implantado o histórico de pastoreio no cérebro de Gus. Era apenas uma ques-tão de paciência, prática e um pouco de orientação profissional para fazê-lo agir.

Observar Gus se aproximando do rebanho pela primeira vez foi como testemunhar um milagre da natureza. A princípio, ele saiu correndo atrás dos carneiros de modo aleatório, sem saber se devia escutar seu impulso de caçador ("mate a presa") ou seu impulso de pastor ("organize os carneiros"). Com algumas cor-reções feitas por Jerry, ele superou a fase de caçador num piscar de olhos e, de repente, começou a correr em uma área mais am-pla do pasto, guiando os carneiros mais lentos e atrasados para o centro do rebanho. Foi incrível observar aquele bouvier da ci-dade retornar a suas raízes da fazenda, e comecei a pular e a gri-tar de alegria. Tedd se mostrou comovido no final do dia: "Acho que nunca o vi tão feliz ou relaxado antes", ele me disse depois. Tedd e Shellie continuaram a levar Gus à aula de pastoreio e de-ram grandes passos em direção ao controle da energia aparente-mente infinita do animal.

Em várias partes dos Estados Unidos, clubes de pastoreio, ge-renciados por pessoas dedicadas como Jerry, oferecem essa ati-vidade a diversas raças de cães pastores e trabalhadores. Recen-temente, ajudei um rottweiler anti-social levando-o às aulas de Jerry. Ele costuma dizer algo que acredito resumir a força da ex-periência de pastoreio para qualquer cão pastor: "Um cão com instinto pastor e sem treinamento pode dar trabalho suficiente para nove homens. Um cão pastor bem treinado pode realizar o trabalho de nove homens. Você tem que decidir com qual dos dois cães prefere viver".

O grupo dos terriers

A palavra "terrier" vem do latim *terra* – uma ótima descrição das primeiras funções realizadas pelos cães desse grupo. Os terriers eram ótimos para caçar e matar roedores, animais considerados pragas e pequenos mamíferos, chegando a cavar profundamente a terra para encontrá-los. Mais tarde, os terriers mais fortes, como o american staffordshire terrier, o staffordshire bull terrier e o american pit bull terrier passaram a ser criados para lutar entre si em competições públicas. Pelo tamanho conveniente e talvez também pela grande beleza, os terriers são cães populares.

Apesar do tamanho menor, é importante lembrar que os terriers têm a caça e o trabalho no sangue, por isso costumam ser cães de alta energia – alguns, como muitos jack russells, podem ter energia extremamente alta. Se você tiver a chance de criar um terrier desde filhote, socializá-lo e familiarizá-lo com outros cães *e* com outros animais pequenos é um dever. Em cães mais velhos ou que foram resgatados de abrigos, geralmente o hábito de agredir outros animais já está instaurado, por isso, além de suas habilidades de liderança calma e assertiva, pode ser que você precise de um profissional para ajudá-lo a colocar fim a esse hábito. Não cometa o erro que muitos de meus clientes cometem, dizendo: "Bem, ele não gosta de outros cães, faz parte da personalidade dele". Os cachorros nascem para se dar bem com seus semelhantes.

Tenho percebido que muitas pessoas acreditam que, porque o cão é pequeno, vai ficar satisfeito apenas correndo pela casa ou, como os terriers costumam fazer, simplesmente perseguindo roedores ou cavando o jardim. Como já vimos, quanto mais energia o cachorro tem, mais o exercício se faz necessário para satisfazer o animal, o cão e a raça. Apesar de suas pernas curtas, os terriers geralmente precisam de muitos exercícios, caso contrário podem adotar comportamentos obsessivos ou neuróticos. Tenho clientes que precisam constantemente adicionar desafios às caminhadas com seus terriers de alta energia, principalmente quando não conseguem caminhar por 45 minutos a uma hora. Sempre aconselho que coloquem uma mochila nas costas do cão ou usem patins, bicicleta ou *skate* para ajudar a gastar toda a energia em excesso.

Diversas atividades e exercícios que recomendei para cães pastores – *frisbee*, *flyball* e *agility* – também funcionam muito bem para terriers de alta energia. E não é coincidência o fato de muitos cães que aparecem em filmes e séries de TV pertencerem a esse grupo. Você se lembra de Eddie, o jack russell terrier do seriado *Frasier*? Ele era interpretado pelo falecido Moose, cujo filho, Enzo, segue os passos de artista do pai. Wishbone, da série de mesmo nome, também é um jack russell. Skippy, um fox terrier pêlo duro, foi um dos astros mais requisitados de Hollywood nos anos 30. Atuou com Cary Grant, Katharine Hepburn e com um leopardo chamado Nissa em *Levada da breca*, interpretou Asta na comédia detetivesca *A ceia dos acusados* e Mr. Smith no filme *Cupido é moleque teimoso*. Spuds MacKenzie, famoso personagem de uma campanha da marca de cerveja Budweiser, era um bull terrier, e o querido Petey, de *Os batutinhas*, era um american staffordshire terrier. Quando um terrier é exercitado adequadamente, ensinar truques e comandos a ele usando técnicas de reforço positivo, como o *clicker* e/ou recompensas com petiscos, é uma boa maneira, tanto para os seres humanos quanto para o cão, de redirecionar os comportamentos da raça.

Uma coisa que talvez você não saiba sobre pit bulls e outras raças fortes do grupo dos terriers – cuja energia em excesso pode, às vezes, se transformar em pulos ou agressividade – é que as atividades de puxar podem ser válvulas de escape tão boas para eles quanto para as raças trabalhadoras. Criminosos que criam e treinam pit bulls para lutar e matar uns aos outros em rinhas ilegais geralmente usam exercícios de puxar para fazer com que os cães fiquem em forma para as lutas, mas essa atividade não precisa ser usada de maneira tão sombria e negativa. Quando Daddy era mais jovem, eu costumava desafiá-lo fazendo com que puxasse toras, pneus e outros pesos pelas montanhas de Santa Mônica. Adoro lembrar dele subindo as montanhas, com uma expressão de determinação e um brilho constante nos olhos verdes. Ele ficava exultante por ter um importante trabalho a realizar, e foram exercícios como esse que o ajudaram a se tornar o cão feliz e realizado que é hoje.

O grupo dos toys

Em um local de escavações perto de Bonn, na Alemanha, arqueólogos descobriram os esqueletos de um homem e de um cão, enterrados juntos. O local data de mais ou menos catorze mil anos atrás. Em Israel, o esqueleto de doze mil anos de uma mulher foi encontrado com o que parecia ser um cãozinho encolhido em suas mãos. E, no Alabama, os seres humanos de cerca de oito mil anos atrás enterravam os cães de modo que era, segundo o arqueólogo Carl F. Miller, "muito mais cuidadoso do que enterravam os homens". No mundo todo, ao longo da história da humanidade, os cães têm desempenhado não apenas um papel de trabalho, mas também um papel emocional em nossa vida.

Os cães do grupo dos toys são a evidência mais flagrante da profunda ligação entre seres humanos e cachorros. Enquanto algumas raças de toys tinham como propósito caçar pequenos animais considerados pragas ou espantar pássaros de vegetações, muitas delas foram criadas ao longo dos séculos apenas para satisfazer as necessidades emocionais dos seres humanos – como companhia ou "enfeite". Não executavam tarefas importantes nem auxiliavam na sobrevivência dos seres humanos. Nós simplesmente os amávamos. Muitas dessas raças são versões em miniatura de seus parentes, mas outras têm uma origem tão antiga que já foi esquecida.

Os cães do tipo toy têm diversos passados genéticos, por isso não podemos fazer generalizações a respeito de seu comportamento. Alguns deles caçavam aves ou ratos, como o cavalier king charles spaniel e o english toy spaniel, o toy manchester terrier, o toy fox terrier, o yorkshire terrier e o silky terrier, o papillon, o maltês, o lulu-da-pomerânia, o poodle toy e o pinscher miniatura. Esses cães foram selecionados pelo alto nível de energia, e isso se demonstra em seus descendentes. Cães "de colo", como o chiuaua, o pequinês, o pug e o shih tzu, foram criados pela aparência, pelo tamanho e, claro, por serem bonitinhos.

Infelizmente, a fofura é onde começa o problema com a maioria das raças pequenas. Os seres humanos adoram coisas fofinhas – os antropólogos dizem que é uma característica inscrita em nosso ser para que cuidemos de nossos bebês. Como os cães das raças toys são adoráveis, costumamos permitir que façam coisas que não permitiríamos que raças maiores fizessem. Por exemplo, a maioria das pessoas não permite que cães grandes latam por muito tempo. Os latidos são altos e irritantes demais para nós. Além disso, quando um cão maior late, costumamos levar o latido mais a sério. No entanto, quando um cão pequeno late para nos alertar de alguma coisa, ou simplesmente para chamar nossa atenção, costumamos deixá-lo latindo até quando quiser. No começo, achamos engraçadinho: "Ah, ele está me dizendo que quer seu osso", e o entregamos a ele, ou "Ah, ele está me dizendo que quer brincar". Depois de um tempo, o comportamento se torna irritante, mas nos convencemos de que se trata apenas da personalidade do cão ou da raça e não fazemos nada a respeito. E um comportamento ainda pior é o de morder. Nunca permitiríamos que um rottweiler usasse os dentes para nos manipular ou controlar, mas, quando cães pequenos mordem, é exatamente isso que estão tentando fazer. Quanto mais permitimos esse tipo de comportamento, mais ensinamos aos cães toys que é assim que vão conseguir o que desejam. No fim das contas, esses cães se tornam tão instáveis que o comportamento pode evoluir para ataques a outros animais ou a pessoas.

O segredo é lembrar que, por trás da cara fofinha e dos pêlos macios, seu toy é um animal e um cão em primeiro lugar. Tendo isso sempre em mente e aplicando a fórmula de exercícios, disciplina e carinho, satisfazer as necessidades de cães menores não é muito diferente de satisfazer as de cães grandes. Os cães do tipo toy também precisam de caminhadas vigorosas, mas, como utilizam mais energia para caminhar uma distância menor, não se faz necessária uma caminhada extensa. As brincadeiras devem ser feitas de modo controlado, com começo, meio e fim bem definidos. O segredo é não deixar que os cães pequenos estoquem muita energia. Quando passam a mastigar, latir e morder compulsivamente ou se tornam anti-sociais, é porque descobriram que essas atividades negativas são maneiras de gastar energia. Não importa quão pequeno seja seu cão, ele precisa substituir o comportamento destrutivo por desafios físicos e psicológicos, que podem ser desde brincar de pegar com uma bola de tênis até fazer exercícios de *agility* e *flyball*, no caso de cães com energia mais alta. E todos os cães pequenos podem se beneficiar dos exercícios de obediência com recompensas no final.

O grupo dos não-esportistas

Esse último grupo contém basicamente as raças restantes, que não se encaixam exatamente em nenhuma das outras categorias. Muitas dessas raças têm os cães mais interessantes e populares e incluem cães trabalhadores, pastores, terriers e miniaturas. As dez raças mais populares desse grupo, no ano de 2006, de acordo com o American Kennel Club, eram (em ordem decrescente de popularidade): poodle, buldogue, boston terrier, bichon frisé, buldogue francês, lhasa apso, shar pei, chow chow, shiba inu e dálmata. Dependendo da raça, qualquer uma das atividades e dos exercícios já citados podem ser usados por você e seu cão não-esportista, além da caminhada.

A raça é apenas a roupa

Depois de toda essa explicação, as qualidades e os defeitos desse último grupo, tão diversos, nos levam a concluir que, quando falamos de qualquer cão, sabemos que a raça é apenas a roupa. Em outras palavras, quanto mais pura for a raça do cão, mais características genéticas de seus ancestrais ele vai carregar. Entretanto, satisfazendo o animal e o cão por meio da caminhada – a conexão primitiva entre o ser humano e o cão – e por meio da minha fórmula tripla de realização, você pode prevenir qualquer problema de comportamento relacionado à raça. É importante estar ciente das necessidades e das tendências de certas raças, mas é ainda mais importante compreender a psicologia básica de todos os cães – e apreciar sua relação direta com o restante do reino animal. Costumo perceber que donos de cachorros de raça mista tratam seus bichos de estimação mais como cães de maneira genérica, e que isso leva os cães a ter uma vida melhor, independentemente da herança ancestral que carreguem.

Quando as pessoas dão muita importância à raça, pode surgir o que chamo de *preconceito de raça*. É por isso que, quando fui apresentador das categorias de artes criativas do Emmy Awards, em 2006, quis andar de patins no palco com seis pit bulls, sendo que todos haviam tido problemas de agressividade. Ali estavam eles, sob fortes luzes, diante de quase 2.500 pessoas, perfeitamente calmos e comportados – os embaixadores ideais de sua raça. E, claro, Daddy tinha que ser o destaque. Sem coleira, ele me trouxe o envelope com o nome do vencedor na categoria dublê de televisão. Lembre-se: Daddy não é um cão treinado, é apenas um cão equilibrado. Minha comunicação com ele não se baseia em comandos, recompensas ou petiscos – tem como base apenas um elo antigo de total confiança e respeito.

Os pit bulls têm sido as maiores vítimas de preconceito de raça em nossa sociedade. Defino *preconceito de raça* da mesma maneira que defino preconceito racial – os dois são baseados no medo e na ignorância. A história norte-americana mostra que os nativos americanos, os irlandeses e os italianos foram alguns dos primeiros grupos que as pessoas com poder demonizaram e culparam pelos problemas, os crimes e a pobreza. Depois, os afro-americanos começaram a ser responsabilizados por todos os problemas. Agora, os culpados são os latinos. É claro que as pessoas conscientes sabem que os problemas nada têm a ver com raça, porque existem pessoas maravilhosas em todas as raças. Os italianos não são todos mafiosos, os irlandeses não são todos beberrões, os afro-americanos não são todos criminosos e os latinos não são todos preguiçosos. Mas, a cada década, um novo grupo de pessoas surge e passa a ser alvo das críticas da sociedade, que as culpa por sua infelicidade. O mesmo ocorre com as raças de cães. Nos anos 70, os pastores alemães eram a raça criticada. Nos anos 80, os dobermanns. Nos anos 90, todos temiam os rottweilers e, desde então, os pit bulls são culpados por todos.

Quanto mais as pessoas se informarem e os donos de raças como pit bull e rottweiler criarem seus cães com responsabilidade, menos os animais serão culpados pela sociedade.

É por isso que os cães são grandes modelos para nós – eles não discriminam com base na raça. Sim, às vezes se deixam influenciar por outros da mesma raça quando se trata de determinados comportamentos ou brincadeiras – como no exemplo de Lotus e Molly. Mas a energia desempenha um papel maior na atração. Cães são somente cães uns para os outros. Se você assistir a filmagens do furacão Katrina, quando os cães abandonados de New Orleans começaram a sair de casa, automaticamente foram se unindo com outros cachorros e formando matilhas para sobreviver. Em uma foto dessas matilhas, vi um grande e velho rottweiler, um pastor alemão e alguns outros cães grandes. Mas estavam todos sendo liderados por um beagle! Por que escolheram seguir o beagle? Porque ele tinha melhor senso de direção. E certamente tinha energia de liderança. Os animais sabem que, se outro animal demonstra determinação e assume o papel de líder de modo firme, deve ser seguido. Eles não dizem: "Veja bem, você é um beagle. Eu sou um rottweiler. Não sigo beagles. Minha religião não permite". O rottweiler percebeu que o beagle estava em um estado calmo e assertivo, e era apenas isso que procurava em um líder. Os cães têm bom senso. Eles não têm preconceito contra outras raças. E nós também não deveríamos ter.

PARTE DOIS

EQUILIBRANDO
A SI MESMO

O que é o homem sem os animais?
Se todos os animais desaparecessem, o homem
morreria de uma grande solidão de espírito.
Pois tudo que acontece com os animais
acontece com o homem.

- Chief Seattle

Você sabia que chegaríamos aqui, certo? Todas as pessoas citadas na parte 1 precisavam de informações práticas para resolver os problemas de seus cães. Mas, como o meu amigo, o sr. Magnata, todos perceberam que os animais não eram a única fonte de problemas. Está na hora de abrir os olhos para vermos como os nossos problemas influenciam o comportamento de nossos cães – e para sabermos como abordar o lado humano dessa equação.

5

JUNÇÃO DE DISFUNÇÃO

Se um cão não for até você depois de olhá-lo de frente,
você deve ir para casa e examinar sua consciência.

– Woodrow Wilson

Lá estava ele de novo. Aquele som, aquele zunido terrível. Estava vindo da garagem e, como sempre, Lori sabia exatamente o que aconteceria. Ela se preparou e esperou.

Conforme o esperado, Genoa, a golden retriever de 9 anos de Lori, saiu correndo de um dos cômodos onde estava tirando um cochilo. A cadela, normalmente meiga e dócil, começou a correr em pânico pela sala, escondendo-se atrás dos móveis, tremendo. Lori se aproximou para confortá-la. "Você detesta esse compressor de ar, não é mesmo?", disse com a voz baixa e reconfortante. Mas o carinho da dona não causou nenhum efeito na cadela, que tremia sem parar. Lori suspirou e balançou a cabeça. Genoa estava tendo o que seu marido, Dan, chamava de "ataques de pânico".

Donos instáveis, cães instáveis

Quando Lori e Dan adotaram Genoa, descobriram que ela era uma cadela quase perfeita. Era a típica golden retriever, com pelagem elegante e um nível de lealdade que deixaria Lassie no chinelo. Genoa era extremamente obediente e carinhosa, e saía de manhã para buscar o jornal na porta de casa. Lori e Dan tinham o cão de seus sonhos e não conseguiam imaginar a família sem ela. Havia apenas um problema.

Durante os últimos nove anos, desde que os filhos cresceram, Dan desenvolveu o hábito de chegar do trabalho, trocar de roupa e ir para a garagem cuidar dos carros e das motocicletas. Para isso, geralmente precisava ligar o compressor de ar. Mas, de repente, o casal percebeu que Genoa sentia cada vez mais medo do barulho da máquina. Ela começava a correr em círculos, gemer, chorar, corria para o banheiro dos fundos e se encolhia dentro da banheira. Lori acabava sempre atrás de algum móvel, confortando aquele maravilhoso animal que se transformara em um desastre neurótico e descontrolado, como se alguém tivesse apertado um botão.

Lori e Dan enviaram um vídeo mostrando o comportamento de Genoa para nossa equipe de *Dog Whisperer*, que achou que o comportamento parecia bastante extremo. Nossos produtores pré-entrevistaram Lori e perguntaram as questões usuais a respeito da saúde do animal: Genoa havia sido examinada por um veterinário, para que fossem detectados possíveis problemas físicos ou neurológicos que pudessem explicar o comportamento? Quando descobriram que ela estava em ótima saúde, acreditaram que tinham em mãos um caso clássico de fobia. A equipe toda – e o casal – ficaria surpresa com o que viria depois.

Espelhos de quatro patas nunca mentem

Como discutimos no caso do meu amigo magnata, nenhum espelho é mais verdadeiro ao refletir nossa vida interior do que nossos cães. Como não vivem em um mundo de pensamento, lógica, arrependimentos passados ou preocupações futuras, eles interagem uns com os outros e conosco no presente e de modo puramente instintivo. O interesse deles em nós gira em torno da maneira como nosso comportamento pessoal e nossa energia afetam o restante da matilha. E, se alguma coisa dentro de nós está ameaçando tornar a matilha instável, nossos cães vão logo refletir isso – às vezes de modo sutil, às vezes com intensidade. No início deste livro e em *O encantador de cães*, analisamos os diversos problemas que os cães podem desenvolver e diversas maneiras de lidar com eles. O que não discutimos é que, 95% das vezes, os problemas que me são apresentados, para que eu tente resolver, estão mais associados a um humano instável do que a um cão instável. Não se pode sequer começar a corrigir o problema do cão se o problema do dono seguir sem solução. E, para corrigir o seu comportamento, você precisa estar completamente disposto a ver o que precisa de conserto. Temos pontos cegos em nossa vida que se instalam em nosso lobo pré-frontal e aos quais chamamos "racionalizações". É aí que nossos cães surgem para nos salvar! Se você está tendo problemas com seu cachorro, é provável que algo em sua vida esteja fora de sintonia. Diferentemente dos seres humanos, os cães não passam o tempo todo pensando de modo egoísta nas próprias necessidades; eles não dão prioridade à proteção do próprio ego. Os cães pensam no bem da matilha. E, se você não tiver seus problemas resolvidos e sua mente organizada, seu cão viverá em uma matilha instável – e agirá da mesma maneira.

Os cães percebem nosso estado emocional de muitas maneiras. Uma delas é pelo focinho poderoso que têm. O focinho pode salvar vidas em operações de resgate, e agora os cães têm sido usados pelos cientistas para farejar desde espécies raras de animais e plantas em extinção a cocô de baleia em alto-mar![1] Os

---

[1] Linda Kerley, "Scent Dog Monitoring of Amur Tiger", *A Final Report to Save the Tiger Fund* (2003-0087-018), 1º de março de 2003-1º de março de 2004; D. Smith, K. Ralls, B. Davenport, B. Adams e J. E. Maldonado, "Canine Assistants for

cachorros hoje em dia têm novos trabalhos, sentindo o cheiro de câncer, diabetes e outras doenças sérias nas pessoas.[2] Eles parecem ser capazes de perceber mudanças quase invisíveis no corpo humano e na composição química dele. No clássico e importante livro *The Dog's Mind*, o dr. Bruce Fogle se refere a estudos dos anos 70 que demonstraram que os cães podem detectar ácido butírico – um dos componentes da transpiração humana – numa concentração um milhão de vezes menor do que nós conseguimos.[3] Como os detectores de mentira da polícia funcionam? Medindo eletronicamente o aumento da transpiração. Essa é apenas uma das razões pelas quais podemos dizer que seu cão é seu "detector de mentiras de quatro patas".

No livro *Inteligência emocional*, Daniel Goleman nos lembra que 90% ou mais de qualquer mensagem emocional é não-verbal.[4] Estamos sempre transmitindo sinais por meio da linguagem corporal, do rosto e da química corporal – sinais que nossos cães têm facilidade para perceber. Apesar de nós, seres humanos, darmos mais valor ao que podemos dizer com as palavras, todos os animais se comunicam usando sinais não-verbais. E muitas dessas mensagens são automáticas – nem mesmo percebemos que as estamos enviando. De acordo com Allan e Barbara Pease, em

Conservationists", *Science*, 2001, pp. 291-435; R. Rolland, P. Hamilton, S. Kraus, B. Davenport, R. Gillett e S. Wasser, "Faecal Sampling Using Detection Dogs to Study Reproduction and Health in North Atlantic Right Whales (*Eubalaena glacialis*)", *Journal of Cetacean Research and Management*, vol. 8, nº 2, 2006, pp. 121-25.

[2] Donald G. McNeil, "Dogs Excel on Smell Test to Find Cancer", *New York Times*, 17 de janeiro de 2006, publicado *on-line*; Sam Whiting, "Guide Dog Flunkies Earn Kudos in Their Second Life as Diabetes Coma Alarms", *San Francisco Chronicle*, 5 de novembro de 2006, p. CM-6.

[3] Bruce Fogle, *The Dog's Mind*. Nova York: Macmillan, 1990, p. 65.

[4] Daniel Goleman, *Emotional Intelligence: Why It Can Matter More than IQ*. Nova York: Bantam Books, 1995, p. 103 (ed. bras.: *Inteligência emocional: a teoria revolucionária que redefine o que é ser inteligente*. Rio de Janeiro: Objetiva, 1996).

Desvendando os segredos da linguagem corporal, é quase impossível dissimular a linguagem corporal humana, pois o observador (animal ou humano) instintivamente perceberá que os gestos não são congruentes com aquilo que o sujeito finge estar comunicando.

Por exemplo, palmas abertas são associadas com honestidade, mas, quando a pessoa que finge vira as palmas para fora e sorri para você enquanto conta a mentira, esses pequenos gestos a entregam. As pupilas podem diminuir, uma sobrancelha pode levantar ou o canto da boca se contrair, e esses sinais contradizem o gesto da palma aberta e o sorriso sincero. O resultado é que quem escuta, principalmente as mulheres, tende a não acreditar no que ouve.[5]

Se você não pode enganar uma pessoa dissimulando a linguagem corporal, como pode querer enganar um animal?

É interessante observar que os animais conseguem e às vezes enganam uns aos outros. Ser capaz de iludir outro animal é uma característica que ajuda bastante na sobrevivência de muitas espécies. O etólogo de Harvard Marc D. Hauser, no livro *Wild Minds*, dá muitos exemplos de fingimento no mundo animal, como aves das florestas tropicais do Peru que usam "alarmes falsos" para distrair concorrentes e mandá-los para longe da comida; camarões que fingem ser duros durante os períodos vulneráveis de muda da "casca"; aves que fingem estar feridas para afastar predadores dos ninhos delas.[6] Os cães – principalmente aqueles pequenos, mas que latem alto – enganam uns aos outros o tempo

[5] Allan Pease e Barbara Pease, *The Definitive Book of Body Language*. Nova York: Bantam Books, 2006, p. 27 (ed. bras.: *Desvendando os segredos da linguagem corporal*. Rio de Janeiro: Sextante, 2005).

[6] Marc D. Hauser, *Wild Minds: What Animals Really Think*. Nova York: Henry Holt, 2000, pp. 139-72.

todo agindo com agressividade, quando na verdade estão com medo. A questão é: Os animais "mentem" intencionalmente, ou trata-se apenas de técnicas de sobrevivência? Hauser escreve que a natureza desenvolveu uma "política de honestidade" segundo a qual, na maior parte do tempo, o que vemos é a realidade no reino animal. Mas os animais certamente podem ver o que ocorre de fato dentro dos outros animais. No livro que escreveram sobre linguagem corporal, os Pease descrevem um experimento no qual pesquisadores tentaram enganar pássaros dominantes, fazendo com que acreditassem que pássaros submissos também eram dominantes – em muitas espécies de aves, quanto mais dominante é a ave, mais escura é sua plumagem. Os pássaros com asas mais escuras têm preferência na escolha de alimentos e de parceiros. Então os cientistas tingiram as penas de algumas aves mais fracas e submissas, deixando-as mais escuras, para ver se conseguiriam mentir visualmente para as aves dominantes. Não conseguiram, porque as "mentirosas" ainda demonstravam uma linguagem corporal e uma energia fracas e submissas. Em outro teste, pesquisadores injetaram testosterona nas "aves mentirosas", o que fez com que elas demonstrassem dominância em seu corpo e em suas ações. Dessa vez, conseguiram enganar as aves verdadeiramente dominantes.

Apesar de a maioria de meus clientes não tentar conscientemente enganar seus animais ou outras pessoas, geralmente vivem completamente alheios a seu verdadeiro estado emocional. Como os humanos têm o maravilhoso poder de racionalizar, conseguimos encontrar justificativas de todos os tipos para comportamentos que seriam inaceitáveis no mundo natural. O milagre dos cães é que eles são espelhos de quatro patas – e, quando se relacionam conosco, nunca mentem. Tento ensinar meus clientes a ver as próprias disfunções no espelho do comportamento de seus cães.

O pesadelo de Genoa

Lori e Dan formavam um casal atlético e de aparência jovial na casa dos 40 anos. Quando cheguei à confortável casa deles, nos sentamos no quintal e Genoa se deitou aos meus pés. No instante em que descreveram o comportamento exagerado do animal e o que pensavam ser a "fobia" da cadela, senti certa inconsistência ali. A energia de Genoa era perfeitamente calma, relaxada – aliás, ela parecia totalmente equilibrada. A instabilidade devia estar vindo de algum outro lugar. Mas de onde?

Percebi tudo quando perguntei ao casal em que momento o comportamento ruim ocorria. Dan disse: "Ocorre apenas quando eu ligo o compressor de ar". Naquele instante, percebi uma expressão diferente no rosto de Lori. Uma leve virada de olhos, uma rápida entortada de boca, só isso. É por isso que dizem que a linguagem corporal nunca mente! "De uns tempos para cá, tem acontecido até mesmo quando ele apenas entra na garagem. E ele tem passado *muito tempo* ali ultimamente!" Ri pela maneira como Lori dissera "muito tempo". Aquilo, para mim, era uma conversa que a esposa estava tentando ter com Dan. A conversa foi interna, mas para mim ficou muito clara. Para mim, dizia: "Estou tentando lhe dizer isso há muito, muito tempo. Detesto quando você fica tanto tempo na garagem". Obviamente não sou psicólogo, nem mesmo terapeuta de casais, mas acontece que, na maior parte, o que faço envolve trabalhar com os seres humanos para depois chegar ao animal. Com o máximo de educação que consegui demonstrar, perguntei a Lori como ela se sentia quando Dan ia para a garagem. Ela hesitou, pois agora não poderia fingir que estava tudo bem. Precisava ser honesta. Por fim admitiu que, sim, ficava chateada quando Dan passava o dia todo no trabalho, depois voltava para casa e passava mais tempo na garagem do que com ela.

Uau! Estava tudo ali, curto e direto. Lori estava furiosa com o marido, por ele passar todas as noites na garagem. Era tão simples. Dan, que não havia percebido os sinais, começou a rir de modo nervoso. Mas Lori percebeu na hora: "Quer dizer que Genoa está desse jeito por *minha* causa?" Ela estava ofegante. "Isso mesmo", respondi. Era uma situação clássica de "triângulo". A esposa escondia seus sentimentos de mágoa, ressentimento, frustração e raiva. O marido ignorava a esposa para cuidar das motos e dos carros e, sempre que ela escutava o compressor, aquilo intensificava seus sentimentos. A garagem e o compressor haviam se tornado os rivais de Lori, competindo pela atenção do marido. Ela mantinha uma conversa irritada consigo mesma sempre que ele ia para a garagem – e Genoa "escutava" aquela conversa. Lori ia acabar explodindo uma hora, mas por nove anos conseguiu guardar seus sentimentos para si. Porém a cadela, que só sabia ser sincera em relação aos próprios sentimentos, havia explodido muito tempo antes. O compressor foi apenas o que faltava para Genoa, o gatilho – o que veio para marcar o momento em que todas aquelas emoções negativas, a raiva e a tensão surgiam na casa. E, como uma criança cujos pais estão sempre brigando, a pobre Genoa estava tão sobrecarregada com os sentimentos ruins da dona que precisava correr e se esconder.

Quando fizemos essa descoberta, foi fácil resolver o problema de Genoa. Fomos para a garagem e Dan trabalhou com o compressor de ar. Usando pasta de amendoim para acalmar a mente da cadela, conversei sobre coisas agradáveis com Lori para distraí-la de seu ressentimento em relação às atividades de Dan na garagem. Trabalhei principalmente com Lori, tentando mudar sua opinião sobre a garagem. Apesar de a comunicação verbal ter ocorrido entre mim e ela, a energia modificada da dona passou diretamente para Genoa. Enquanto conversávamos, percebi que a tensão de Lori começou a sumir. Ela finalmente havia tirado aquele segredo do peito, seu marido estava escutando o que ela tinha a dizer e isso fez com que ficasse aliviada. E, quando Lori mudou seus sentimentos a respeito da garagem, Genoa mudou – um espelho perfeito. O exercício todo demorou apenas dezesseis minutos, até que Genoa ficasse completamente relaxada. Depois, nós três discutimos de que maneiras Dan poderia envolver Lori nas atividades da garagem, para que aquele fosse um local agradável para *os dois*.

Tal humano, tal cachorro

A história de Lori, Dan e Genoa é um exemplo clássico de como nossos sentimentos influenciam diretamente nossos animais, e como eles se tornam espelhos de nossos sentimentos. De um jeito ou de outro, a maioria dos meus casos envolve algum elemento desse princípio. Apesar de meus clientes amarem seus animais e lhes desejarem o melhor, diversas vezes os culpam por problemas em sua vida que estão tentando evitar ou sobre os quais não têm consciência. É como um chefe que culpa os funcionários por não serem autoconfiantes, quando, ao mesmo tempo, sempre vê defeito no trabalho deles. Não se pode ter as duas coisas. Assim como Lori e Dan, todos nós precisamos analisar nosso interior antes de podermos curar nossos cães instáveis. E não podemos fazer nada até admitirmos que existe um problema.

Negação do Perigo

Quando Perigo viu Onyx do outro lado do parque, seus pêlos do pescoço se eriçaram, seus lábios se curvaram em um rosnado e ele foi para a frente com tanta força que puxou o dono, Danny, por cerca de um metro e meio.* Apesar de Onyx estar a uns trin-

---

*Nomes e detalhes desse caso foram alterados por questões de privacidade.

ta metros de distância, Perigo ficou alvoroçado, tentando alcançá-lo. Onyx, que vinha se comportando bem na última hora, imediatamente devolveu a energia agressiva. E então aconteceu. Perigo redirecionou sua agressividade ao ser humano que estava mais próximo dele – um de seus donos. Ele se virou e cravou os dentes no braço de Heather, esposa de Danny. Uma ruiva delicada de quase 30 anos, ela se assustou, segurou o braço e começou a chorar.

Era um dia frio porém ensolarado em Los Angeles, e eu estava em um parque ajudando uma cliente, Barbara, com seu cão Onyx, um labrador misto que tinha problemas de agressividade. Até que Perigo, um enorme rottweiler de 2 anos, chegou. Eu já estava trabalhando com Barbara e Onyx havia muitas horas, e ambos haviam progredido bastante. Mas Perigo era o arquiinimigo de Onyx. Os dois se odiavam tanto que Barbara e Danny, o dono de Perigo, sempre conversavam antes para saber quando iriam ao parque, para que nunca se encontrassem. Barbara havia perdido a noção do tempo e esquecera que Danny, Heather e Perigo chegariam em breve. Ela já havia me contado sobre Perigo, mas estava mais preocupada em controlar o comportamento de Onyx e em enxergar o que *ela* estava fazendo para contribuir com aquele comportamento. Nesse aspecto, Barbara era uma cliente excelente. Sim, ela estava cometendo muitos erros em relação a Onyx, mas estava disposta a abordá-los e a resolvê-los. Nem todos os donos se mostram dispostos a admitir que seus cães têm problemas, que dirá admitir que eles mesmos também os têm. Enquanto continuam negando, não tenho como ajudar ninguém.

Os donos de Perigo não admitiam seus erros. É claro que Danny, Heather e Perigo não eram meus clientes e não tinham tomado a decisão de pedir ajuda, o que é um primeiro passo importantíssimo. Mas, quando vi Perigo redirecionar sua agressividade para Heather, corri até eles para saber se poderia ajudar. Felizmente ela estava vestindo uma jaqueta grossa, e a mordida de Perigo, apesar de forte, não havia machucado sua pele. Ainda com lágrimas nos olhos, Heather me disse: "Está tudo bem, estou acostumada com isso. Ele já fez isso antes". O quê?! Aquele era um rottweiler agressivo, de cinqüenta quilos, que estava mordendo sua dona, e ela estava "acostumada com isso"? Ali perto, em vez de dar atenção à esposa, Danny estava em um estado de negação ainda maior. A cabeça de Perigo estava sobre seu colo e ele o acariciava, dizendo: "Tudo bem, garotão. Você é bonzinho. Não foi de propósito, não é?" Ele me garantiu, um pouco constrangido, que Perigo era um verdadeiro anjo quando estava em casa.

Fiquei preocupado no mesmo instante. Perigo era um cão grande e agressivo, pertencente a uma das raças mais fortes que existem, e seus donos eram claramente incapazes de controlá-lo. O nome dele dizia tudo! E, mesmo sabendo como era o comportamento do animal, ali estavam eles, em um parque – expondo seu animal descontrolado a outros cachorros! Danny, um rapaz carismático de 30 e poucos anos, que me contou que tinha uma estressante carreira como agente, era claramente muito ligado a Perigo, mas reforçava de modo poderoso, por meio de carinhos, o fato de que a) Perigo já havia sido agressivo com outros cães e b) Perigo já havia mordido sua esposa. Depois de conversar com Heather por um momento, fiquei sabendo que Perigo já tinha sido expulso de dois parques da região, graças a seu comportamento agressivo, e que mordera não apenas ela, mas também a pessoa que passeava com ele e diversos outros cães. Apesar disso, quando ofereci minha ajuda, Danny pareceu disposto por fora, mas percebi que ele não queria me escutar realmente. Heather foi um pouco mais receptiva, mas estava sendo guiada pelo marido. O rapaz me mostrou como caminhava com Perigo. Era o cão quem comandava o passeio. Ficou claro para mim que havia algo no ego de Danny que fazia com que ele precisasse acreditar que podia controlar o cachorro, mesmo que na verdade ele não tivesse a mínima idéia de como fazê-lo. Danny estava alegremente navegando pelo rio da negação e, ainda que eu tenha conseguido dar algumas orientações ao casal antes de eles partirem, fiquei com uma sensação muito ruim, por acreditar que estavam a caminho de um desastre – ou de um processo judicial.

A negação é uma força poderosa na vida humana. Para alguns de nós, nossos cães se tornam projeções de nosso ego, e os vemos *como queremos ver a nós mesmos*. No entanto, enquanto não nos virmos como realmente somos, não poderemos ajudar nossos animais.

Mimando Bandit

Nunca houve nenhum caso em *Dog Whisperer* em que acreditei não ser capaz de ajudar o cachorro – mas houve vários em que acreditei não ser capaz de ajudar o dono. Como vimos, uma das maiores dificuldades encontradas pelo ser humano é admitir seus erros e mudar. O caso de Lori e Bandit foi um de que quase desisti.

Lori comprou Bandit para seu filho de 14 anos, Tyler, para que ele tivesse a experiência de amar e criar um vínculo com um cachorro. Tyler queria um chiuaua e escolheu Bandit pela Internet, por causa da mancha em forma de máscara em seus olhos, o que fazia com que ele parecesse um pouco com Zorro, um pequeno fora-da-lei. Mas, quando o cachorro chegou, a mãe e o filho descobriram que, em vez de ser um filhote proveniente de um criador licenciado, conforme estava anunciado, Bandit era produto de uma "fábrica de filhotes". Essas "fábricas" (que a Humane Society vem tentado banir desde o início dos anos 80)[7] são

---

[7] Cf. <www.hsus.org/pets/issues_affecting_our_pets/get_the_facts_on_puppy_mills>.

locais que produzem ninhadas de cães em larga escala, para que sejam vendidos em *pet shops* e pela Internet. Devido à procriação sem cuidados, e até entre animais consangüíneos, os filhotes acabam sofrendo de doenças geneticamente transmitidas, as quais, se eles continuarem se reproduzindo, passam para futuras gerações. Bandit era um desses filhotes e, logo depois de chegar à casa de Lori e Tyler, teve de ser submetido a um tratamento veterinário intensivo que custou milhares de dólares.

Durante as duas primeiras semanas, Lori se afeiçoou a Bandit, mas Tyler não teve a oportunidade de fazer o mesmo. O cão começou a atacar todo mundo, exceto Lori – mas especialmente Tyler. Ele mordeu o menino no dedo, no braço, na perna, no rosto, na orelha e no lábio. Certa vez, quase acertou o olho do garoto. O cão também direcionou sua agressividade ao mundo externo. Atacava o marido de Lori, os sogros, os vizinhos e os amigos, impedindo que ela convidasse visitas à sua casa. Aquele cãozinho de menos de um quilo, segundo Lori, "põe medo em homens feitos". Por sua vez, Tyler passou a detestar Bandit. "A única coisa que meu filho aprendeu com esse cachorro foi a não confiar em cães", Lori disse. "Ele aprendeu sobre raiva, amargura e ciúmes. É muito triste."

O problema era que Lori estava ajudando a *criar* esse pesadelo, mas não percebia isso. Ela havia começado a sentir pena de Bandit, por isso sua energia perto dele era sempre fraca, e ele havia se tornado dominante, o protetor dela. Ela era a única que podia ficar perto do animal, porque nunca o corrigia quando ele atacava as pessoas. Em vez disso, ela o recompensava com afeto.

Sentei-me com Lori no sofá enquanto ela segurava Bandit no colo. Eu queria observar a reação dela quando o cachorro entrasse em ação, o que aconteceu logo, pois ele rosnou e me atacou. Quando levantei o braço, apenas para me proteger, ele se jogou em mim e começou a me morder feito louco. Sem nenhum esforço (afinal de contas, Bandit mal pesava um quilo), eu o afastei com o mesmo cotovelo que ele estava mordendo. Bandit ficou completamente chocado ao perceber que alguém que ele estava mordendo não se afastara dele! Confuso e frustrado, rosnou, choramingou e saiu do sofá. Lori ficou claramente muito incomodada. "Ele está me mordendo, eu tenho que tocá-lo", expliquei. "Não estou chutando nem batendo, apenas tocando." "Mas ele choramingou!", ela disse, bastante alterada. "Tudo bem", respondi. "Você quer que eu também choramingue, para ficarmos quites?" Para Lori, era normal Bandit morder ou atacar as pessoas, porque, a seu ver, elas eram maiores que o cão e podiam apenas se afastar. Ela não percebia que, sempre que incentivava as pessoas a se afastarem diante de um ataque de Bandit, o tornava cada vez mais forte. Lori havia criado um monstro – e não queria mudar a si mesma para poder mudar a situação. Ela olhou para Bandit, que estava andando de um lado para o outro na sala, parecendo confuso e evitando me olhar. "Agora ele não sabe o que fazer!", ela disse. "Mas isso é bom!", respondi. Bandit agora precisaria descobrir outras maneiras, além da agressividade, de conseguir o que queria. Mas Lori começou a chorar. Ela não tolerava ver o cão infeliz, nem mesmo por um minuto.

"Isso não vai dar certo", eu disse. De repente, todos na sala ficaram em silêncio. A equipe de *Dog Whisperer* estava boquiaberta. Eles nunca haviam me escutado dizer nada como aquilo. Eu também estava um pouco chocado comigo mesmo. Mas, no passado, sempre tivera mais facilidade em desistir dos seres humanos do que dos cães. Sem o comprometimento de Lori, eu não teria como ajudar nenhuma das duas espécies. Ela havia investido todos os seus instintos protetores naquele cãozinho, a ponto de dar preferência a ele em detrimento do filho. Essa parte do comportamento dela não combinava com o meu. Dizer que amo meus cães – todos eles – é muito pouco. Mas eu nunca, em hipótese alguma, escolheria algum deles no lugar dos meus filhos! Nunca permitiria que nenhum animal ou ser humano ferisse meus filhos – nem mesmo sem querer – sem intervir e aplicar-lhe uma correção. É claro que Bandit não premeditava o que fazia – não podia ser culpado por suas atitudes. Mas ele estava tendo a permissão e até mesmo o incentivo de Lori (pela constante proteção e pelos carinhos dela) para continuar com o comportamento. Ela estava superprotegendo Bandit e permitindo que seu próprio filho se ferisse. Aquilo era inaceitável para mim.

Nossos eternos bebês

Costumo ser chamado para ajudar pessoas – tanto homens quanto mulheres – que vêem seus cães como eternos bebês. Assim como Bandit, transformamos muitos desses cães, que poderiam ser felizes e equilibrados, nas piores pestinhas do mundo. Ao longo da história humana, a "fofura" dos cães tem sido um dos motivos pelos quais os amamos. O termo "neotenia" é usado para descrever animais que mantêm a aparência física e os comportamentos da infância, apesar de já serem adultos. Sob diversos aspectos, os cães são lobos neotenizados, já que durante a vida toda mantêm o espírito brincalhão de filhotes de lobos.[8] De todos os animais, os seres humanos são os mais suscetíveis à neotenia em outros animais, talvez porque cuidamos de nossos filhos por muito tempo antes de se tornarem independentes. O etólogo James Serpell chama isso de "reação à fofura", que permite que os animais mais engraçadinhos e que aparentam ser os mais novos tenham mais chances de sobreviver. No livro *If You Tame Me*, a socióloga Leslie Irvine escreve que, no abrigo onde passou 360 horas monitorando as interações entre seres huma-

---

[8] Lyudmila N. Trut, "Early Canid Domestication: The Farm-Fox Experiment", *American Scientist*, vol. 87, n° 2, 1999, pp. 160-69.

nos e animais, os animais que pareciam mais jovens e graciosos tinham mais facilidade para encontrar um lar do que aqueles que pareciam mais velhos.[9] Acredito que muitas pessoas vêem seus cães como eternos bebês. Observei o seguinte padrão entre meus clientes, homens ou mulheres: quando os filhos começam a se mudar de casa, ou, como no caso de Lori e Tyler, se tornam adolescentes e demandam menos cuidados por parte dos pais, os donos geralmente transferem ao cão seus instintos protetores. Essa pode ser uma boa terapia para os seres humanos, e geralmente nos inspira a cuidar de cães sem lar. Mas nem mesmo os chiuauas são bebês para sempre. Pare para pensar: Se você tratar um adulto da mesma maneira como trataria uma criança, satisfazendo todas as necessidades dele, acha que vai criar um ser humano com bom comportamento social?

Lori tinha que deixar de lado a crença de que Bandit era seu filho ou um bebê. Não precisava abandoná-lo, mas tinha que colocá-lo em seu devido lugar, analisar as próprias prioridades e ver as coisas como realmente eram. Ela não era capaz de dizer "não" ao cachorro. Tinha medo de ferir seus sentimentos. Como seu filho, Tyler, era um rapaz comportado, perguntei se ela o havia criado da mesma maneira como criava Bandit. Ela respondeu que obviamente não, que com Tyler ela sabia que tinha que dizer "não" às vezes, para o bem dele. Mas não fazia a mesma relação com Bandit. Consciente ou inconscientemente, ela estava escolhendo o cão em detrimento do filho.

Depois que eu disse a todos que aquele caso não daria certo, devido ao comportamento de Lori, ela me disse que sentia muito medo. O último veterinário do animal lhe dissera que, se Bandit pulasse de algum lugar e machucasse a perna, teria que ser sacrificado, e Lori admitiu que sentia como se estivesse lidando

[9] Leslie Irvine, *If You Tame Me: Understanding Our Connection with Animals*. Filadélfia: Temple University Press, 2004, pp. 93-94.

com cristal ao lidar com ele. Quando ela admitiu seu medo, agradeci por ter sido sincera comigo, mas perguntei se, apenas por um dia, ela seria capaz de esquecer o medo. De relaxar e deixar que eu controlasse a situação. Para minha agradável surpresa, ela suspirou e disse: "Tudo bem, estou disposta a fazer isso". Ela queria tentar. Pelo menos agora eu sentia que poderia existir uma chance.

Quando relaxou, Lori se tornou uma aluna exemplar. Foi capaz de sentir a diferença entre a energia fraca com a qual estava realizando a comunicação e a energia calma e assertiva que me viu demonstrar, e começou a mostrar que conseguiria corrigir Bandit em um estado não-emocional. Depois que Lori praticou ser a líder de matilha de Bandit e o viu reagir imediatamente, levei Tyler à aula. O garoto havia acumulado muito ressentimento em relação ao cãozinho – afinal, tinha sido mordido uma dúzia de vezes. Expliquei a ele que Bandit não premeditava aqueles ataques – eram apenas reações com base na posição que ele acreditava ocupar na matilha doméstica. Tyler aceitou o desafio de transformar seu ressentimento em energia calma e assertiva. Na verdade, ficou feliz em mudar. Ele queria amar Bandit – afinal de contas, era para o cão ser *seu* animal de estimação.

Esse caso, que estive muito perto de largar, teve o final mais feliz possível. Hoje, um ano depois, Lori e Tyler dizem que as coisas com Bandit continuam melhorando. No dia 30 de novembro de 2006, Lori deu à luz um menino chamado John Jr. Depois que o bebê chegou, foi preciso dar apenas uma correção em Bandit para que ele aceitasse o bebê como um novo líder de matilha. O cão continua se comportando bem com Tyler, que agora assumiu o controle da disciplina do animal. Lori já não trata Bandit como um bebê. Ele não demonstra comportamento obsessivo e, quando tenta testar os limites, Tyler só precisa emitir um som "tssst!" para redirecionar sua atenção. Bandit adora caminhar e aprendeu a respeitar as pessoas. Tenho muito orgulho de Lori e de Tyler. Lori, você agora é um exemplo de energia calma e assertiva, e fico feliz por não termos desistido!

Retreinando a nós mesmos

Não podemos ter equilíbrio sem autoconhecimento, e não podemos alcançar a liderança sem equilíbrio. É aqui que nossos cães se tornam presentes maravilhosos. Eles podem nos ensinar lições sobre nós mesmos que nunca teríamos a oportunidade de aprender sozinhos.

Os seres humanos muitas vezes procuram adicionar drama à vida para complicá-la. Um animal equilibrado sabe que já existe drama suficiente na vida. Se você estiver tendo problemas com seu cão, a primeira coisa que precisa fazer é uma honesta análise de si mesmo. No entanto, temos nossos pontos cegos, e às vezes precisamos da ajuda de alguém de fora para saber que características precisam ser aperfeiçoadas. Você está, assim como a dona de Genoa, alimentando algum ressentimento, de modo que seu cão esteja percebendo? Você está, como o dono de Perigo, projetando seu ego no animal – usando-o como símbolo de *status* ou do cara "durão" que deseja ser? Ou, assim como a dona de Bandit, está satisfazendo uma necessidade interna que o impede de ver que seus mimos bem-intencionados em relação ao seu animal estão prejudicando não apenas ele, mas a matilha toda? Esses são fatos difíceis de admitir, mas, dos meus clientes que mudaram de vida por causa de seus cães, nenhum se arrepende. Em geral, essa mudança tornou a vida deles consideravelmente melhor – e não apenas em relação aos cães!

Porém, quando você reconhece sua parcela de culpa no problema do cão, como faz para mudar – principalmente se o que está fazendo de errado for algo sutil, como no caso dos donos de

Genoa? A resposta é que você precisa aprender a cultivar a *energia calma e assertiva*. Ela é a força que existe dentro de nós e que pode nos tornar não apenas os líderes de matilha dos nossos cães, mas também os líderes do nosso destino.

🐾 🐾 🐾

HISTÓRIA DE SUCESSO
Kina, Whitey, Max e Barkley

"Dei o livro *O encantador de cães* ao meu marido de presente de Natal. Nunca tinha visto Whitey terminar de ler um livro com tanta rapidez – um dia e meio depois, ele estava determinado a 'dominar a caminhada'. Isso significa ser capaz de caminhar com seu cão sem permitir que ele vá na sua frente ou puxe a guia. Se você conhece Barkley, sabe que essa é uma tarefa praticamente impossível. Apesar de ele ser um cão carinhoso e dócil, também é uma peste. Sim, o diabo. Ele puxa a guia com tanta força que chega a machucar. Machuca quem quer que esteja segurando a guia, além de sua própria garganta, e às vezes ele tosse tanto depois da caminhada que nos sentimos culpados ao levá-lo de novo.

Whitey me disse que caminharíamos com os cães na manhã seguinte. Assim, quando nos levantamos, ele começou a preparar as coleiras e me informou sobre as regras. Deveríamos nos manter calmos antes de realizar o passeio. Deveríamos sair pela porta antes dos cães. Nunca poderíamos deixar que eles andassem na nossa frente.

Devíamos estar loucos.

(Certo, essa última frase não era uma regra, mas foi o que pensei quando ele me explicou todas as regras.)

E ele estava certo.

Nunca consegui caminhar com Max, nosso rottweiler, com tanta facilidade. O cão praticamente me pedia para guiá-lo quando chegamos em casa. E Barkley, apesar de ainda ser um cão mais difícil, teve um comportamento tão diferente que Whitney proclamou que ele estava 'curado'.

Agora, começamos o dia caminhando com os cães. Antes de qualquer outra coisa – café-da-manhã, arrumar a cama –, colocamos as coleiras nos cães e caminhamos por pelo menos três quilômetros. E estamos vendo uma mudança incrível.

Hoje, Max e eu caminhamos cinco quilômetros pelos bairros do lado nordeste da cidade. Ele se comportou muito bem. Senta-se no meio-fio, ignora os outros cães e caminha ao meu lado. Até mesmo quando um enorme são-bernardo investiu contra uma cerca a apenas alguns metros de nós, ele não reagiu e simplesmente continuou andando.

Meu Max é um dos melhores cães que já conheci, agora que compreendo o que se passa na mente dele. Cães são animais de matilha, e ser sua 'mãe' não estava sendo bom nem para mim nem para ele. Agora que me tornei sua líder de matilha, ele se tornou mais carinhoso, submisso e um dos cães mais mansos que conheço.

Quanto a Barkley, ele é um cachorro muito especial e incrivelmente teimoso. Antes, ele puxava a guia com tanta força que eu não conseguia levá-lo para caminhar. Ele ficava engasgado a ponto de eu achar que era desumano passear com ele. Tentamos todas as guias imagináveis: a coleira peitoral, a de cabeça e várias outras. Nenhuma funcionou. A mudança dele foi fantástica. Não permitimos que vá na frente ou puxe a guia, e qualquer comportamento indesejado é corrigido fazendo com que ele se sente até se encontrar em um estado calmo e submisso. Feito isso, o passeio prossegue.

Barkley tem tanta energia que as caminhadas conosco não bastam! Por isso, lhe ensinamos a caminhar na esteira. Nunca pensei que funcionaria, pois ele relutou muito no começo. No entanto, só precisamos de três dias de tentativas para fazer com que ele conseguisse caminhar num ritmo confortável. Depois de apenas duas semanas, Barkley chega a caminhar um quilômetro e meio na esteira e se tornou muito mais relaxado e estável.

Sinto muito orgulho dos meus cães."

6

TRANSFORMANDO ENERGIA EM AÇÃO

A energia da mente é a essência da vida.

– *Aristóteles*

Depois que meu livro *O encantador de cães* foi lançado, recebi muitas perguntas a respeito do capítulo que trata da linguagem universal da energia. Ali, expliquei que a energia é a maneira pela qual todos os animais se comunicam uns com os outros, o tempo todo – e que projetar a energia que chamo de "calma e assertiva" é o segredo para se tornar um dono e um líder de matilha melhor. Neste livro, mais adiante, vou explicar como o poder da energia calma e assertiva pode mudar outros aspectos de sua vida para melhor. Alguns críticos acham esse conceito vago e "metafísico" demais para ajudar as pessoas com seus cães. De maneira mais prática, muitos leitores simplesmente queriam compreender melhor o que eu estava tentando dizer e queriam saber mais detalhes sobre como pôr em ação o conceito de criar a energia calma e assertiva. Compreender a energia que projetamos é verdadeiramente o segredo para criar melhores relacionamentos com os animais e com outros seres humanos. É a energia que compartilhamos com nossos cães que constrói ou destrói nossa eficácia como líderes de matilha na vida deles. Nada mais terá valor se nossa energia não for a de um líder de matilha calmo e assertivo.

Nível de energia *versus* energia:
dois conceitos distintos

O que é energia, afinal? Em meu primeiro livro, falei sobre ela de duas maneiras diferentes. O dicionário *Merriam-Webster* tem muitas definições para essa palavra, mas vamos começar com as duas mais simples: "Energia 1a: qualidade dinâmica <*energia narrativa*>; b: capacidade de agir ou de ser ativo <*energia* intelectual>".

Essas definições descrevem o tipo de energia sobre o qual estou falando quando descrevo o nível de energia com o qual todos os animais nascem, como fiz no capítulo 1. Eis um exemplo humano. Uma família tem dois filhos. Desde cedo, um deles é muito ativo, corre pela casa o dia todo e destrói coisas. O outro é mais calmo e gosta de brincar sozinho. Mais tarde, o primeiro se apaixona por esportes. O segundo é bastante focado e gosta de ler e fazer jogos de palavras. Descreveríamos o primeiro como alguém com alto nível de energia; já o segundo seria descrito como uma pessoa de energia mais baixa. Um nível de energia é melhor que o outro? Claro que não. São simplesmente diferentes. Como discutimos no capítulo 1, incluímos o nível de energia no que chamamos de *personalidade*. No mundo canino, energia é personalidade. Acredito que todos os cães nascem com um nível de energia fixo. As possibilidades desses níveis são:

- Energia muito alta
- Energia alta
- Energia média
- Energia baixa

Como a personalidade se traduz em energia

Vamos analisar algumas pessoas conhecidas e traduzir a personalidade humana delas para o modo "cão". Deepak Chopra é um pacifista. Se ele fosse um cão, teria energia média, mas de tipo um tanto dominante, pois ele segue em frente e cria coisas sozinho. Ele não é um seguidor, mas, como é pacifista e muito espiritualizado, sabe como ser um seguidor e compreende o conceito de entrega. No mundo animal, ele não seria visto como líder espiritual ou como autor de *best-sellers*. Seria visto como alguém de energia média com a capacidade tanto de seguir quanto de liderar. Oprah Winfrey é sempre meu melhor exemplo de energia calma e assertiva. Eu a vejo como um tipo dominante de energia alta. E o palestrante e escritor Anthony Robbins seria um animal dominante e de energia muito alta, se fosse um cão. Eu me vejo como uma pessoa do tipo dominante de energia alta – apesar de que, em casa e com minha esposa, sou capaz de me tornar um seguidor e agir de modo calmo e submisso.

Ao escolher um cão, sempre sugiro que a pessoa tente escolher um que tenha o mesmo nível de energia que ela, ou mais baixo. Como as pessoas costumam confundir a agitação que um cão demonstra com "felicidade", quando visitam um canil ou criador, às vezes se apaixonam por um cão que ficou "feliz" ao vê-las, sem perceber que o animal tem uma energia muito alta e agitada, que pode não combinar com a delas.

O outro tipo de energia

Vamos analisar outras definições de "energia" do *Webster*:

c: força espiritual geralmente positiva <a *energia* que fluía por todas as pessoas>; 2: empenho vigoroso de força: ESFORÇO <o tempo e a *energia* investidos>; 3: entidade fundamental da natureza que é transferida entre partes de um sistema na produção de mudança física dentro desse sistema e que geralmente é vista como a capacidade de realizar trabalho; 4: força utilizável (como calor ou eletricidade); *também*: os recursos para a produção de tal força.

Químicos, físicos quânticos, eletricistas, nutricionistas, médicos e atletas usam diferentes partes dessas definições, ou atribuem um sentido específico ao termo. Em *O encantador de cães*, defini "energia" como uma linguagem de emoções, a maneira pela qual todos os animais lêem os sentimentos e o estado de espírito de outros animais. Ler a energia do outro tem a ver com *sobrevivência*. Tem a ver com experienciar e compreender os sinais que o ambiente está enviando *neste momento*. No mundo do reino animal, a sobrevivência não é algo a ser ignorado. Os animais nunca dizem a si mesmos: "Bem, eu acho que esse leão *pode ser* um predador, mas estou cansado, então vou dormir agora e pensarei sobre isso amanhã". Se dois cães se encontram e um começa a rosnar para o outro, colocando-se em posição de ataque, o segundo não vai pensar: "Parece que ele quer tentar me matar, mas, pensando bem, ele parece legal e só deve estar tendo um dia ruim". A sobrevivência, para os animais, tem a ver com o *agora*, com reação instantânea. Isso é seguro? Aquele outro animal é um inimigo ou não? Devo lutar, escapar, evitar ou me submeter?

Como seres humanos, parece que esquecemos que também projetamos esses sinais. Lemos os sinais enviados pelos animais (incluindo outros humanos) o tempo todo, mas, como muitos de nós perderam o lado instintivo (ou simplesmente pararam de prestar atenção nele), nem sempre compreendemos os sinais que nosso corpo envia e recebe.

Gavin de Becker é um especialista em questões de segurança, principalmente para governos, empresas e celebridades. Em seu excelente livro *Virtudes do medo* (e sua seqüência, *Como proteger seus filhos*), ele descreve todos os processos instantâneos que ocorrem no cérebro e no corpo *antes* de sentirmos o tipo de alerta instintivo em que não costumamos prestar atenção. De Becker indica que essas mensagens que recebemos (e geralmente ignoramos) são o que chamamos de *intuição*.

A intuição nos liga ao mundo natural e à nossa natureza, mas nós, pessoas "civilizadas", a ignoramos por nossa conta e risco. A intuição geralmente é vista por nós, ocidentais racionais, com desdém. [...] Mas não se trata apenas de um sentimento. É um processo mais extraordinário e, em última análise, mais lógico na ordem natural do que a maioria dos cálculos fantásticos feitos por computadores. É nosso processo cognitivo mais complexo e, ao mesmo tempo, o mais simples.[1]

Ler a energia nas emoções e tomar decisões urgentes com base no que recebemos delas não é algo improvável ou místico. É algo inscrito em nossa biologia. Podemos chamá-lo de "sexto sentido" – mas isso tem base em todos os nossos outros sentidos. Nosso cérebro está constantemente recebendo quantidades enormes de informações, que não processamos *conscientemente*. No *best-seller Inteligência emocional*, Daniel Goleman escreve: "Em termos do *design* biológico do sistema neurológico básico da emoção, nascemos com o que funcionou melhor para as últimas cinqüenta mil gerações humanas [...] os últimos dez mil anos – apesar de terem testemunhado o rápido desenvolvimento da civilização humana [...] deixaram poucas marcas em nosso padrão biológico de vida emocional".[2] Em outras palavras, somos os mes-

---

[1] Gavin de Becker, *The Gift of Fear: And Other Survival Signals that Protect Us from Violence*. Nova York: Dell, 1997, pp. 12-13 (ed. bras.: *Virtudes do medo: sinais de alerta que nos protegem da violência*. Rio de Janeiro: Rocco, 1999).

[2] Daniel Goleman, *Emotional Intelligence: Why It Can Matter More than IQ*. Nova York: Bantam Books, 1995, p. 6 (ed. bras.: *Inteligência emocional: a teoria revolucionária que redefine o que é ser inteligente*. Rio de Janeiro: Objetiva, 1996).

mos animais primitivos que nossos ancestrais foram – só que agora temos celulares e iPods para nos distrair de todos os sinais de perigo que ajudaram nossos ancestrais a sobreviver.

"O cérebro é um bom assistente de palco", escreve Diane Ackerman, no livro *Uma história natural dos sentidos*. "Ele segue adiante com seu trabalho enquanto estamos ocupados representando nossas cenas."[3] Como um exemplo de como nossos sentidos estão sempre em ação, enviando mensagens ao cérebro a respeito de detalhes ao nosso redor dos quais não estamos totalmente conscientes, Gavin de Becker descreve uma situação assustadora enfrentada por um piloto chamado Robert Thompson. Ele entrou em uma loja de conveniência para comprar algumas revistas, de repente sentiu medo, virou-se e saiu correndo. "Não sei o que me fez fugir, mas mais tarde, naquele mesmo dia, fiquei sabendo do tiroteio." A princípio, Thompson atribuiu sua sobrevivência a "apenas um pressentimento". Mas, depois que De Becker pediu mais detalhes, os motivos de sua fuga ficaram claros. Sob sua percepção consciente, Thompson mais tarde se lembrou de que o atendente da loja estava prestando atenção em um cliente com uma jaqueta grossa, apesar de estar muito calor. Ele também havia notado dois homens dentro de uma picape com o motor ligado no estacionamento. Seus sentidos estavam ocupados registrando todas aquelas informações em seu cérebro, apesar de, superficialmente, ele estar totalmente alheio aos detalhes que salvariam sua vida. De Becker explica:

> O que Robert Thompson e muitos outros querem fazer passar por coincidência ou pressentimento é, na verdade, um processo cognitivo, mais rápido do que conseguimos reconhecer e bem diferente do familiar

---

[3] Diane Ackerman, *Uma história natural dos sentidos*. Rio de Janeiro: Bertrand Brasil, 1996, apud De Becker, op. cit., p. 26.

raciocínio passo a passo no qual confiamos tão cegamente. Acreditamos que o pensamento consciente é melhor de alguma forma, quando, na verdade, a intuição é muito mais ampla se comparada com a abrangência da lógica. Intuição é a jornada de A a X sem parar em nenhuma outra letra no meio do caminho. É saber sem saber por quê.[4]

Os animais, observadores constantes de todos os detalhes da vida ao redor deles, processam muitos desses sinais ocultos o tempo todo. Eles precisam fazer isso, para conseguir sobreviver.

Costumamos pensar nos sentimentos como coisas que simplesmente acontecem em nosso "coração" – como coisas que, de alguma forma, estão ligadas ao mundo físico. A verdade é que mudanças físicas e químicas bastante óbvias ocorrem no corpo e no cérebro quando nossas emoções mudam. Quando estamos com raiva, o coração acelera e o cérebro e o corpo são invadidos por hormônios, como a adrenalina, para recebermos aquele estímulo extra e conseguirmos lutar. Quando sentimos medo, o sangue flui para nossos maiores músculos, como os das pernas, para ficarmos prontos para fugir, e outros hormônios deixam nosso corpo em alerta, pronto para agir. O amor cria reações opostas às do medo e da raiva e nos faz sentir calmos, satisfeitos, seguros e relaxados. Quando estamos tristes, nosso metabolismo fica mais lento, conservando nossa energia para que possamos nos curar, física e psicologicamente. E, por fim, a felicidade aumenta nossa atividade cerebral, bloqueando os sentimentos negativos e nos permitindo ter mais acesso a nossa energia disponível.[5] Nesse aspecto, sentimos e reagimos às emoções exatamente da mesma maneira que os cães. Com todas essas complexas mudanças biológicas ocorrendo dentro de nós sempre que temos

---

[4] De Becker, op. cit., p. 25.
[5] Idem, op. cit., pp. 5-7.

uma sensação, é de surpreender que os outros animais consigam saber o que estamos sentindo em determinado momento? "A verdade é que todo pensamento é precedido de uma percepção, todo impulso é precedido de um pensamento, toda ação é precedida de um impulso", escreve Gavin de Becker, "e o homem não é um ser tão isolado a ponto de seu comportamento não ser percebido e de seus padrões não serem detectáveis."[6]

Qual é a sua energia neste momento?

Meu objetivo é ajudar as pessoas a se tornarem mais conscientes e no controle da energia que estão projetando em determinado momento. Afinal de contas, estamos entre as poucas espécies do planeta que têm o maravilhoso dom da autoconsciência, certo? Mas pense bem. Quantas pessoas que estão lendo estas palavras são verdadeiramente conscientes de como pensam e se sentem quando interagem com outros seres – principalmente com os cães? A questão é que falar ou escrever sobre a energia nem sempre ajuda quando se trata de realmente compreender como ela se aplica a você e a sua vida. É por isso que os cães são um presente maravilhoso para nós. Como no caso do meu amigo magnata, mencionado no início do livro, nossos cães são nossos espelhos emocionais. Se não temos certeza a respeito de como estamos nos sentindo ou de que energia estamos projetando em determinado momento, tudo que temos que fazer para descobrir é olhar para nossos cães. Eles costumam nos entender de modo muito mais profundo do que nós mesmos nos entendemos.

Quando recebo visitantes no Centro de Psicologia Canina, presto muita atenção na energia que estão projetando, porque geralmente eles mesmos não sabem nada sobre isso. Mas, em

---

[6] Idem, op. cit., p. 17.

meio a uma matilha de quarenta cães, qualquer energia, boa ou ruim, será refletida de volta à pessoa, multiplicada por quarenta. Tenho que avaliar as pessoas antes que entrem no Centro. Obviamente, algumas ficam admiradas; outras, muito ansiosas. A menos que essas últimas consigam relaxar, não as convido para entrar. Isso porque, quando um ser humano está instável, sua energia pode fazer com que um cão lata, rosne, morda ou fuja. Qualquer uma dessas reações provavelmente será ruim para o animal e para o ser humano. Quando um cachorro foge de alguém, a pessoa geralmente pensa: "Mas eu não fiz nada!" A verdade, porém, é que ela fez alguma coisa, mesmo sem perceber. Algo em sua energia fez com que o cão fugisse. Antes de sua chegada, o animal estava bem. O mesmo ocorre quando um cão morde alguém. Por algum motivo, ele sente a necessidade de mostrar: "Olhe, aqui é o meu pedaço. Sou eu que mando aqui e você tem que respeitar as minhas regras".

É importante aprender a sentir e a ler a energia do seu cão, juntamente com a linguagem corporal dele. Se você está esperando que o cachorro rosne, lata ou chore para saber como ele se sente, então já perdeu a parte mais importante da comunicação que ele está tentando manter com você. O paradoxo é que, antes de você conseguir se comunicar com seu cão usando a energia, deve aprender a compreender a energia que *você* está projetando.

Um bom exemplo de alguém que entendia intelectualmente o conceito de como projetamos energia e emoção, mas nem sempre era capaz de refletir isso em sua vida, é minha co-autora, Melissa. Durante o verão que passamos escrevendo *O encantador de cães*, ela enfrentava o trânsito pesado de Valley até South Los Angeles e geralmente chegava bastante tensa ao Centro de Psicologia Canina. Quando caminhava no meio da minha matilha de quarenta cães para chegar ao escritório onde trabalhávamos, ela se mostrava assertiva, porém tensa, e os cães reagiam cercando-a e encostando nela. Eles não a machucariam, mas obviamente não estavam satisfeitos com a energia tensa que vinha dela – e deixavam isso claro com seus corpos e sua energia. Seria de esperar que, depois de mais de três anos trabalhando comigo no programa de televisão e no livro, ela finalmente entenderia, certo? Errado. Apesar de compreender o conceito e de conseguir avaliar a energia de *outras* pessoas e de cães, ela nem sempre percebia a energia que projetava. A mesma coisa continuou ocorrendo um ano depois, quando começamos a escrever este livro! Em um dia quente do último verão, ela chegou ao Centro de Psicologia Canina esgotada, depois de enfrentar o trânsito pesado, carregada de cadernos e diversos livros de pesquisa que queria me mostrar. Sua energia era intensa e irritada, então decidi que estava na hora de ela aprender uma lição importante sobre aquilo, em um nível instintivo e emocional, não apenas intelectual. Vou deixar que ela descreva a experiência de seu ponto de vista:

"Devia estar uns quarenta graus lá fora e eu tive que enfrentar um trânsito muito lento e carregado no centro de Los Angeles por mais de uma hora. Eu estava atrasada e aquilo me estressou, porque Cesar estava gravando quatro dias por semana e ministrando palestras aos fins de semana, e até então tínhamos tido pouco tempo juntos para realizar nosso trabalho de redação do livro. Os cães podem viver o presente, mas as pessoas têm prazos – e eu estava muito ansiosa com o nosso. Quando finalmente cheguei ao Centro, estava suada, com sede e com o coração acelerado. Abri o portão da área de entrada (o local onde Cesar sempre diz aos novos visitantes: 'Lembre-se das regras: não toque, não fale, não faça contato visual' antes de eles entrarem na área dos cães) e, sem hesitar, comecei a tagarelar alto sobre o tempo, o trânsito e tudo que estava me deixando estressada. É claro que os cães começaram a latir e a se descontrolar. Todos eles correram para a cerca sem parar de latir, e a coisa piorou quando avancei para entrar na área onde ficavam. Ali estava Cesar, no meio deles, sentado calmamente como um Buda, segurando um guarda-chuva. 'Desacelere', ele me disse. 'Respire fundo. Pare por um momento e relaxe.' Esse comentário me fez parar. Respirei profundamente algumas vezes, bebi um pouco de água fresca e me reequilibrei. Eu me acalmei, controlei minha respiração e fechei os olhos. Senti o calor reconfortante do sol em meu rosto e escutei o barulho da água da piscina, onde alguns cães brincavam. Quando abri os olhos novamente, todos os cães haviam parado de latir e estavam dispersos e calmos. 'Viu só?', Cesar disse. 'Percebeu como eles mudam imediatamente?' Eu estava escrevendo sobre isso com Cesar havia algum tempo, mas só naquele momento realmente entendi o que acontecia. Era milagroso. Os cães se transformaram no mesmo instante em que mudei. O efeito propagador nos quarenta cães foi instantâneo. 'Uau', foi só o que consegui dizer. Cesar apenas concordou com a cabeça. 'Está compreendendo agora por que eu sempre digo para as pessoas perguntarem a si mesmas em que energia estão *naquele momento*?' Eu finalmente compreendia."

Os cavalos também "falam energia"

Monty Roberts, o famoso "encantador de cavalos", ensinou o uso da energia para domar e controlar o comportamento de cavalos selvagens. Trabalhar por meio da energia tem sido aceito há décadas na comunidade eqüestre. Brandon Carpenter, um treinador de cavalos descendente de gerações de treinadores, descreve as técnicas que foram passadas de seu avô para seu pai até chegarem a ele:

Sempre vejo pessoas tendo problemas com seu cavalo durante as aulas. Pergunto como elas se sentem quanto ao relacionamento que têm com o animal. Dentro de pouco tempo, chegamos à essência da questão e descobrimos que a pessoa tem medo do cavalo ou de colocá-lo em determinadas situações. Algumas chegam a dizer que não gostam do comportamento do animal e que com o tempo passaram a não gostar dele. Procuram maneiras de consertar o cavalo. Essas respostas sinceras revelam um "estado de ser" emocional oculto. *Antes mesmo de se aproximarem do cavalo, visualizam como ele vai reagir.* Esse processo geralmente ocorre sempre que elas pensam no cavalo e, assim, esse se torna o sistema de crenças dominante delas. E o que acontece? O cavalo faz exatamente o que as comunicações emocionais do indivíduo disseram para ele fazer.[7]

Esses cavaleiros inseguros fazem exatamente o que muitos de meus clientes fazem, e provavelmente têm tão pouca consciência disso quanto eles. Comunicam, por meio da energia, uma impressão muito forte do que *não* querem de seus cavalos – mas nunca enviam a eles a mensagem sobre o comportamento que gostariam de obter.

Energia calma e assertiva

Os animais em geral relaxam quando estão diante de um tipo de energia que chamo de *calma e assertiva*. Eles são programados para confiar nessa energia e respeitá-la. É por isso que acredito que a Mãe Natureza é perfeita, porque todos os animais, exceto os humanos, são atraídos por determinadas freqüências e levados a realizar certas conexões que vão ajudá-los a sobreviver. Somos o único animal que pode ser enganado pela "máscara" de uma energia, ou que pode ser atraído a uma energia que

---

[7] Brandon Carpenter, "Energetic Training", *The Gaited Horse*, verão, 2004, pp. 29-33.

não seja calma e assertiva, ou que seja negativa e ruim para nossa sobrevivência.

Se você acorda deprimido, a energia que está projetando é considerada fraca no reino animal, e você não vai conseguir atuar em seu máximo potencial. Sempre que você se sente negativo em relação a si mesmo ou duvida de si – mesmo sem perceber –, está projetando energia negativa. Ou você pode acordar muito feliz e projetar uma energia animada, positiva. Seu estado mental cria a energia. Qualquer animal – seu cão, gato ou pássaro – percebe quando você está com nível baixo de energia e reage a você com base nela. Você nunca precisa dizer ao seu cão que está triste, feliz, bravo ou relaxado. Ele já sabe – geralmente bem antes de você.

No livro *Virtudes do medo*, Gavin de Becker conta uma história perfeita para ilustrar essa explicação. Ele tinha uma amiga que estava entrevistando empreiteiros e decidiu não contratar um deles porque sua cadela, Ginger, rosnou para ele. De Becker disse à amiga: "A ironia é que é bem mais provável que Ginger esteja reagindo aos seus sinais do que você aos dela. Ginger é especialista em ler você, e você é especialista em ler outras pessoas. Ginger, esperta como é, não sabe nada sobre as maneiras como um empreiteiro pode aumentar o custo da obra em lucro próprio, e não sabe se ele é honesto". O problema, De Becker sugeriu, é que "aquele algo mais que você tem e o cão não tem é o juízo, e é isso que se coloca entre sua percepção e sua intuição. Com o juízo, vem a capacidade de ignorar sua intuição, a menos que você possa explicá-la de maneira lógica, a vontade de julgar e condenar seus sentimentos em vez de respeitá-los. Ginger não se deixa distrair pela maneira como as coisas poderiam ser, eram ou deveriam ser. Ela percebe apenas o que é".[8]

---

[8] De Becker, op. cit., pp. 32-33.

Energia negativa: a força sombria

Senti algo estranho, incômodo, no momento em que saí do elevador do prédio chique em um requintado bairro de Atlanta. Quando a porta se abriu e vi Warren – um executivo bonito e bem vestido – e sua noiva, Tessa, parados ali, percebi que havia algo de muito errado, mas não soube dizer o quê.* Por trabalhar com animais, estou sempre consciente da minha intuição e a respeito muito. Com animais agressivos, ter esse "sexto sentido" e a intuição bem desenvolvida pode salvar sua vida. Então, o que meus "instintos animais" estavam tentando me dizer?

Antes de fazer a primeira visita à casa de um cliente, prefiro não receber muitas informações a respeito do caso, a menos que seja absolutamente necessário. Quando chego ao local, minha esposa – e, nos casos que filmamos para o programa, a equipe de produção – já conheceu, entrevistou e reuniu o máximo de informações a respeito dos novos clientes, para saber com antecedência se preciso levar um *skate*, uma bicicleta, alguns cães equilibrados da minha matilha ou alguma outra ferramenta especial que o caso possa exigir. Ela também cuida para que o animal seja cuidadosamente examinado por um veterinário, para detectar possíveis problemas de saúde que possam causar o mau comportamento. Às vezes recebo algumas informações gerais, como no caso de um animal extremamente agressivo que já tenha mordido alguém. Geralmente prefiro não saber de nada, para chegar com a mente aberta e poder fazer minhas próprias observações, contando com minha experiência e meu instinto. Ao longo desses vinte anos de trabalho com cães, minha intuição se mostrou correta quase todas as vezes.

A visita é uma parte importante do trabalho, na qual me reúno com os clientes e peço que me expliquem o que eles acredi-

---

*Nomes e detalhes desse caso foram alterados.

tam que seja o problema. Meu papel é ficar calado e não julgar, apenas escutar. Geralmente, essa consulta revela problemas que os donos não sabiam que existiam. Muitas vezes, esses problemas são bastante diferentes do que eles pensavam. Nesse caso, não tive um único momento livre entre entrar no apartamento e me reunir com o casal para tratar da sensação ruim que tivera ao sair do elevador – mas, quando começamos a conversar, tudo ficou muito claro. Havia uma forte energia negativa na casa – e ela vinha diretamente de Warren.

Como descrever uma "energia negativa" sem parecer supersticioso ou vago? A verdade é que todos nós já reconhecemos energias negativas em nossa vida. Tenho certeza de que todos têm exemplos do dia-a-dia. Quer tenha sido uma professora da escola, ou o gerente do banco que lhe negou um empréstimo, ou o cobrador que recolhe sua passagem todos os dias no ônibus, existe alguma coisa na pessoa que faz com que você queira se afastar dela. E, às vezes, nós acabamos sendo essa pessoa negativa. O problema da energia negativa é que, não importa quão positivo ou calmo e assertivo você seja, os sentimentos e as emoções por trás da pessoa negativa – sejam eles de raiva, ansiedade, frustração, nojo, desprezo, decepção, entre outros – são tão fortes que às vezes podem abater a mais alegre das pessoas. Por que a energia negativa é tão poderosa? Ainda não encontrei ninguém que consiga me responder essa pergunta, apesar de saber que a energia negativa costuma estar associada ao medo e à raiva – as emoções de "luta e fuga" que estão mais relacionadas à sobrevivência. Talvez seja o aspecto da sobrevivência da energia negativa que a torne tão forte, e talvez seja por isso que aqueles de nós que cultivamos a energia positiva e pessoas positivas em nossa vida reajam tão instantaneamente a ela, como se fosse uma alergia. Como a negatividade é tão forte, existem algumas pessoas cuja energia sombria pode subjugar até mesmo a pessoa mais segura, pelo menos enquanto estão juntas.

Warren era uma dessas pessoas negativas. Durante a conversa, ele não foi tão mal – apenas não foi respeitoso. Quando vou à casa de alguém, estou ali por dois motivos: primeiro, para ajudar o cão e, segundo, para fortalecer o ser humano. Geralmente, as pessoas são pelo menos um pouco receptivas e dispostas a ouvir as informações que tenho para compartilhar com elas, mesmo que eu diga alguma coisa de que não gostem. Como muitas pessoas negativas, Warren sabia como parecer "receptivo" superficialmente e dizer as palavras certas, mas estava claro, pelas pistas sutis e pela linguagem corporal, que ele não respeitava o que eu estava tentando fazer. Eu estava ali para ajudar o casal a lidar com Rory, uma sheepdog de 4 anos que latia compulsivamente e era agressiva com outros cães. Ao longo da nossa conversa, entretanto, Warren virava os olhos, cochichava com Tessa (que, sendo uma "seguidora" no relacionamento, parecia contaminada pela energia negativa sempre que ele estava por perto) e ria do comportamento ruim e do latido incessante de Rory. Eu gosto muito de rir e tento encontrar o lado positivo de todas as situações – afinal, o riso é uma das maiores alegrias que os cães trazem à nossa vida. Mas aquele era o tipo de riso abafado dado por adolescentes na sala de aula que trocam bilhetinhos sobre a professora. Warren evitava contato visual comigo e olhava ao redor da sala. Ele era ansioso, tenso, nervoso e projetava uma energia mais escura do que a roupa elegante e toda preta que vestia.

Quando saímos do apartamento, o lado obscuro de Warren apareceu totalmente. Rory havia desenvolvido o hábito de latir compulsivamente, de puxar e de tentar se aproximar dos cães da vizinhança enquanto estava presa à guia. Ao passo que Tessa agora se mostrava mais relaxada e disposta a aprender, Warren ficou ainda mais tenso e começou a discutir comigo – dizendo que Rory nunca aceitaria a guia que eu estava usando, que ela engasgaria, que ela sempre investia contra outros cães, e não era agora que isso mudaria, e que, mesmo que conseguíssemos controlar a cadela, não seríamos capazes de controlar os outros cães que fossem atacá-la. Rory era "dele", e ele queria estar no controle – apesar de ter pedido minha ajuda exatamente por não saber controlá-la. Quando olhei nos olhos dele e afirmei acreditar que o que estávamos fazendo era o melhor para Rory, ele desviou o olhar, deu de ombros e disse: "Certo, tudo bem. Sem problemas". Mas, é claro, ele não estava sendo sincero. Eu sabia disso, e, ainda pior, Rory também sabia.

Warren era o que Daniel Goleman, autor de *Inteligência emocional*, chamaria de "repressor" ou "imperturbável" – alguém capaz de bloquear, efetiva e consistentemente, distúrbios emocionais de sua percepção consciente.[9] É uma estratégia que funciona se você é uma pessoa repleta de conflitos que precisa parecer "equilibrada" para outras pessoas. Mas, como eu disse antes, isso não funciona com os animais! Por quê? Goleman cita um estudo realizado por Daniel Weinberger na Case Western University, no qual "repressores" tinham que responder a testes sobre situações estressantes. As respostas que registraram no papel indicavam que estava tudo bem, mas a linguagem corporal sempre indicava sinais de estresse e ansiedade, como coração acelerado, palmas das mãos suadas e aumento da pressão arterial.[10] Aprende-se algo com isso: por mais que acreditemos estar escondendo nossas emoções, o corpo e a energia quase sempre revelarão nossos verdadeiros sentimentos àqueles que realmente nos conhecem: nossos animais de estimação.

Um exemplo disso ocorreu quando comecei um exercício em que levava Rory para perto de um dos cães da vizinhança que já a haviam provocado. O exercício estava indo bem, até que Warren

---

[9] Goleman, op. cit., pp. 75-77.
[10] Idem, op. cit., p. 75.

interferiu caminhando ao meu lado, perto demais – além dos limites normais que chamamos de "espaço pessoal". Assim que ele começou a fazer suas perguntas – "Mas e se o cão atacar? E se você perder o controle? E se Rory puxar a guia?" –, a cadela começou a se agitar novamente. Tentei mostrar a Warren que era a energia dele que criava a situação tensa, e ele sorria para a câmera e dizia: "Certo, compreendo", então continuava criando o comportamento de ansiedade.

A verdade é que eu sentia como se toda a minha energia positiva, calma e assertiva estivesse sendo sugada para dentro do buraco negro de ansiedade de Warren. Por mais que eu tentasse, simplesmente não conseguia fazer com que ele relaxasse, observasse e escutasse. Por fim, chamei Tessa e pedi que ela levasse Rory. No mesmo instante, a cadela se acalmou! Warren ficou bravo e começou a gritar: "Mas a cadela é minha! Eu é que deveria guiá-la!" Expliquei a ele que Tessa tinha uma energia mais calma com Rory naquele momento. "Mas Tessa tem a mesma energia que eu!", Warren reclamou. "Rory sempre faz com Tessa a mesma coisa que faz comigo!" Eu me virei, olhei em seus olhos com firmeza e disse: "Mas ela não está fazendo isso agora".

Tive que ser um pouco mais assertivo com Warren do que costumo ser com meus clientes e insisti que ele ficasse afastado enquanto eu caminhava com Tessa, Rory e o antigo "cão inimigo". Assim que chegamos a meio quarteirão de distância, a energia voltou ao normal. Tessa, eu e os dois cães demos a volta no quarteirão em paz, mantendo uma boa conversa. Ela ficou surpresa – havia sido envolvida pelo pessimismo poderoso de Warren e agora percebia que existia uma realidade muito melhor para ela. Quando voltamos, Warren também havia se acalmado um pouco. Ele estava começando a reconhecer como sua preocupação e sua negatividade estavam criando um efeito tóxico no cão. Até hoje, no entanto, não sei o que será de Warren e Rory. Como ocorre com tantas personalidades negativas, ficou claro que Warren guardava muita dor e ódio dentro de si. Mas o problema não estava em nada do que ele possa ter enfrentado no passado. Era totalmente devido a sua indisposição – ou incapacidade – de ver a si mesmo de maneira objetiva no presente.

Energia e realidade

A energia de Warren era sombria e contagiosa. Isso não quer dizer que ele fosse mau. Na verdade, creio que ele não tinha consciência das maneiras sutis pelas quais estava sabotando o progresso de Rory e dele mesmo. Os psicólogos têm uma piada interna. A palavra "denial" (negação em inglês) significa "Don't even notice I am lying" ("Nem percebo que estou mentindo"). Os seres humanos são os únicos animais enganados pela própria mente a respeito do que está ocorrendo ao seu redor. Nossa mente mentirosa nos protege de coisas que podem ser prejudiciais ao nosso ego sensível, mas também pode nos deixar vulneráveis a terríveis perigos – principalmente aqueles vindos de membros de nossa própria espécie – que seriam óbvios a qualquer outro animal. Somos os únicos seres do planeta que recebem sinais claros da natureza a respeito de ameaças à nossa sobrevivência e dizem a si mesmos: "Deixa pra lá, não deve ser nada". Mas, até onde a ciência provou, também somos a única espécie que consegue *mudar* conscientemente nossos estados mentais ou emocionais. Não estou falando de bancar o corajoso quando, na verdade, o medo o domina. Estou falando sobre realmente trabalhar *de dentro para fora* para mudar nosso estado de ser em determinado momento. Ser capaz de fazer isso nos dá muito poder sobre nosso mundo – um poder ao qual não temos acesso freqüentemente.

As religiões orientais há muito acreditam que nós criamos nossa realidade – que o que ocorre na mente se manifesta na vida. Hoje, cientistas respeitados – principalmente na área da física quântica – estão chegando à mesma conclusão dos místicos de milhares de anos atrás. Vivemos com a ilusão de que não temos controle, mas a física quântica diz que o que acontece por dentro reflete o que acontece do lado de fora. O que isso tem a ver com psicologia canina e com se tornar um líder de matilha melhor? Significa que, com sua consciência mais forte, você pode fazer algo que seu cão não consegue. Você tem a capacidade de controlar sua realidade – e, com ela, a energia que projeta – de maneiras que provavelmente nunca pensou que seriam possíveis.

"O poder da mente" não é apenas uma expressão vaga. Na Cornell University, os psicólogos sociais David Dunning e Emily Balcetis queriam descobrir se o "pensamento ilusório" (o chamado *wishful thinking*) pode influenciar o que o cérebro percebe. Eles disseram a voluntários que um computador lhes daria uma letra ou um número para determinar se beberiam um suco de laranja gostoso ou um *milkshake* ruim. Quando o computador mostrou uma imagem que podia ser vista como a letra B ou como o número 13, os voluntários a quem os pesquisadores disseram que a letra faria com que recebessem o suco de laranja na maioria das vezes afirmaram ter visto um B. Aqueles a quem era dito que o número lhes daria o suco de laranja na maioria das vezes afirmaram ter visto o número 13. Espantosamente, os voluntários viram o que queriam ver. Dunning diz: "Antes de vermos o mundo, nosso cérebro já o interpretou de modo que se alinha com o que queremos ver e evita o que não queremos".[11] Não sou cientista, mas isso me parece uma explicação de "negação"! Vejamos o exemplo de Warren. Ele tinha tanta certeza de

---

[11] E. Balcetis e D. Dunning, "See What You Want to See: Motivational Influences on Visual Perception", *Journal of Personality and Social Psychology*, 91, 2006, pp. 612-25.

que Rory não podia ser controlada que aquilo era tudo que ele via, apesar de o oposto estar acontecendo bem diante de seus olhos.

Nós, como seres humanos, temos o poder de mudar nossas percepções e usá-las a nosso favor. Em vez de vermos as coisas negativas que estamos acostumados a ver, podemos *escolher* ver algo diferente. Pesquisadores descobriram que o cérebro não sabe diferenciar o que é real do que é imaginado, porque os mesmos caminhos neurais são usados quando alguém olha para uma árvore ou a visualiza. Os processos no cérebro são exatamente os mesmos.[12] Quando pessoas que têm medo de cobras vêem fotos desses répteis, sensores em sua pele podem detectar suor e outros sinais de ansiedade, mesmo que a pessoa testada não admita o medo. O sistema límbico do cérebro acredita que as cobras são reais, mesmo que a mente consciente saiba que não são. Deepak Chopra descreve outro experimento mental comum, no qual se pede que os voluntários se imaginem colocando uma fatia de limão na boca, mordendo-a e deixando o suco escorrer. "Se você é como a maioria das pessoas", Chopra escreve, "apenas esse pensamento já faz sua boca salivar – uma maneira de seu corpo mostrar que acredita no que sua mente está dizendo."[13] Séculos antes de a ciência ter os fatos para apoiar essas descobertas, pessoas de fé na Índia já usavam o poder da mente para caminhar sobre brasa sem se ferir. O poder de sua concentração fazia com que seus pés saíssem ilesos, enquanto os pés de outros homens eram queimados.

---

[12] Cf. <http://discovermagazine.com/2006/aug/wishfulseeing>.

[13] Deepak Chopra, *The Spontaneous Fulfillment of Desire: Harnessing the Infinite Power of Coincidence*. Nova York: Harmony Books, 2003, p. 88 (ed. bras.: *A realização espontânea do desejo: como utilizar o poder infinito da coincidência*. Rio de Janeiro: Rocco, 2005).

O poder da intenção

Para obter um estado mental calmo e assertivo, suas emoções e suas intenções precisam estar em harmonia. Se você está bancando o "durão", mas por dentro está assustado, seu cão vai perceber no mesmo instante. Talvez seu chefe ou seu cônjuge não percebam, mas seu cachorro certamente vai notar. Quando seu interior e seu exterior entram em conflito, você fica sem forças no mundo animal. Mas nossa mente é uma ferramenta incrivelmente poderosa e, com a força da intenção, podemos mudar nossos sentimentos – não apenas por fora, mas por dentro também. Se você conseguir projetar positivamente a intenção de seu desejo, por meio de força e honestidade *reais*, seu cão vai reagir instantaneamente a essa energia calma e assertiva.

Como animais, não conseguimos mudar nossos sentimentos instintivos. Como vimos, nossas emoções têm um propósito: nos ajudar a reagir ao ambiente e a nos manter vivos. Mas, como seres humanos, *podemos* mudar nossos pensamentos. É aí que entra o *poder da intenção*. Li sobre esse conceito pela primeira vez muitos anos atrás, no livro do dr. Wayne W. Dyer *A força da intenção: aprendendo a criar o mundo do seu jeito*. Nele, Dyer define "intenção" como a força no universo que permite que o ato da criação ocorra – não algo que você faz, mas um campo de energia do qual faz parte. Esse conceito mudou e melhorou minha vida em todos os sentidos e me ajudou a realizar o sonho de ser capaz de ajudar cães desequilibrados. Algumas das coisas que Dyer disse no livro calaram fundo em mim e confirmaram muitas das observações que eu havia feito no México, antes de ter acesso a livros desse tipo. Recentemente, Deepak Chopra explorou o mesmo tópico. "A intenção orquestra toda a criatividade do universo", ele escreveu. "E nós, como seres humanos, somos capazes de criar mudanças positivas em nossa vida por meio da intenção."[14] De acordo com os dois autores, a intenção funciona da mesma maneira que a oração. O segredo, dizem os especialistas, é sermos capazes de nos livrar de nosso ego – do "eu" que tenta inspecionar e moldar o processo de um ponto de vista egoísta. Se alguém que está andando sobre brasa de repente permitir que sua mente racional diga, no meio do processo: *Isso desafia as leis da física. E se não der certo e eu me queimar?*, vai sabotar sua intenção e acabar queimando os pés.

Não vou ensiná-lo a caminhar sobre brasa nem a encontrar respostas às questões do universo quântico. Mas espero ajudá-lo a se tornar mais consciente da energia que você projeta a todo momento e a ser capaz de usar a força dessa energia para comunicar uma liderança calma e assertiva ao seu cão. Isso é algo que centenas dos meus clientes já conseguiram, e algo que você vai aprender a fazer no próximo capítulo.

---

[14] Idem, op. cit., pp. 114-15.

7

LIDERANÇA PARA CÃES...
E PARA HUMANOS

Quando o líder eficiente termina seu trabalho,
as pessoas dizem que aconteceu naturalmente.

– Lao Tsé

O salão estava elegantemente decorado, a luz suave e a conversa, amena. Minha esposa e eu não acreditávamos que havíamos sido convidados para aquele lugar. Nós nos beliscávamos para ter certeza de que não estávamos sonhando. Para todos os lados que olhávamos, havia pessoas que poderiam ser manchete de jornal, capa de revista ou história no noticiário da noite. Sentado perto da lareira, estava o recém-eleito presidente de um país do Oriente Médio, em um debate acirrado com um ex-oficial do governo dos Estados Unidos. No bar, o CEO de uma das maiores empresas do mundo no ramo de materiais de escritório estava tomando um drinque com o CEO da empresa aérea dos Estados Unidos que mais cresce atualmente. E logo ali, olhando pela janela, perdido em seus pensamentos, estava o mais rico e poderoso magnata das comunicações do mundo inteiro. No resto do salão, havia políticos nacionais e internacionais, celebridades, gigantes da mídia e magnatas. Havia reitores de universidades e fundadores de organizações políticas. Havia milionários e bilionários. Havia Learjets e Rolls-Royces. Aquele era um lugar repleto dos líderes de matilha mais bem-sucedidos do mundo.

Surpreendentemente, eu tinha sido convidado para falar àquele grupo de elite sobre cães e sobre a liderança calma e assertiva.

Quem, eu? Falando sobre liderança às pessoas mais influentes do mundo? O que eu, um rapaz trabalhador vindo do México, poderia oferecer a eles? Para minha surpresa, eu tinha muito a oferecer. Porque, entre todos aqueles líderes internacionais, nenhum conseguia controlar seu cão!

Saudações ao cão

Se você já se perguntou de onde as pessoas tiraram a idéia de que o cão deve ir na frente durante a caminhada, veja um vídeo ou uma fotografia de qualquer presidente dos Estados Unidos saindo do avião *Força Aérea Um*. Quem é o primeiro a sair da aeronave? Quem é o primeiro a entrar na Casa Branca? Ronald Reagan, Bill Clinton, George W. Bush – todos eles caminham atrás de seus cães no gramado da Casa Branca. No mundo animal, posição significa muito. E, em todas essas imagens, os cães seguem na frente. Em toda a minha vida, nunca vi um cão de raça forte na Casa Branca. Já vi labradores. Já vi muitos terriers e diversas raças menores. Mas um rottweiler? Um pit bull? Nunca mais, desde John F. Kennedy, foram vistos pastores alemães na Casa Branca, nem rhodesian ridgebacks, pastores belgas ou mastins ingleses. Se houvesse um cão de raça forte na Casa Branca, ninguém conseguiria chegar perto do presidente. Porque, se os presidentes não conseguem controlar seus terriers ou seus labradores mansinhos, como poderiam controlar um animal de raça forte? Seriam necessários dez agentes secretos para controlar o cachorro, pois seria um animal sem um líder de matilha. Recebi muitos aplausos quando propus, durante um seminário, que as pessoas escrevessem ao Congresso e sugerissem que, antes de alguém ser nomeado presidente, aprendesse a controlar um cão forte. Talvez até mesmo uma matilha toda! Seria um teste a se passar. Todos os líderes mundiais de todos os países deveriam conseguir realizá-lo. Se isso acontecesse, então todos os líderes de matilhas humanas teriam de praticar a energia calma e assertiva, porque é a única energia que o cão segue naturalmente. Acredito que teríamos pessoas muito mais equilibradas governando o mundo se baseassem sua liderança na energia calma e assertiva.

Os animais não seguem líderes de matilha instáveis – apenas os seres humanos promovem, seguem e elogiam a instabilidade. Apenas os humanos têm líderes que podem mentir e escapar impunes. A maioria dos líderes de matilha que seguimos hoje não é estável. Seus seguidores podem não saber disso, mas a Mãe Natureza é honesta demais para ser enganada por uma energia negativa, nervosa, frustrada, invejosa, competitiva ou teimosa – mesmo que seja mascarada pelo sorriso de um político. Isso porque todos os animais podem avaliar e discernir como é a energia equilibrada. Um cão não consegue avaliar a inteligência de um ser humano, ou sua riqueza, seu poder ou sua popularidade. Um cão não se importa se o líder é Ph.D. por Harvard ou se é um general de cinco estrelas. Mas pode, definitivamente, diferenciar um ser humano estável de um instável. Nós continuamos seguindo a energia instável de nossos líderes – e por isso não vivemos em um mundo pacífico e equilibrado.

Infelizmente, poucas pessoas nascem para ser líderes de matilha no mundo humano. Mas todos nós podemos ser líderes de matilha no mundo animal. Precisamos ser, porque, gostando ou não, nós assumimos o controle do mundo, trouxemos muitos animais conosco e os domesticamos. Os animais domésticos não têm mais escolha – estão vivendo conosco, geralmente dentro de casa. Tornar-se o líder de matilha de seus animais é extremamente importante, pois os trouxemos ao nosso ambiente, que apresenta perigos que eles não compreendem, como o trânsito, a eletricidade e produtos químicos. Como podemos esperar que eles enfrentem esses riscos sem a nossa orientação? Precisamos guiá-los, para o bem e a segurança deles. Também precisamos nos tornar bons líderes de matilha pelo bem de outros seres humanos. Lembre-se: cães são predadores. São animais sociais, mas também são *carnívoros* sociais – e, no fundo de seu DNA, reside o lobo que quer caçar e matar a presa. Precisamos controlar esses instintos se quisermos viver em harmonia entre outros animais e seres humanos.

Instintos do terceiro mundo

Os líderes mundiais e os executivos com os quais conversei aquele dia tinham inteligência. Certamente todos tinham determinação, ambição e a capacidade de ser líderes de matilha de outras pessoas. Muitos eram bastante durões e agressivos na energia que projetavam. Mas o que eles definitivamente não tinham era *instinto*. Não ficaram muito felizes quando eu lhes disse que, quando se trata da Mãe Natureza, as pessoas pobres de países do terceiro mundo são melhores líderes de matilhas para seus cães do que os presentes ali naquela sala! Em países mais desenvolvidos, as pessoas são culturalmente condicionadas a serem intelectuais e emotivas. Em países pobres, muitas pessoas são culturalmente condicionadas a serem instintivas e espirituais. Pessoas de classe média-baixa ou pobres em países de terceiro mundo (a maioria da população!) são capazes de controlar um cão sem nem pensar sobre isso. Estou falando de crianças de 3 anos com cães que as seguem e as obedecem sem pestanejar. Se você disser a uma criança de 4 anos que viva em uma fazenda em qualquer lugar do mundo (inclusive em países ricos): "Vá buscar aquele cavalo", ela vai buscá-lo. E o cavalo vai obedecer.

Minha co-autora me contou uma história sobre quando esteve com uma equipe de filmagem em um oásis rural no meio do deserto do Egito. Ela e outros norte-americanos da equipe estavam passando por um rebanho de camelos quando, do nada, uma fêmea começou a parir. A fêmea estava em pé e o filhote estava saindo dela – eles só conseguiam ver cascos e longas patas. Parecia que o filhote estava preso, e a fêmea estava desconfortável. Enquanto os norte-americanos discutiam a situação, tentando decidir o que fazer, um menino de 6 ou 7 anos de uma fazenda vizinha se aproximou correndo e, sem hesitar, segurou as patas do filhote e começou a puxar. Em poucos instantes, um novo camelo havia nascido. A fêmea se abaixou e limpou o filhote, enquanto o menino secava as mãos e voltava para casa. A equipe de gravação ficou apenas olhando, admirada. Para eles, um milagre acabara de ser testemunhado. Para o menino (e para o camelo), aquele era um acontecimento comum e rotineiro no mundo da Mãe Natureza.

Em um país pobre ou na zona rural de qualquer local do planeta, é mais provável que tenhamos que depender de nossos instintos para sobreviver. As pessoas estão em contato com a Mãe Natureza o tempo todo, da mesma maneira que nossos ancestrais mexiam com plantas e com animais. Elas são forçadas a ser calmas e assertivas, porque precisam se relacionar com a Mãe Natureza de acordo com as *regras que ela impõe* para poderem sobreviver.

No sul da Califórnia, existem muitos imigrantes, legais e ilegais, vindos do México. Muitos deles vieram de áreas pobres ou rurais, com o mesmo tipo de criação instintiva e espiritual que tive. Norte-americanos abastados os contratam como jardineiros, faxineiros e ajudantes. Também sou contratado, por essas mesmas pessoas, para ajudá-las com seus cães. Se encontro imigrantes do meu país trabalhando na propriedade, às vezes pergunto a opinião deles a respeito dos possíveis problemas do cão naquela casa. Nove de cada dez vezes, eles respondem: "Bem, os donos não dão ordens ao cão. Eles o tratam como se fosse um bebê". Simples assim. Direto ao ponto. Eles dizem a respeito de seus empregadores: "Quando eles não estão, nós damos ordens ao cão e ele nos obedece. Mas, quando estão em casa, não nos permitem dizer nada ao animal, porque têm medo de ferir os sentimentos do cão". Os empregados não estão ferindo o cachorro – vejo logo no início que ele gosta dos empregados e os respeita. Às vezes, parece até que o animal prefere ficar perto deles a ficar com os donos. Quando estes voltam para casa, é aí que vejo surgir a instabilidade e a ansiedade do animal.

Quero esclarecer uma coisa: apesar de acreditar que, em geral, pessoas de países pobres são mais instintivas e ligadas à Mãe Natureza do que habitantes de países mais desenvolvidos, *não* estou dizendo que elas tratam seus animais melhor do que as pessoas de nações desenvolvidas. Na verdade, os países pobres geralmente tratam muito mal seus animais. Em parte, vim para os Estados Unidos porque os cães não são valorizados no México, exceto, talvez, pelas pessoas muito ricas. A carreira com a qual eu sonhava não existia no meu país. Como muitas pessoas de países pobres não exercitam seu lado intelectual e emotivo, nem sempre se sentem mal quando um animal é ferido e não lêem livros sobre psicologia canina para aprender sobre comportamento animal. Aliás, em muitos países subdesenvolvidos, como o México, as mulheres são tratadas pior do que os cães e os gatos dos Estados Unidos. Enquanto as pessoas de países pobres não souberem valorizar as mulheres, como podem sequer pensar em ver dignidade nos animais? No entanto, essas pessoas não têm dificuldade de *se comunicar* com os animais. É por isso que vivem interdependentemente com eles. Nas áreas urbanas, não precisamos de animais em nosso dia-a-dia para sobreviver. Nós nos livramos de nossa natureza animal, bloqueando essa conexão por meio de nossas ilusões de superioridade emocional e intelectual.

Dominação e submissão: duas novas definições

Algumas pessoas de países pobres, moradores de rua e habitantes do campo se relacionam com os animais por sobrevivência. E não têm receio de demonstrar dominância. Em ambientes rurais, o conceito de dominância não é politicamente incorreto. Em uma fazenda, o trabalhador do campo sabe que só ele pode criar harmonia entre todos os animais. Para isso, alguém tem que estar no controle. O animal com o cérebro maior, aquele que consegue estudar e compreender a psicologia de todos os outros, é que faz o trabalho. No campo, apesar de os animais serem domesticados, todos trabalham para receber alimento e água. E todos vivem juntos em harmonia. O homem do campo criou essa harmonia, com energia calma e assertiva e liderança. A liderança, por definição, implica certo grau de autoridade, influência e dominação.

Infelizmente, "dominação" parece ter se tornado um palavrão em nossa sociedade. Quando uso essa palavra falando de nossos relacionamentos com os cães, parece que as pessoas ficam incomodadas e se sentem culpadas, como se eu estivesse pedindo que agissem como ditadores com seus animais de estimação. A verdade é que a dominação é um fenômeno natural entre as espécies sociais. A Mãe Natureza a criou para ajudar os animais a se organizarem em grupos sociais e para garantir a sobrevivência deles. *Não quer dizer que um animal se torna o tirano de outro!* Na natureza, a dominação não é uma condição "emocional". Não existe coerção, não existe culpa, nenhum sentimento ruim. Qualquer animal que tenha o *status* de dominante em uma matilha de cães teve que conquistar seu espaço no topo – e, assim como ser líder de pessoas pode ser, às vezes, uma tarefa ingrata, estudos recentes mostram que ser um líder de matilha na natureza também não é um mar de rosas.

Os lobos e muitos outros membros da família dos canídeos são reprodutores cooperativos, ou seja, o par dominante é responsável pela maior parte da reprodução – ou até mesmo por toda ela. Em um estudo de 2001, pesquisadores queriam descobrir se ser um membro subordinado de um grupo que funciona com base na reprodução cooperativa fazia com que os animais seguidores tivessem mais estresse. Afinal, eles perdem a maioria das disputas e não podem escolher seus parceiros. Mas estudos dos hormônios do estresse em cães selvagens africanos e em mangustos-anões (ambos carnívoros sociais) tiveram um resultado surpreendente – os animais *dominantes* tinham muito mais hormônios do estresse! Se esses estudos estiverem corretos, escreve o pesquisador Scott Creel, da Universidade Estadual de Montana, "ser dominante" pode não ser "tão benéfico quanto parece à primeira vista. Pode haver custos fisiológicos ocultos no acesso a parceiros e a recursos que os animais dominantes têm. Isso ajudaria a explicar por que os subordinados aceitam o próprio *status* com tamanha rapidez".[1] Em outras palavras, os animais dominantes não assumem o papel de líderes pelos benefícios envolvidos. Eles nascem com a energia para liderar e naturalmente assumem o papel. Com cães, tudo gira em torno do bem da matilha. Esse é o mesmo motivo pelo qual donos de cães precisam aprender sobre liderança de matilha – e, sim, isso significa expressar *dominância* em relação aos seus animais.

Ser um líder de matilha não significa mostrar ao cão "quem manda" – significa estabelecer uma estrutura segura e consistente na vida do animal. Líderes de matilha naturais não controlam seus seguidores por meio do medo. Às vezes têm que desafiá-los ou impor sua autoridade, mas na maior parte do tempo são líderes calmos e benevolentes. No livro *Os lobos não choram*, o

---

[1] Scott Creel, "Social Dominance and Stress Hormones", *Trends in Ecology and Evolution*, vol. 16, n° 9, setembro, 2001, pp. 491-97.

relato do naturalista Farley Mowat sobre o período que viveu entre os lobos cinza do Alasca, o autor descreve George, o lobo dominante da alcatéia que observou por dois anos:

George tinha presença. Sua dignidade era inexpugnável, mas ele não era indiferente. Consciencioso por demais, cuidadoso com os outros animais e carinhoso no ponto certo, era o tipo de pai cuja imagem idealizada aparece em muitos livros de reminiscências sobre famílias, mas cujo modelo real raramente existiu no mundo como ser humano. George era, em resumo, o tipo de pai que todo filho deseja ter.[2]

Claro, Mowat está humanizando o lobo. Essa tendência o ajudou a se tornar um escritor famoso. Mas, se você tem algum receio em relação a ser o líder de matilha do seu cão, leia novamente a bela descrição de George. Pense nisso. Você não adoraria que seu cão o visse dessa maneira?

Já definimos que os cães não desejam viver em uma democracia. E nem sempre igualam submissão a fraqueza. Gosto de explicar a submissão canina como abertura a novas idéias. Um animal submisso é receptivo e disposto a respeitar as orientações dadas por um ser mais dominante. Entre os humanos, a abertura a novas idéias cria disposição e a possibilidade de aprender e assimilar novas informações. Você geralmente se encontra em um estado calmo e submisso quando lê um livro ou se senta em silêncio para assistir a um *show* ou um filme. Você se considera "servil" nesse estado? É claro que não! Mas está relaxado e receptivo. Quando ministro palestras, a maioria da platéia fica em um estado calmo e submisso. Eles foram até ali para ficar receptivos, para escutar e aprender novas informações. Quando vão à igreja, pessoas de todas as raças – brancas, latinas, negras, asiáticas – se sentam tranqüilamente, juntas, para rezar. O líder da mati-

[2] Farley Mowat, *Os lobos não choram*. São Paulo: Veredas, 1991.

lha ali é o líder espiritual – ou Deus –, e todos estão calmos e submissos. Quando saem dali, estão todos em bom estado de espírito e capazes de se relacionar bem socialmente. Apenas depois de um tempo é que as diferenças, os problemas e os preconceitos voltam para assombrá-los. Queremos criar um mundo assim, como o abrigo da igreja, para nossos cães, para que se sintam seguros, relaxados e livres para adotar um comportamento sociável. Para produzir esse ambiente, devemos nos tornar mestres em projetar a energia calma e assertiva.

Os segredos da liderança primal

A liderança calma e assertiva é o único tipo de liderança que funciona no mundo animal. Em nosso mundo, os seres humanos já seguiram líderes que nos coagiam, perseguiam, agiam de modo agressivo conosco e nos punham medo para ter controle sobre nós. Mas, mesmo entre os humanos, pesquisas têm mostrado que a liderança calma e assertiva – a liderança *primal* – é a melhor opção. Daniel Goleman – autor do livro *Inteligência emocional* –, Richard Boyatzis e Annie McKee passaram décadas pesquisando o papel do cérebro humano na criação do comportamento de liderança mais poderoso e eficiente. Considerando tudo que aprendemos sobre como a energia funciona no mundo animal, o que eles descobriram e nos contam em seu livro, *O poder da inteligência emocional*, não deveria nos surpreender: "A boa liderança funciona por meio das emoções".[3] Segundo eles, isso ocorre porque a raiz de nossas emoções – o sistema límbico no cérebro – depende de fontes externas ao corpo para ser con-

---

[3] Daniel Goleman, Richard Boyatzis e Annie McKee, *Primal Leadership: Learning to Lead with Emotional Intelligence*. Boston: Harvard Business School Press, 2002, p. 3 (ed. bras.: *O poder da inteligência emocional: a experiência de liderar com sensibilidade e eficácia*. Rio de Janeiro: Campus, 2002).

trolada. "Em outras palavras, dependemos das conexões com outras pessoas para ter estabilidade emocional." Nesse aspecto, somos exatamente como outros animais sociais – principalmente os cães. Refletimos os sinais emocionais uns dos outros, "com isso uma pessoa transmite sinais que podem alterar os níveis de hormônio, o funcionamento cardiovascular, os ritmos de sono e até a imunidade dentro do corpo de outra pessoa".[4]

Você se lembra de Warren, meu cliente com energia negativa tão forte a ponto de afetar seu cão, sua noiva e a mim? Aquela energia que sentíamos vir dele não era produto da nossa imaginação. O humor e as emoções negativas de uma pessoa podem nos influenciar, e os hormônios do estresse que são liberados quando ela nos perturba demoram horas para ser reabsorvidos pelo corpo e desaparecer.[5] Foi por isso que demorei horas para me acalmar depois do meu encontro com Warren. De acordo com os autores do livro *O poder da inteligência emocional*, "Pesquisadores têm constatado como as emoções se espalham dessa maneira sempre que as pessoas estão próximas umas das outras, mesmo quando o contato é completamente não-verbal. Por exemplo, quando três estranhos se sentam juntos em silêncio por um ou dois minutos, aquele que é mais expressivo emocionalmente transmite seu humor aos outros dois, sem precisar dizer nada".[6] Os resultados da energia negativa podem ter conseqüências literalmente letais: pacientes em unidades de terapia cardíaca cujas enfermeiras eram mal-humoradas e deprimidas tinham um índice de mortalidade quatro vezes mais alto que aqueles em unidades onde o humor das enfermeiras era mais equilibrado.[7]

Como vimos, os animais são ainda mais sensíveis do que nós a esses sinais de energia emocional e de humor. Isso é chamado

---

[4] Idem, op. cit., p. 7.
[5] Idem, op. cit., p. 13.
[6] Idem, op. cit., p. 7.
[7] Idem, op. cit., p. 16.

de "contágio emocional", e é o motivo pelo qual meu "poder da matilha" funciona tão bem como forma de reabilitação para cães "impossíveis", em casos nos quais a intervenção humana não ajudou. Uma vez que os cães se comunicam sem palavras, usando apenas energia e linguagem corporal para estabelecer "conversas", convidar um cão desequilibrado para uma matilha equilibrada pode transformá-lo quase que instantaneamente – desde que ele esteja em um estado calmo e submisso, "aberto a novas idéias", pronto para aprender e absorver a nova energia. Em uma matilha de cães, a instabilidade não é permitida. Ela acaba sendo alvo de algum tipo de ação em grupo – geralmente, um ataque. Minha co-autora falou anteriormente sobre quando passou pela experiência de ver o contágio emocional se dar entre a minha matilha em questão de segundos, praticamente no mesmo momento em que ela mudou seus pensamentos e seu estado de espírito. Se você já viu alguma matilha ou rebanho em ação, pessoalmente ou em um documentário na TV, sabe que é um dos exemplos mais dramáticos e visuais de como as emoções e a energia atuam juntas para regular todas as espécies sociais do reino animal.

Em seus estudos, Goleman, Boyatzis e McKee definiram dois tipos de liderança. O primeiro foi chamado de *liderança dissonante* e, em ambientes de trabalho nos Estados Unidos, é responsável por 42% das reclamações de trabalhadores relacionadas a gritos, ofensas verbais e outros comportamentos infelizes. "A liderança dissonante", segundo eles, "produz grupos que se sentem emocionalmente discordantes, nos quais as pessoas têm a sensação de estar sempre deslocadas."[8] Muitas pessoas que estão no poder defendem esse tipo de liderança, dizendo que faz com que os funcionários se mantenham o tempo todo "alertas". O documentário *Enron: os mais espertos da sala* mostrou uma empresa na qual a liderança dissonante era a regra absoluta. Imagine um

---

[8] Idem, op. cit., p. 20.

pregão da bolsa de valores, com os corretores competindo entre si e gritando, as pressões sanguíneas e a irritação lá no alto e todos exaustos e tensos no fim do dia, preocupados em saber se vão ter lucro suficiente para manter o próprio emprego – esse é um exemplo de liderança dissonante.

Infelizmente, esse é o tipo de liderança que meus clientes costumam demonstrar com seus cães. Eles são emotivos, facilmente irritáveis e frustráveis, assustados, fracos ou nervosos. Também são inconsistentes com as mensagens que enviam, de modo que os cães não sabem o que esperar no minuto seguinte. Meu dono é o líder da matilha? Eu sou o líder da matilha? Um cão confuso é um cão infeliz. Apesar de ser a norma na bolsa de valores, a liderança dissonante não funciona no mundo animal.

O outro tipo de liderança que os autores descrevem é a *liderança ressonante*: "Um sinal de liderança ressonante é um grupo de seguidores que vibram com a energia e o ânimo do líder. Uma característica da liderança primal é que a ressonância amplifica e prolonga o impacto emocional da liderança".[9] Esse é o tipo de liderança que chamo de "calma e assertiva", a qual, é claro, decorre da energia calma e assertiva.

Criando energia calma e assertiva

Uma coisa é compreender o que é energia calma e assertiva, outra é saber como criá-la – e como mantê-la, seja com nossos cães, nossa família, nosso chefe ou nossos colegas de trabalho. No livro *Inteligência emocional*, Daniel Goleman conta uma história fascinante sobre um combate entre tropas americanas e vietcongues logo no início da Guerra do Vietnã. De repente, no meio do tiroteio, uma fila de seis monges apareceu e começou a caminhar entre as barricadas que separavam os dois lados – indo na

---

[9] Idem, op. cit., p. 19.

direção da linha de fogo. Um dos soldados norte-americanos, David Busch, mais tarde descreveu o impressionante ocorrido: "Eles não olharam para a direita nem para a esquerda; seguiram caminhando em frente. Foi muito estranho, porque ninguém atirou neles. E, de repente, eu não queria mais lutar. Não queria mais fazer aquilo, pelo menos não naquele dia. Todos os outros devem ter se sentido da mesma maneira, porque todo mundo parou. Simplesmente paramos de guerrear".[10]

O que os monges fizeram para criar essa situação milagrosa? Eles enviaram poderosos sinais emocionais – sinais de paz que aparentemente foram mais fortes que os sinais de ódio dos soldados. Apesar de ser um exemplo extremo, ele dá uma idéia de como a força e a intenção da energia que projetamos podem afetar e mudar profundamente as pessoas ao nosso redor. Goleman descreve isso como "estabelecer o tom emocional de uma interação", que é "um sinal de dominância em um nível profundo e íntimo; significa guiar o estado emocional da outra pessoa".[11] A pessoa mais forte modifica os ritmos biológicos da outra para controlar a energia desta, para que trabalhem juntas. "A pessoa que tem a expressividade mais forte – ou o maior poder – costuma ser aquela cujas emoções modificam as dos outros. A modificação emocional é a essência da influência."

Para ter esse dom da influência emocional e se tornar um líder ressonante, é preciso dominar as quatro áreas da inteligência emocional. As duas primeiras envolvem dominar a *autoconsciência* e a *autogestão*. Essas habilidades são o que torna todos os seres humanos capazes de ser líderes de matilha no mundo natural, se assim desejarem. "Líderes autoconscientes conhecem

---

[10] Daniel Goleman, *Emotional Intelligence: Why It Can Matter More than IQ*. Nova York: Bantam Books, 1995, p. 114 (ed. bras.: *Inteligência emocional: a teoria revolucionária que redefine o que é ser inteligente*. Rio de Janeiro: Objetiva, 1996).
[11] Idem, op. cit., p. 119.

seus sinais internos. Reconhecem, por exemplo, como seus sentimentos afetam a si mesmos e o próprio desempenho. Em vez de permitir que a raiva se acumule, eles a observam conforme ela cresce e conseguem perceber o que a causa e como fazer algo construtivo a respeito"[12] Essa é uma vantagem que você tem sobre seu cão, porque os humanos são a única espécie do planeta capaz de realizar esse processo. Seu cão não consegue refletir sobre como os sentimentos dele fazem com que se sinta. Só consegue reagir. Você, por outro lado, consegue reconhecer uma emoção e redirecioná-la, antes que ela se torne a energia que você está espalhando aos outros. A parte da autogestão significa controlar suas emoções antes de agir.

As outras duas áreas da inteligência emocional, como descritas por Daniel Goleman, são funções sociais que seus cães praticam o tempo todo. Eu as chamo de *instinto*. *Consciência social*, ou *empatia*, significa estar ligado às emoções e à energia dos outros animais ao seu redor. *Administração de relacionamentos* envolve as ferramentas da liderança em si – controlar as emoções e as interações de seus seguidores. Quando um cão dominante faz contato visual com outro que esteja se movendo na direção do prato de comida do primeiro, e o segundo pára e se afasta, isso é administração de relacionamento. Quando um cão submisso reage a uma demonstração de dominância deitando-se de barriga para cima, isso é administração de relacionamento. Apenas os seres humanos costumam usar essas ferramentas para manipular ou ferir outras pessoas. Com cães, a administração de relacionamento é feita para o bem da matilha – para preservar a harmonia social, diminuir conflitos e garantir a sobrevivência.

Compreender essas quatro áreas e desenvolver habilidades relacionadas a elas é o segredo para criar o tipo correto de energia a ser projetado sobre seus cães.

---

[12] Daniel Goleman, Richard Boyatzis e Annie McKee, op. cit., pp. 30-31.

Técnicas

Transformar-se em um líder de matilha calmo e assertivo não é algo que acontece da noite para o dia. Muitos de nós fomos condicionados, desde pequenos, a duvidar de nossa capacidade, a ter baixa auto-estima ou a acreditar que ser assertivo é o mesmo que ser agressivo. Nós nos deixamos levar pelas emoções ou simplesmente não temos consciência de nosso humor ou de nossas emoções. Meus clientes tomam caminhos próprios e individuais para alimentar essa energia dentro deles, e não posso lhe ensinar um caminho simples, explicado em detalhes, para chegar lá. A energia calma e assertiva vem de dentro para fora, por isso as seguintes técnicas podem ser úteis para cultivá-la em sua vida.

Antes do século XIX, a maioria das *performances* teatrais era bastante "externa". Os estilos de atuação eram amplos, emotivos e exagerados. A voz dos atores era alta e enérgica, o que era necessário para se projetar em grandes teatros e auditórios. A maioria das peças era escrita em linguagem rebuscada ou exagerada. Na Rússia do século XX, no entanto, o ator e diretor de teatro Constantin Stanislavski criou um novo método de atuação. Sua idéia revolucionária era que os atores mergulhassem dentro de si e atuassem de dentro para fora. A atuação seria uma experiência psicológica e emocional, com base na verdade, e o objetivo do ator era que a platéia acreditasse nele. Stanislavski e, mais tarde, o norte-americano Lee Strasberg ensinaram que o poder da imaginação pode ser usado para alterar a consciência de um ator. Os atores treinavam relaxamento, concentração e técnicas de "memória emotiva", para que pudessem resgatar emoções do passado e dar vida aos personagens que interpretavam. O método, como essa técnica é conhecida, é mais do que apenas "fingir" estar irado, feliz ou pesaroso – é aprender a resgatar lembranças profundas e escondidas da emoção real e aplicá-las à cena dramática que está sendo interpretada. Quando você observa atores muito talentosos em cena, consegue sentir a energia contagiante da emoção que estão demonstrando.

É por isso que, quando treino meus clientes para utilizarem o poder da energia calma e assertiva, geralmente sugiro que usem técnicas de interpretação. Muito antes de eu conhecer algum ator ou saber o que era o método, pedia que as pessoas pensassem em uma época de sua vida em que haviam se sentido fortes, tentassem retomar aquele sentimento e o usassem quando estivessem levando seu cão para caminhar. Quando cheguei a Los Angeles, descobri que o que eu estava sugerindo é uma forma muito simples de treinamento intensivo que a maioria dos atores profissionais realiza. Muitos atores baseiam os personagens que representam em pessoas reais que conheceram. No livro *O encantador de cães*, recomendo que as pessoas se imaginem como alguém real ou fictício que represente liderança para elas. Para Sharon, uma atriz que fora treinada para usar sua imaginação dessa maneira, foi o papel de Cleópatra que deu a confiança necessária e a ajudou a se sentir no comando quando levava seu medroso cão, Julius, para passear. Outros clientes já se inspiraram no Super-Homem, em Bruce Springsteen, em Oprah Winfrey... e até mesmo em suas mães! Aliás, eu imito minha mãe sempre que uso o som "Tssst!". Não há nada de mágico a respeito desse som, mas ele tem grande significado para mim, já que era o som que minha mãe emitia para fazer com que nós, crianças, nos comportássemos.

Se você quiser aprender mais sobre essas técnicas, há muitos livros disponíveis a respeito do método de Stanislavski. Você pode fazer uma aula de iniciação à interpretação ou, se conhecer algum ator, levá-lo para tomar um café e perguntar quais são os truques que ele usa para dar vida a um personagem. Você não precisa aprender a interpretar os personagens de Shakespeare.

Lembre-se de que seu cão não é um crítico de teatro, mas ele precisa acreditar em sua *performance*!

Além dos exercícios de interpretação, *técnicas de visualização* são outro comportamento que sugiro a clientes que estejam tendo dificuldades para compreender o conceito de liderança calma e assertiva. Apesar de algumas pessoas julgarem essa abordagem simples demais, milhares de atletas, CEOs, líderes mundiais, estudantes, oficiais militares, apresentadores, entre outros, nunca conseguiriam realizar seus trabalhos, nem mesmo começar o dia, sem a visualização. Às vezes, ela envolve parar por alguns instantes, antes de um evento, para imaginar a situação toda ocorrendo com sucesso, uma história com final feliz. Se algum cliente está tendo problemas com seu cão durante a caminhada, por exemplo, depois de corrigir as técnicas físicas, lhe digo que faça um "roteiro" das caminhadas na imaginação. Como Tina Madden – a dona de NuNu – conta na "história de sucesso" do capítulo 1, quando estava no processo de transformar o cão (e sua vida), era importante para ela se visualizar passando por cães que latiam e os ignorando. Ela teve que fazer isso diversas vezes, mas, quando a situação de fato ocorreu, conseguiu conectar sua mente com a visualização. Algumas pessoas levam a visualização ao extremo, à *auto-hipnose*. Muito tem sido escrito a respeito dessas duas técnicas por psicólogos, psiquiatras e gurus de auto-ajuda. Eles afirmam que é preciso prática para fazer com que a visualização seja eficiente. Provavelmente não vai dar certo na primeira vez que tentar. Mas a mente se torna mais e mais forte cada vez que você realiza os exercícios.

O *diálogo interior* é outra técnica poderosa que pode melhorar e muito a comunicação entre você e seu cão. Muitos de meus clientes conversam constantemente com seus cães. Falam frases inteiras, a respeito de assuntos que vão desde o que o cachorro quer comer ao estado da política internacional. Essa é uma boa terapia para os seres humanos, é claro, mas não é uma maneira eficaz de conseguir um comportamento melhor do cachorro. Muitas vezes, quando você pede, usando palavras, que seu cão faça alguma coisa, deveria falar consigo mesmo. Por exemplo, Brian e Henry, os donos de Elmer, um beagle com problema de uivo crônico, se colocavam em encrenca antes mesmo de sair de casa para a caminhada da manhã. Antes que terminassem de colocar a coleira no pescoço de Elmer, ele já estava muito agitado e sempre tentava sair na frente. Como eles haviam assistido ao meu programa, sabiam que o dono tem que sair de casa antes do cão. O que eles fizeram? *Conversaram* com Elmer, explicando! "Não, Elmer. Nós saímos antes." O tempo todo, estavam permitindo que o cão os desobedecesse. É claro que ele não compreendia o que estavam dizendo. No entanto, conseguia compreender a energia por trás das palavras, uma energia frustrada, impotente, fraca e hesitante. O diálogo interior deles era mais ou menos assim: "Ai, meu Deus! Elmer está saindo antes de nós de novo. Não somos os líderes da matilha! Precisamos detê-lo!" Quem estava no controle? Elmer, é claro. Sua energia e sua intenção eram mais fortes que as dos donos, apesar de, intelectualmente, eles saberem que *deveriam* ser os primeiros a sair.

Ao invocarem o líder de matilha calmo e assertivo dentro delas, algumas pessoas são mais emotivas, outras mais visuais e algumas mais verbais. Os tipos verbais costumam preferir usar palavras primeiro, antes de terem acesso às emoções ou aos sentidos. É por isso que sugiro que esses clientes estabeleçam uma conversa *consigo mesmos* sempre que perceberem que querem conversar verbalmente com seu cão. Os cães geralmente reagem melhor quando há menos som na comunicação, e você fortalece sua energia voltando seus pensamentos para dentro de si. Ao reivindicar a posse de um móvel, por exemplo, foque sua mente e diga a si mesmo: "Este é o *meu* sofá". Use seu corpo para isso, repetindo esse pensamento em sua mente sem parar. Ao falar consigo mesmo, você gradualmente muda seu cérebro, seu corpo, suas emoções e, conseqüentemente, sua energia. É a sua energia que conversa com o cachorro. Em outras palavras, falar consigo mesmo é uma maneira muito mais rápida de comunicar sua energia ao cão do que tentar usar a linguagem dos seres humanos para discutir de modo racional com ele – por mais persuasivo que você seja, ou por mais que grite ou peça com gentileza.

Existem outros métodos eficazes que muitas pessoas que são exemplos de vida usam para se sentir mais confiantes e poderosas. Algumas delas escutam *fitas motivacionais*, como as de Anthony Robbins. Outras repetem *afirmações positivas*, ou as escrevem em pedaços de papel e as espalham pela casa, no espelho do banheiro, na porta da geladeira – ou sobre o gancho onde penduram a coleira do cachorro. Outras pessoas lêem *citações motivacionais* e livros com *inspirações diárias*. A *música* é uma das formas mais potentes de desencadear reações emocionais. Minha co-autora compila diferentes tipos de música em seu iPod para escutar de acordo com seu humor – algumas ela escuta antes de reuniões de negócios ou de situações estressantes, para se motivar; outras para acalmá-la quando está ansiosa, ou para animá-la quando está triste. Alguns clientes já revelaram fazer *ioga*, *meditação* e *tai chi* e ler *textos espirituais*, como a Bíblia, para entrar em contato com seu lado espiritual e acessar sua força intuitiva interior. Quando, aos 8 anos, comecei a demonstrar sinais de frustração e agressividade no apartamento da minha família na cidade de Mazatlán, meus pais sabiamente me matricularam em um curso de *artes marciais*, onde aprendi a focar minha energia e transformar a energia negativa em positiva. Brandon Carpenter, o famoso treinador de cavalos, que tem opiniões parecidas com as minhas a respeito da relação entre ser humano e animal, também estudou artes marciais seculares e assim aprendeu a controlar suas emoções, sua energia e seu corpo ao mesmo tempo.

ALGUMAS TÉCNICAS PARA OBTER ENERGIA CALMA E ASSERTIVA

- *Intenção* clara e positiva
- Técnicas do método de Stanislavski
- Visualização
- Auto-hipnose
- Diálogo interior
- Gravações de áudio motivacionais
- Afirmações positivas, escritas ou verbais
- Citações ou textos motivacionais
- Música
- Ioga, *tai chi*
- Artes marciais
- Meditação ou oração

E a *oração*, obviamente, é a mais poderosa fonte de diálogo interior e de *intenção* que existe. Até mesmo a ciência moderna está se tornando receptiva às pesquisas que mostram que a oração, a meditação e a fé podem influenciar os acontecimentos de maneiras as mais realistas.

Esses são meios de acessar seu lado calmo e assertivo – seu líder interior. Com a energia calma e assertiva, você tem o poder de mudar não somente a vida do seu cão, mas, se desejar, a sua também. Quanto aos figurões para os quais palestrei, alguns aprenderão a se tornar líderes de matilha calmos e assertivos para seus cães. Talvez isso os inspire a dividir uma energia mais calma e assertiva com as pessoas que trabalham para eles e com o resto do mundo. Outros, obviamente, vão continuar fazendo tudo como sempre fizeram. Theodore Roosevelt disse, certa vez: "As pessoas perguntam a diferença entre um líder e um chefe. [...] O líder age abertamente; o chefe, escondido. O líder lidera; o chefe dirige". Para que seu cão o siga, você não pode ser apenas um chefe. Precisa ser um guia, uma inspiração, um líder de fato, de dentro para fora.

❧ ❧ ❧

HISTÓRIA DE SUCESSO
CJ e Signal Bear

"Eu estava trabalhando em uma empresa de manutenção quando um supervisor entrou em nosso escritório e disse: 'Podemos acompanhá-los até seus carros na hora do almoço. Há uma fêmea de chow chow lá fora, prenhe e feroz, aterrorizando a todos. Acabamos de telefonar para o Centro de Controle de Zoonoses para que venham buscá-la'. Pensei: *Ah, meu Deus! Uma cadela prenhe e feroz? Com certeza vão sacrificá-la*, pois era assim que aquela instituição procedia com cães perigosos. Tive vontade de sair para dar uma olhada naquele pobre animal, que certamente morreria. No entanto, quando cheguei ao estacionamento, o que vi foi um cão macho extremamente assustado. Ele estava em pânico, latindo, rosnando e correndo de um lado para outro. Por ser supervisora de segurança ambiental e proteção à saúde, com 35 anos de experiência, meu primeiro pensamento foi: *Sou capaz de ajudar esse animal de modo seguro, sem me arriscar, sem colocar os outros trabalhadores ou mesmo o cão em perigo, se por acaso ele fugir e correr para a rua?*

Eu vinha assistindo ao programa *Dog Whisperer*, com Cesar Millan. Tendo trabalhado com cães de resgate e de exposições a vida toda, acreditei ser capaz de experimentar algumas das técnicas que ele havia explicado no programa. Eu me lembrava especificamente de duas orientações de Cesar: 'Depressão e agressividade costumam ser, na verdade, frustração' e 'Gaste a energia primeiro; deixe o cão se cansar'. Foi isso que ele fez, e por fim se escondeu entre um galpão e um muro de concreto, mudando sua energia de confronto agressivo para fuga assustada. Em seguida, segui os passos que vira Cesar adotar em casos de cães na zona de alerta – apesar de saber que, no programa, os telespectadores são orientados a não tentar tais técnicas em casa. *Assuma o controle do espaço* – bloqueei a saída do cão, sentando-me na entrada e assumindo o espaço. *Não toque, não fale, não estabeleça contato visual* – sentei-me de lado bloqueando a saída, sob um sol escaldante, por duas horas. Por fim, o cão se aproximou de mim. Eu o ignorei. Ele me tocou com o focinho – sua energia havia mudado para calma e submissa, quieta e equilibrada. Sem olhar para ele, estiquei o braço, massageei seu ombro e, por fim, o puxei para mim, então o levei para o carro para poder apresentá-lo à minha matilha de quatro cães em casa. Fiz tudo à maneira de Cesar.

Signal Bear, como passei a chamá-lo, foi o primeiro cão da minha 'matilha' a ser criado segundo as instruções de Cesar desde os primeiros momentos de contato comigo. Tenho me surpreendido ao perceber como é muito mais fácil lidar com os cães utilizando as técnicas de Cesar do que humanizando-os, como eu vinha fazendo com meus cachorros nos últimos dez anos. Desde então, me senti inspirada a abrir uma lista de correspondência entre fãs e amigos do *Dog Whisperer* na Internet e resgatei, reabilitei e devolvi ao convívio social quatro outros cães (até agora!), que estavam prestes a ser sacrificados por supostamente terem problemas 'incuráveis' de comportamento, mas todos mudaram com a aplicação consistente da fórmula de Cesar de 'regras, limites e restrições'.

A filosofia e as técnicas de Cesar nos deram uma vida melhor com nossos cães e também ajudaram meu marido e eu em nosso trabalho. Tenho um cliente que passou anos conseguindo me irritar. Recentemente, quando ele começou a me culpar injustamente por algo, decidi mudar minha abordagem. Em vez de me sentir e de agir como vítima, me desapeguei mentalmente de todo o histórico de irritações e de reações emotivas e receosas em relação àquele homem. Respirei profundamente para me acalmar e então apliquei uma técnica de distração que vi Cesar fazer ao caminhar com os cães. Apesar de eu não poder dizer 'Tsssst!' para o cliente, usei a mesma energia usada por Cesar e simplesmente disse o nome do homem, ao mesmo tempo em que tocava seu braço com firmeza. Ele ficou paralisado – sua raiva foi interrompida – e realmente *olhou* para mim. Em seguida, continuei falando sobre as decisões do projeto. Meu cliente simplesmente acompanhou minhas explicações com calma. Eu o tornei parte da minha equipe (matilha) novamente!"

8

NOSSOS TERAPEUTAS
DE QUATRO PATAS

Apresente-se à luz das coisas,
Deixe a Natureza ser sua mestra.

- William Wordsworth

Abbie Jaye ("AJ" para os amigos) havia acabado de passar por um inferno pessoal de cinco anos. Seu amado Scooby, mistura de pastor alemão com labrador, havia acabado de morrer. Depois, sua mãe e seu pai morreram, um logo após o outro. Tentando desesperadamente ter um filho com o marido, Charles, Abbie teve quatro abortos seguidos – um mais doloroso que o outro. Se é verdade, como as pessoas dizem, que Deus não nos dá uma cruz maior do que conseguimos carregar, ele certamente estava testando AJ – um teste no qual, por um tempo, ela teve certeza de que seria reprovada. "Imagine aquele brinquedo inflável chamado joão-bobo", ela explicou. "Quando você bate nele, ele vai para trás, mas um segundo depois está em pé novamente. Bem, eu não tive tempo para me recuperar de um golpe antes de levar outro."

O resultado de todas essas tragédias, uma após a outra, foi que AJ começou a sofrer uma reação psicológica ao estresse severo, conhecida como síndrome do pânico. Tudo que você aprendeu aqui sobre como seu cão sofre com a energia acumulada se aplica a todos os animais – principalmente aos humanos. Quando as pessoas passam por traumas, como os que AJ sofreu, e não

245

conseguem ter algum tipo de alívio para todo o sofrimento, a tristeza e a frustração, essa energia negativa tem que ir para algum lugar. Os ataques de pânico são uma maneira de liberar a energia negativa. Cerca de 4% da população mundial sofre dessa síndrome. Quem já teve ataques de pânico os descreve como pesadelos devastadores. São traumas físicos e emocionais – uma sensação de morte iminente, de que se está prestes a ter um ataque cardíaco, a sufocar, ou todas essas sensações ao mesmo tempo. O coração acelera e a respiração fica difícil, braços e pernas formigam e adormecem e a pessoa pensa estar enlouquecendo. Algumas vítimas chegam a ficar zonzas e a desmaiar. Antes de receberem o diagnóstico, muitas acabam indo parar no hospital. O pior a respeito dos ataques de pânico é que eles nem sempre acontecem por um motivo óbvio. Pessoas que sofrem desses ataques afirmam que eles ocorrem "do nada". Isso faz com que as vítimas fiquem em uma situação de terror, impotência e depressão, mesmo depois que o ataque passa. Elas não sabem quando ou onde outro ataque vai acometê-las, e o que vai acontecer com elas.

AJ se tornou uma dos milhões de pessoas que sofrem de síndrome do pânico e temem que os surtos ocorram em público, por isso começou a ficar cada vez mais em casa. Isso foi terrível para ela, que era uma pessoa muito ativa e enérgica antes de o problema começar. Era sempre ela que cuidava dos outros, e nunca precisava de cuidados. Além de seu emprego como diretora de atividades em uma casa de repouso, AJ estava sempre trabalhando como voluntária – aliás, ela habilitou seus cães como animais de terapia e, por quinze anos, os levava consigo nas visitas que fazia a pessoas que precisavam de ajuda.

Cães de terapia são animais treinados para ir a hospitais, casas de repouso, asilos, manicômios e escolas para oferecer amor e conforto a pacientes e moradores. Cães calmos e submissos muitas vezes podem ajudar onde os humanos não podem. Quando vemos uma pessoa ligada a uma máquina, não conseguimos deixar de sentir pena ou tristeza por ela. Os animais não vêem isso. É por isso que muitas pessoas que estão hospitalizadas preferem a visita de um cão de terapia à de um ser humano. Médicos e enfermeiras são treinados para serem mais imparciais, mas em geral a energia deles não é protetora. Eles se aproximam usando uma energia puramente intelectual. Mas o cão está sempre em um estado instintivo. Se você levar um cachorro calmo, submisso e equilibrado para uma sala onde haja pessoas que estão sofrendo, ele imediatamente vai para perto da pessoa mais fraca do ambiente, a coloca em uma energia melhor e depois trabalha nas outras pessoas presentes, para que todas fiquem no mesmo estado de espírito. Tudo que as pesquisas sobre o poder de cura dos animais já descobriram tocou apenas superficialmente os segredos mágicos do elo entre seres humanos e animais. Até agora, elas mostraram que animais de estimação diminuem nossa pressão arterial, os níveis de triglicérides e de colesterol ruim.[1] Se você tiver um ataque cardíaco, tem oito vezes mais chances de sobreviver por no mínimo um ano se tiver um cão. Se for submetido a uma cirurgia, vai se recuperar com muito mais rapidez com a terapia animal. Testes químicos mostraram que, minutos depois de começar a acariciar um cão, você e o animal liberam um fluxo de hormônios benéficos, como prolactina, oxitocina e feniletilamina. Cães de terapia têm sido usados para melhorar a concentração e estimular a memória em pacientes que sofrem de mal de Alzheimer e de depressão; ajudar na comunicação daqueles que têm dificuldades para falar, como pacientes psiquiátricos e vítimas de derrame cerebral; e simplesmente oferecer conforto e sensação de paz àqueles em situações

---

[1] Chris Duke, "Pets Are Good for Physical, Mental Well-Being", *Knight Ridder/Tribune News Service*, 11 de setembro de 2003.

estressantes.[2] AJ, Scooby e seu outro cão, Ginger, mistura de labrador com boxer, de 3 anos, realizavam essas tarefas até a morte de Scooby. Depois disso, um pequeno terrier de 1 ano, chamado Sparky, assumiu o posto vago.

Mas Sparky demonstrou ter um talento particular e especial. Tanto Abbie quanto seu marido, Charles, notaram que, quando ela estava com Sparky, tinha menos ataques de pânico e, quando os ataques ocorriam, ela conseguia se recuperar com muito mais rapidez. Sparky deu a ela um sentido de paz e de conforto que nenhum remédio conseguiria; aliás, os diversos remédios que já haviam sido prescritos para ajudar Abby com os ataques tinham efeitos colaterais terríveis ou não tinham efeito nenhum. Marty Becker, veterinário e autor do livro *O poder curativo dos bichos*, disse: "Acredito que ter um animal de estimação tem todos os benefícios de um antidepressivo, e mais – sem nenhum efeito colateral". E foi exatamente assim que AJ descreveu Sparky: "Se eu pudesse armazenar o que sinto quando estou com ele e espalhar sobre o Oriente Médio, haveria paz naquele lugar. Porque ele me dá uma sensação profunda de paz e tranqüilidade".

Estava claro para AJ que, se ela quisesse ter sua vida de volta, teria que fazer com que Sparky conseguisse a habilitação de cão de serviço, uma responsabilidade muito maior do que ser simplesmente um animal de terapia. Pensamos nos cães de serviço apenas como cães-guias de cegos e cães de assistência, que ajudam pessoas em cadeiras de rodas. Mas os cães de serviço são treinados também para ajudar crianças com autismo e outros problemas de desenvolvimento, para se tornar os "ouvidos" de surdos, para ajudar pessoas com dificuldades de equilíbrio e até mesmo para lembrar aos portadores de doenças crônicas que precisam tomar seus remédios na hora certa! E atualmente existe

---

[2] PAWSitive Interactive, "A Scientific Look at the Human-Animal Bond", 2002. Disponível em: <www.pawsitiveinteraction.com/background.html>.

todo um movimento a favor de cães de serviço psiquiátrico – usados para ajudar pessoas com problemas mentais.[3] Os cães de serviço psiquiátrico são treinados para se aproximar das pessoas quando elas estiverem tristes, para acordá-las se sofrerem hipersonia (aumento excessivo das horas de sono) e para lembrá-las de tomar seus remédios se tiverem problemas de concentração ou de perda de memória. Conforme vimos, como os cães são completamente ligados aos nossos sentimentos, emoções e até mesmo a mudanças físicas e químicas quase imperceptíveis em nosso corpo e nosso cérebro, são muito mais intuitivos do que a maioria dos caros psiquiatras e, às vezes, agem com muito mais rapidez do que os paramédicos para nos salvar em emergências.

Sparky já estava atuando como guia de Abbie e a confortando. Mas, para que pudesse estar com ela o tempo todo, ele precisava ser certificado como um cão de serviço, para que pudesse usar uma roupa especial e tivesse as "credenciais" necessárias para entrar com ela em lojas, restaurantes, aviões e outros locais públicos. Sparky passou com facilidade por todos os testes básicos, como obedecer a comandos e entrar em um carro, mas havia uma área na qual ele era um fracasso. Agia de modo imprevisível em situações públicas, muitas vezes se distraindo quando carros, pessoas, caminhões e outros cães passavam, podendo ser até agressivo com esses últimos. Sem que ele passasse no "teste de lugares públicos", AJ não conseguiria fazer uso do melhor remédio disponível para ajudá-la – seu cão. Foi então que ela me pediu ajuda.

Antes de chegar aos Estados Unidos, eu nunca havia visto um cão de serviço ou de terapia e, assim que vi um, fiquei fascinado. Tudo fazia perfeito sentido para mim. Afinal de contas, desde

[3] T. Fields-Meyer e S. Mandel, "Healing Hounds: Can Dogs Help People with Mental-Health Problems Get Better?", *People*, 17 de julho de 2006, pp. 101-2. Para mais informações, visite <www.psychdog.org>.

tempos passados, a humanidade desenvolveu raças de cães para nos ajudar a sobreviver. No mundo moderno de hoje, geralmente enfrentamos mais problemas mentais do que físicos, então por que não empregar cães para nos ajudar a superar esses problemas? Tornar-se um cão de serviço ou de terapia é um trabalho disponível para cachorros de qualquer raça, contanto que tenham o temperamento certo para isso. Alguns cães – como Sparky – se saem naturalmente bem na tarefa. Dar ao cão um trabalho e uma tarefa importante a ser cumprida é a melhor coisa que se pode fazer por ele. Está nos genes dele trabalhar para obter comida e água e para sentir que tem uma missão na vida. AJ e Sparky já tinham aquele tipo de elo que muitas pessoas se esforçam para formar com seus cães de terapia. Mas será que ele conseguiria superar seus problemas para ter sucesso?

Minha reunião com AJ e seu marido foi muito reveladora. Vi que ela era uma pessoa extremamente forte – uma lutadora –, que havia chegado ao limite da capacidade de enfrentar situações traumáticas. O que aconteceu com ela poderia acontecer com qualquer pessoa – e estava claro, pelas lágrimas em seus olhos, que AJ queria muito vencer aquele problema e seguir em frente. Mas, apesar de ela estar sofrendo de um problema psiquiátrico muito incapacitante, percebi sua energia positiva sob a camada negativa. Porém a energia estava sendo reprimida pelo medo e, por ela ser uma pessoa muito forte, o medo acabava passando para o marido e para os cães. Não fiquei nem um pouco surpreso quando ela me disse que Ginger e Sparky tinham problemas com agressividade temerosa. Eles estavam sentindo o medo da dona!

Trabalhei tentando reduzir a agressividade dos dois cães dentro de casa e, desde o começo da sessão, pude perceber pelo rosto de AJ que ela estava entendendo tudo. Ela logo percebeu que sua instabilidade estava sendo refletida no comportamento dos cães. Esse momento é muito importante para os meus clientes.

Algumas pessoas, como Warren ou Danny, mencionados em capítulos anteriores, nunca compreendem esse conceito vital. Às vezes, os clientes menos prováveis – como o magnata, por exemplo – acabam entendendo a mensagem depois que já trabalhei com eles por muito tempo. Mas AJ percebeu tudo no começo. Ela tinha uma mente muito perspicaz e era extremamente motivada. Diferentemente de algumas pessoas, que parecem gostar de se afundar em seus infortúnios, AJ queria desesperadamente se livrar dos dela. Quando começou a vislumbrar uma possibilidade, quis agarrá-la com toda a força. Ela me disse: "Se eu conseguisse aprender a ser calma e assertiva, não teria síndrome do pânico nem precisaria de um cão de serviço". E eu disse a ela: "Não vou ensinar a você como ser calma e assertiva". Apontei para Sparky e completei: "*Ele* vai".

Cura calma e assertiva

O que eu queria que Abbie compreendesse era o seguinte: a maneira mais clara de ver sua energia refletida é observar o comportamento dos animais ao seu redor. Minha matilha faz com que eu seja um ser humano centrado porque ela sempre me mostra quem estou sendo naquele momento. Se pudermos ler a energia dos animais ao nosso redor, todos nós poderemos nos tornar seres humanos melhores – e até curar algumas de nossas feridas mais profundas.

No início da sessão, AJ me contou que tinha muito medo dos "cães que aparecem nos noticiários" – akitas, rottweilers, pastores alemães e, principalmente, pit bulls. Não era de surpreender que seus animais tivessem medo de cachorros desconhecidos – estavam pegando aquele sentimento de AJ! Bem, ela estava com sorte. Para pessoas que têm medo de pit bull, tenho a cura perfeita esperando por elas no Centro de Psicologia Canina. Convidei AJ e Sparky para irem comigo ao Centro e conhecerem minha matilha. Na época, havia 47 cães lá, incluindo doze pit bulls. Eu queria que AJ os conhecesse frente a frente. Acredito que a única maneira de uma pessoa ou um animal se livrar de seu medo é passar por uma situação extrema e superá-la. Foi assim que superei meu medo de avião – entrando em um e experimentando minhas sensações. Até agora, nenhum avião no qual estive caiu, por isso reforcei o vôo para mim como uma experiência neutra – ainda que não seja exatamente positiva! Algumas pessoas que têm o mesmo medo que eu tomam calmantes ou ingerem álcool para relaxar – e depois se perguntam por que o medo nunca vai embora. Isso ocorre porque elas simplesmente o evitam, em vez de encará-lo. Quanto mais usam substâncias artificiais para bloquear a ansiedade, em vez de se permitirem passar por isso, mais reforçam a si mesmas que devem sentir medo.

Também acredito – e já vi isso em centenas de experimentos com cães – que muitos animais podem superar fobias encarando seus medos. Foi assim que ajudei Kane, o dogue alemão da primeira temporada de *Dog Whisperer*, a superar o medo de pisos escorregadios. Usando o próprio impulso de Kane, levei-o ao mesmo piso escorregadio aonde ninguém conseguira levá-lo antes e simplesmente esperei, com minha energia calma e assertiva, que ele se acostumasse àquela nova situação. Comigo oferecendo uma sensação de liderança na qual ele podia confiar, seu bom senso acabou por mostrar que não havia nada a temer ali. Em menos de quinze minutos, Kane ficou livre de uma fobia desnecessária que vinha causando grande estresse a ele e a seus donos. Hoje, quatro anos mais tarde, ele continua totalmente livre do medo.

Alguns psicólogos e especialistas em comportamento animal se referem a isso como *inundação*, e alguns críticos me atacam por isso. Pedi a minha amiga, a psicóloga Alice Clearman, que explicasse como a inundação funciona no cérebro. Ela me disse que *exposição* é o termo atual para a prática e que é o melhor tratamento para fobias em seres humanos. Ela explicou como essa técnica age: "A exposição consiste em reforço no cérebro. Sempre que adotamos um comportamento habitual em resposta a algo que tememos, reforçamos esse medo. Se temos medo de aranhas e nos afastamos delas, reforçamos esse medo. Imagine um grande medo de aranhas. Você vê uma em seu quarto. Sai correndo e chama alguém para matá-la. Ou então espirra meia lata de inseticida no quarto. Ou telefona para uma empresa de dedetização. Conheço uma pessoa que se recusou a dormir em seu quarto durante três meses depois de ver uma aranha ali! A pessoa vai ficando cada vez mais ansiosa conforme se aproxima do objeto ou da situação temida. No caso das aranhas, se tenho medo delas e preciso matar uma, fico com mais medo conforme me aproximo dela. Talvez eu esteja segurando um sapato, pronta para matar a criatura. Meu coração está acelerado, minha pulsação descontrolada, estou quase sem ar. Estou aterrorizada! Chego mais perto, suando muito. De repente, decido que não sou capaz! Eu me viro e fujo do quarto, correndo para chamar meu vizinho e pedir que ele mate a aranha. Quando saio correndo, como estou me sentindo? Aliviada! Minha pulsação volta ao normal. Seco o suor da testa com a mão trêmula. Ufa! Essa foi por pouco! Veja o que eu fiz com o meu cérebro. Senti uma ansiedade crescente conforme me aproximava da aranha. Então, decidi que não conseguiria. Saí correndo e senti um grande alívio. Esse alívio foi uma recompensa. Eu me recompensei por fugir da aranha. Ensinei a mim mesma, de maneira prática em meu cérebro, que as aranhas são, realmente, criaturas muito perigosas. Sei disso por causa do alívio que senti quando saí do quarto. O resultado foi que eu aumentei meu medo. E fico um pouco mais temerosa de aranhas toda vez que fujo".

Segundo a dra. Clearman, a diferença entre cães e seres humanos, quando se trata de fobias, é que os humanos atrelam pensamento, imaginação, memória e antecipação a seus medos. Os cães não fazem isso – eles vivem no presente, o que lhes dá uma grande vantagem para conseguir superar medos e fobias. Mas para os humanos, mesmo com as complexidades de pensamento e memória, o melhor tratamento continua sendo a exposição. A dra. Clearman me disse que o tratamento para fobia de aranha é fazer com que o paciente permita que uma aranha ande por sua pele até perder o medo da criatura. A pessoa que sente a fobia começa conversando com um terapeuta, que avalia o grau do medo, mas o tratamento é sempre o mesmo. Pode ser realizado em sessões curtas por um longo período, ou em apenas uma sessão. A exposição é usada pelos psicólogos há cerca de trinta anos. A dra. Clearman explicou que as montanhas de pesquisas que são feitas continuam a provar que essa técnica é extremamente eficiente.[4]

Um importante benefício da exposição é sua rapidez. Com seres humanos e cães, essa técnica elimina a fobia em um período bastante curto. Qual é o dano causado ao permitir que alguém viva com uma fobia pelo resto da vida? É grande. As fobias produzem hormônios do estresse, que encurtam a vida por pre-

---

[4] J. Wolpe, *Psychotherapy by Reciprocal Inhibition*. Palo Alto: Stanford University Press, 1958; K. Hellström, J. Fellenius e L. G. Ost, "One Versus Five Sessions of Applied Tension in the Treatment of Blood Phobia", *Behavioral Research and Therapy*, vol. 34, nº 2, 1996, pp. 101-12; L. G. Ost, K. Hellström e J. Fellenius, "One-Session Therapist-Directed Exposure vs. Self-Exposure in the Treatment of Spider Phobia", *Behavioral Research and Therapy*, vol. 22, 1991, pp. 407-22; K. Hellström e L. G. Ost, "One-Session Therapist-Directed Exposure vs. Two Forms of Manual-Directed Self-Exposure in the Treatment of Spider Phobia", *Behavioral Research and Therapy*, vol. 33, nº 8, 1995, pp. 959-65; L. G. Ost, "One-Session Treatment for Specific Phobias", *Behavioral Research and Therapy*, vol. 27, nº 1, 1989, pp. 1-7; L. G. Ost, M. Brandburg e T. Alm, "One Versus Five Sessions of Exposure in the Treatment of Flying Phobia", *Behavioral Research and Therapy*, vol. 35, nº 11, 1997, pp. 987-96.

judicar o coração, o cérebro e o sistema imunológico. Os cães são prejudicados por esses hormônios da mesma maneira que nós. Ajudar a eliminar esse estresse *com rapidez* é a melhor coisa que podemos fazer para animais ansiosos e medrosos. Alguns críticos dizem que o uso que faço da exposição é "cruel". É claro que, se uma pessoa ou um animal for repentinamente *forçado* a encarar uma experiência aterrorizante sem orientação (de um terapeuta ou especialista em animais experiente), isso pode fazer mais mal que bem. Mas, com as informações corretas e a energia calma e assertiva, ajudar os cães a eliminar fobias dá a eles a oportunidade de relaxar e ter melhor qualidade de vida. Se você sabe que pode suprimir a experiência do medo ou da ansiedade de modo tranquilo e seguro, o ato mais generoso a tomar em relação a quem se ama é fazer exatamente isso. Para que prolongar o sofrimento? Na minha opinião, é melhor eliminá-lo rapidamente.

Outro benefício da exposição é algo que a dra. Clearman chama de auto-eficácia – sentir-se eficaz na própria vida. É importante que tanto os humanos quanto os cães tenham autoconfiança e auto-estima. Quando superam um medo, tornam-se muito fortalecidos. Isso afeta outras áreas da vida, e eles se sentem mais fortes, confortáveis e felizes. Era isso que eu queria fazer com que AJ obtivesse, expondo-a a minha matilha de pit bulls. Queria não apenas que ela superasse seu medo de cães grandes e fortes, mas ajudá-la a se sentir mais forte como líder de matilha com Sparky – e no restante de sua vida, algo de que ela precisava desesperadamente. A vida de AJ naquele momento era como um arquivo com duas gavetas, mas a gaveta repleta de experiências ruins estava transbordando, enquanto a outra, a de boas experiências, estava praticamente vazia. Meu objetivo era ajudá-la a preencher a outra gaveta. E minha matilha iria ajudá-la.

Na boca do crocodilo

Quando AJ foi ao Centro, passei a ela as regras de sempre: não tocar, não falar, não manter contato visual. Pude perceber que ela estava hesitante, mas com certeza curiosa, e tinha uma atitude muito positiva. Algo notável foi que, assim que abri o portão, um dos meus pit bulls, Popeye, veio correndo recepcioná-la. AJ tinha medo de pit bulls, e mesmo assim foi Popeye quem a convidou para se unir à matilha. Imediatamente percebi que sua ansiedade sumira. Foi como se existisse um elo imediato entre ela e Popeye. Ela já estava sentindo o poder curativo dos cães.

AJ caminhou entre a matilha de 47 cães e estava bastante calma. Ela descreveu a situação como "uma experiência fora do corpo". Acho que não conseguia acreditar que estava de fato andando entre eles! Foi para o campo de areia comigo e jogou a bola para os cães. A cada movimento, se sentia mais e mais confiante. Percebi que ela estava segura o bastante e a levei para uma área menor, para uma "festinha particular" com os pit bulls. Isso foi um pouco mais difícil para ela, mas AJ confiou em mim e seguiu meus comandos. Deixei que ela visse o que acontece quando os pit bulls entram em conflito – e como coloco um ponto final na confusão antes que tome proporções exageradas. E mostrei a ela como esperar que o cão esteja com a mente relaxada antes de lhe fazer carinho. Isso, é claro, incentiva o animal a relaxar. O mais bonito foi que Popeye deitou na nossa frente e ficou perto de AJ, como se a estivesse protegendo. E, ali perto, Sparky assistia a tudo. Ao ver que o desconforto da dona ia desaparecendo, a agressividade dele em relação a outros cães ficava mais perto de ser curada.

Um momento muito importante foi quando AJ e eu caminhamos pelo bairro do Centro de Psicologia Canina, um lugar repleto de depósitos e com muitos cães sem coleira. Perto de um estacionamento, encontramos uma fêmea de labrador mista, prenhe, que começou a latir para nós de modo agressivo. AJ se manteve calma durante todo o tempo, e Sparky também. Mais uma coisa ficou clara para ela – foi aí que ela percebeu de uma vez por todas que realmente *era* a fonte de energia de Sparky! Mostrei a AJ como se manter calma e assertiva e apenas repetir o diálogo interior: "Não pretendo machucá-lo, mas este é o meu espaço". Eu a desafiei a dar um passo na direção do cão agressivo, e AJ o viu se afastar com submissão. "Isso mesmo", eu disse. "Você venceu." Abbie ficou eufórica. E estava prestes a ganhar muito mais.

Cerca de duas semanas depois, convidei AJ e seu marido, Charles, para levarem Sparky e Ginger de volta ao Centro. Essa visita serviria para fortalecer a matilha toda, mas também para garantir que AJ reforçasse o aprendizado da primeira visita. Foi maravilhoso ver a mudança nela. Seus olhos estavam mais brilhantes, ela caminhava de modo mais ereto, e percebi que mal podia esperar para ficar entre os cães novamente! Para testar o que ela havia aprendido, pedi que desse a Charles as mesmas regras que eu havia dado a ela na primeira visita. Ela disse com confiança: "Não toque, não fale, não estabeleça contato visual", como se já tivesse estado ali milhares de vezes. Educadores profissionais sabem que, quando uma pessoa divide seu conhecimento ou ensina uma habilidade a alguém, fortalece o próprio aprendizado do assunto.[5] O simples ato de ensinar a Charles as coisas que havia aprendido duas semanas antes deu a ela outra injeção de confiança.

Dentro do Centro, AJ foi calma e assertiva pelo menos 90% do tempo. Seu corpo e seu rosto estavam relaxados e, ao caminhar, mantinha os ombros erguidos e os olhos concentrados, em vez de se movimentando à procura de perigos vindos do chão.

---

[5] Angela W. Little, "Learning and Teaching in Multigrade Settings", *Unesco EFA Monitoring Report*, 2005.

Quando um dos pit bulls pulou nela, calma e assertivamente AJ pediu que ele descesse, e no mesmo instante ele se sentou diante dela, com calma e submissão. Sempre que ela conseguia realizar uma nova tarefa com os cães, sua confiança aumentava. Quando saiu do Centro aquele dia, ela disse ao diretor: "Se eu fizer o que Cesar diz o tempo todo, não apenas não terei mais ataques de pânico como também não precisarei mais de um cão de serviço".

Como percebemos depois, Sparky precisava de bem menos reabilitação que AJ. Quando ele passou no "teste de lugares públicos" com louvor, fiquei muito feliz, vibrei e comemorei. Eu me sentia como se tivesse recebido um Oscar. AJ me deu um desenho que havia feito de Popeye, seu amigo do Centro que foi o primeiro a mudar a opinião dela sobre os pit bulls. A verdadeira história de sucesso desse caso não foi Sparky, e sim AJ. Aprender a dominar a energia calma e assertiva com os cães – principalmente com pit bulls – a colocou em um caminho de autodescoberta que fez com que ela continuasse evoluindo. Ela voltou a trabalhar como *chef* de comida natural e começou a dar aulas para cegos no Instituto Braile, como voluntária. E a síndrome do pânico melhora cada vez mais. Ela diz: "Cesar me ajudou a perceber que, se eu não começar a encarar meus medos, eles vão acabar me consumindo. Não encarar os próprios medos não faz com que eles desapareçam. Encará-los, sim. Trabalhar com Cesar me ajudou a transformar minha energia de medo em assertividade. Ainda sinto medo – muito, às vezes –, mas agora estou disposta a senti-lo e fazer o que precisa ser feito mesmo assim. Com a síndrome do pânico, costumamos não lutar nem fugir – apenas nos paralisar. Eu me tornei uma guerreira e devo isso a Cesar".

A verdade é que AJ me ensinou uma lição tão importante quanto a que ensinei a ela. Admiti para ela que, apesar de nunca desistir dos cães, às vezes desistia das pessoas e da capacidade delas para mudar. AJ tinha um distúrbio do qual muitas pessoas sofrem a vida toda. Mas, como tinha uma atitude bastante positiva e muita determinação, ela não desistiria de si mesma. AJ me ensinou a não desistir das pessoas. E, quando elas têm cães em sua vida agindo como professores, não existem limites para até onde podem chegar.

A história de AJ e de Sparky é um bela lição sobre o poder curativo dos cães – e também sobre como o domínio da liderança calma e assertiva pode criar grandes mudanças em todas as áreas da nossa vida. O mais maravilhoso a respeito dos cães é que geralmente eles conseguem nos motivar a mudar quando nenhuma outra coisa consegue.

Se um cão pudesse escolher com qual ser humano gostaria de conviver, ele não colocaria um anúncio no jornal dizendo: "Procura-se pessoa que queira um cão para lhe dar carinho, carinho, carinho!" Isso porque o *carinho* não cria equilíbrio. O dono carinhoso pode criar instabilidade. Em meu primeiro livro, contei a história de Emily, uma pit bull. Nascida com uma mancha nas costas em forma de coração, foi amada e adorada desde o momento em que sua dona, Jessica, a adotou. A menina a enchia de carinho todos os dias. Mas Emily se tornou uma cadela muito agressiva. Se um cão pudesse escolher com quem viver, escolheria um dono *sensato*, e não simplesmente *carinhoso*.

A maioria dos animais, no entanto, se pudesse escolher, preferiria viver entre seus pares a viver entre seres de outra espécie. Um animal que não consegue se relacionar com seres de sua espécie vive perdido, como um homem sem pátria. Você se lembra de Keiko, a orca do filme *Free Willy*? Criada em cativeiro, treinada e amada por seus treinadores, ela foi solta diversas vezes, mas não conseguia se relacionar com as orcas que viviam livres. Ela tentava, mas não era aceita. Não tinha as habilidades sociais necessárias, que não podiam ser ensinadas pelos seres humanos.

259

Infelizmente, Keiko morreu sem saber como era ser uma orca, sem nunca ter sentido o orgulho de pertencer a sua espécie. Acredito que o mesmo acontece com os cães. Eles estão completos apenas quando conseguem interagir e se relacionar com outros de sua espécie. Eles conseguem se adaptar para viver com espécies diferentes? Certamente – faz parte do nosso mecanismo de sobrevivência conseguir coexistir com outros animais, contanto que não sejamos atacados. Mas será que um cão prefere ser humano a ser cão? Na fazenda do meu avô, no México, havia cães que pastoreavam as cabras. Para que se tornassem cães trabalhadores, eram desmamados logo cedo e a cabra mãe os criava, para que se tornassem parte do rebanho. Mas, em determinado momento, conforme o cão se desenvolvia, parava de adotar comportamentos de cabras e agia de modo mais parecido com o de um cão. Porém as cabras formavam sua matilha – até onde ele sabia, uma cabra o criara, então aquela era sua família. Mas ele continuava realizando atividades de cães. Por fim, encontrava outros cães, um parceiro com quem cruzar e acabava se desatrelando da família de cabras. Continuava passando seus dias com o rebanho, mas agora aquilo era apenas um trabalho para ele, não sua identidade. Ele se sentia bem consigo mesmo – bem por ser um cão.

Honrando nosso humano interior

De certo modo, a história do cão pastor de cabras é uma metáfora da minha vida. Quando criança no México, não conseguia me identificar com as pessoas. Eu me sentia diferente delas. Em vez de tentar me aproximar delas, procurava a companhia dos cães. Sentia-me livre com eles, não era julgado e consegui me tornar uma parte muito importante daquele grupo. Isso se tornou parte da minha identidade, e me tornei uma pessoa extremamente anti-social. Parei de confiar nas pessoas. Eu as impedia de se aproximar de mim. Desisti completamente delas. Durante longo tempo, vivi assim, despejando toda a minha energia emocional, espiritual e instintiva nos cães. Achava que aquele era meu destino. Sentia-me rejeitado pelas pessoas, mas na verdade eu mesmo estava me rejeitando. Não se pode dar as costas aos seus semelhantes sem, de certo modo, dar as costas a si mesmo. Você culpa os outros por sua tristeza e nunca se olha no espelho. As coisas não mudam nunca – você simplesmente existe. Pode ser que ache que está tudo bem, mas você não está crescendo.

Então conheci minha esposa, Ilusion. Ela é uma pessoa muito receptiva emocionalmente e, apesar de ter sofrido bastante por causa de alguns indivíduos ao longo de sua vida, nunca parou de amar as pessoas e de tentar enxergar as qualidades de cada uma. Minha esposa acendeu uma luz para mim. Ela me fez perceber como é importante manter relacionamentos com seres humanos. Foi então que percebi que eu não estava completo. A maneira como eu estava vivendo havia se tornado um hábito, um modo de vida, mas, no fundo, nunca me sentia inteiro ou feliz por ser quem eu era.

Eu era como Mowgli, o menino selvagem de *O livro da selva*, de Rudyard Kipling. Continuava apaixonado pelos cães e dedicado a eles, mas precisava encontrar um ponto de equilíbrio entre meus cães e minha própria "matilha" – minha família humana. Se eu não tivesse conseguido isso, nunca teria me tornado capaz de exercer o trabalho que exerço hoje. Na infância, eu sonhava em trabalhar com cães como uma forma de fugir das pessoas. Hoje, ajudo a reabilitar cães, mas a maior parte do meu trabalho consiste em "treinar" pessoas.

Todos nós queremos amor incondicional em nossa vida, mas com muita freqüência desistimos de batalhar para conquistá-lo entre nossos semelhantes. Assim, adotamos animais e esperamos que eles nos dêem isso. Os animais têm a capacidade de nos aceitar como somos, e acho que todo mundo deveria ter um animal para amar – isso nos torna pessoas melhores e nos aproxima da natureza. Mas, quando só pensamos em nós mesmos, essa se torna uma maneira egoísta de ter um relacionamento. Sentimos que finalmente encontramos alguém, nossa alma gêmea animal – e isso é uma terapia maravilhosa, uma oportunidade incrível de saber o que é sermos amados simplesmente por quem somos. Esse é um bom começo. Mas não encerra o caminho da busca de nossa identidade dentro de nossa própria espécie – que só está completo quando nos conectamos com a pessoa ou com a "matilha" de pessoas que também nos aceitará por quem somos, da maneira que apenas outros humanos conseguem. Não podemos fazer isso culpando os outros por nossos fracassos. Precisamos olhar nossos espelhos e encarar nossos medos de maneira honesta.

Quando se trata de nossos cães, nossa missão deve ser satisfazer as necessidades deles antes das nossas. O ato mais terapêutico e fortalecedor que se pode realizar é satisfazer as necessidades de outro ser vivo. Se você observar seu cão passar de um estado inseguro, ansioso e agressivo para um estado equilibrado e pacífico, experimentará um tipo maravilhoso de terapia. É isso que constrói sua liderança e sua auto-estima. Quando você se concentra no que é melhor para o animal, automaticamente recebe o benefício de aprender com o equilíbrio dele, com a maneira natural como ele vive. Os cães querem coisas bem simples da vida – mas, para eles, elas têm o mesmo significado que três bilhões de dólares teriam para o meu amigo magnata.

Se você conseguir manter a energia calma e assertiva e a liderança com seu cão, pode conseguir a mesma postura em qualquer aspecto da sua vida. Permita que seu cão seja seu seguidor fiel, seu espelho – e, por fim, seu guia na jornada para se tornar a melhor pessoa que você pode ser.

Epílogo

HUMANOS E CACHORROS:
O LONGO CAMINHO PARA CASA

Estamos sozinhos, completamente sozinhos neste planeta fortuito;
e, entre todas as formas de vida que nos cercam, nenhuma,
exceto os cães, formou aliança conosco.

– *Maurice Maeterlinck*

Eu já disse antes que dois treinadores de cães não concordam em nada, exceto que um terceiro treinador está completamente errado. Da mesma maneira, pesquisadores que procuram descobrir como e quando os cães foram domesticados estão sempre entrando em conflito por causa da resposta a um dos maiores mistérios de todos os tempos. Não sou cientista, arqueólogo ou historiador. Mas, por um momento, por favor, acione essa imaginação poderosa localizada na parte frontal do seu cérebro para visualizar este possível cenário:

Estamos cerca de doze mil anos atrás – o ápice de uma das Eras Glaciais. Em um dia muito frio, há um sinal de vida na faixa de terra que se formou no Estreito de Bering, ligando o continente asiático ao Novo Mundo. Em busca de terras melhores para a caça, um pequeno grupo de humanos primitivos atravessa o caminho congelado, lutando contra a neve e o vento. Uma matilha de canídeos lupinos – os ancestrais do cão moderno – caminha atrás do grupo. Talvez os animais estejam procurando os restos que os humanos migradores deixam para trás. Talvez tenham sido selecio-

*nados para puxar grandes objetos em um trenó. Mas talvez este-
jam mantendo esses humanos vivos ajudando-os a caçar. Com seu
focinho sensível, são capazes de farejar presas a quilômetros de
distância. Com seu DNA de lobo, são caçadores e rastreadores naturalmente superiores. São mais rápidos que os humanos e mais
sintonizados com o restante dos animais ao redor deles. Sem a presença desses canídeos, talvez o pequeno grupo de humanos não
sobrevivesse à travessia.*

*E se os cães primitivos não aprenderam com os humanos tanto
quanto os humanos primitivos aprenderam com os cães?*

Isso é apenas fantasia, claro – meu filme particular, que gosto
de projetar várias vezes na minha imaginação. Mas existe uma
verdade nessa imagem, da qual estou absolutamente certo: independentemente do que tenhamos feito para chegar até aqui, desde nosso passado até o século XXI, não restam dúvidas de que
os seres humanos e os cães aproveitaram ao máximo essa jornada *juntos*. Sempre digo que caminhar com os cães – migrar com
eles – é a maneira mais poderosa de nos comunicarmos com eles,
porque recria as jornadas antigas e primitivas. Lado a lado, nós
nos tornamos duas espécies muito diferentes no planeta, formando uma aliança pela sobrevivência. Ambos somos espécies sociais; ambos vivemos em "matilhas". Devemos ter nos identifica-
do com muita intensidade desde o começo – de modo tão profundo que o restante de nossas histórias sempre se interligaria.
Nós nos apaixonamos pelos cães, dando a eles os mesmos enter-
ros cuidadosos que dávamos a nossos entes queridos; retratan-
do-os em murais nas paredes de nossos palácios; moldando nossos deuses antigos à imagem deles. E, por qualquer motivo que
seja, eles nos amaram também. Os cães são os únicos animais
não-primatas que reagem instintivamente aos nossos gestos. São
os únicos não-primatas que procuram, em nossas expressões fa-

ciais, dicas que revelem nossas intenções. São os únicos animais que automaticamente olham para nós em busca de orientação neste mundo estranho e complexo que moldamos no lugar do que antes era um planeta simples.

Esses nobres animais – diferentes de nós de tantas maneiras, mas tão parecidos de outras – são o elo mais próximo com nosso "eu" instintivo que deixamos para trás. Quando olhamos em seus olhos, que expressam tanta confiança em nós, vemos nossas qualidades e nossas fraquezas perfeitamente refletidas. Há infinitas lições a aprender com eles, se estivermos dispostos e formos corajosos o bastante para procurá-las.

Espero que este livro tenha ajudado você a ver seus adorados cães de maneira ainda mais significativa. Que você se mantenha sempre consciente do elo profundo que compartilhamos com esses seres e agradecido por isso.

GUIA RÁPIDO PARA SE TORNAR UM LÍDER DE MATILHA MELHOR

Encontrando o cão pela primeira vez

1. Não se aproxime do cão. Lembre-se: líderes de matilhas nunca se aproximam de seus seguidores – são estes que se aproximam do líder. Isso é muito difícil para algumas pessoas, que vêem aquele cãozinho adorável e não resistem a ir até ele para acariciá-lo. No entanto, por mais fofinho que o cachorro seja, lembre-se de que ele é um ser vivo com dignidade e que merece ser tratado da maneira que é melhor para ele.

2. Cães normais ficarão curiosos para descobrir seu cheiro. Por isso, é importante permitir que eles se aproximem e o cheirem. Quando você vai à casa de alguém pela primeira vez, o cachorro dessa pessoa reage muito melhor se você ignorá-lo inicialmente e deixar que ele se aproxime de você por conta própria. Como a maioria dos seres humanos não conhece a etiqueta canina, muitos cães dos quais várias pessoas se aproximam acabam desenvolvendo mecanismos de defesa, como timidez, medo e, às vezes, agressividade. Permitir que o cão o conheça antes de você conhecê-lo possibilita que ele desenvolva respeito e confiança por você.

3. Lembre-se das minhas três regras: *não toque, não fale, não estabeleça contato visual* enquanto o cão estiver ocupado analisando, com o focinho, sua energia e os diversos odores do seu corpo. Isso pode durar de três segundos a um minuto. É importante não interromper o cão enquanto ele estiver ocupado com esse ritual. Você não se afastaria no meio de um aperto de mãos, não é?

4. Quando o animal terminar de conhecê-lo, vai demonstrar se quer brigar, fugir, ignorá-lo ou "respeitá-lo", que é o mesmo que se submeter a você. A última opção vai criar um clima muito amistoso, e pode ser que ele esfregue o corpo contra suas pernas com delicadeza. É um sinal de que agora você pode tocá-lo ou lhe dar afeto.

5. Muitas pessoas insistem em dar atenção a um cão que prefere ser ignorado. No mundo canino, esse é um comportamento grosseiro. Imagine se você cumprimentasse alguém com um aperto de mãos, saísse para cuidar de suas coisas e essa pessoa não o deixasse em paz? Se o cachorro quer ignorá-lo, vai simplesmente se virar e olhar para o chão ou para algo que chame a atenção dele. Pode ser que ele se afaste. Basicamente, é como se dissesse: "Obrigado, mas não quero". A melhor coisa a fazer é ignorá-lo também.

6. No entanto, se o cão demonstrar algum sinal de dominância ou agressividade em relação a você, ignorá-lo pode ser visto como sinal de fraqueza. A agressividade pode ser expressa por meio de um olhar fixo, um lábio erguido ou simplesmente uma linguagem corporal agressiva – como "bater" o corpo dele contra o seu ou pisar no seu pé. Nesse caso, você deve se impor – não estabeleça contato visual intenso, pois isso pode ser visto como um desafio. Seu objetivo não é brigar nem forçá-lo a ver que "é você quem manda" – é apenas pedir que ele o trate ao menos com o mesmo respeito que você demonstra por ele. Simplesmente use seu corpo e seu "diálogo interior" calmo para recuperar seu espaço. No mundo deles, os cães "dialogam" sobre o espaço o tempo todo – e a maioria lhe dará o seu se você assim exigir.

7. Se a agressividade continuar, peça com calma e firmeza que o dono do animal o retire dali, porque você não está se sentindo à vontade. Faça isso logo no começo, pois, se permitir que seu desconforto se torne medo ou nervosismo, pode ser o início de um longo relacionamento problemático com aquele cão. É importante que o dono do animal o retire dali de modo calmo e asser-

tivo. O ponto fundamental é que ninguém se comporte com agitação nesse momento.

Apresentando o cão a uma nova pessoa (principalmente uma criança)

1. Se vocês estiverem caminhando na rua e uma criança ou um desconhecido quiser acariciar seu cão, o mais importante a se lembrar é que você é o líder da matilha e deve se manter no controle da situação.

2. Em primeiro lugar, nunca permita que a pessoa tome a iniciativa. É preciso observá-la e perceber como ela se comporta, prestando atenção especial na linguagem corporal e no contato visual. Se ela estiver agitada, esse comportamento pode ser visto pelo cão como uma forma de desrespeito, e o animal pode tentar corrigi-la empurrando-a com a cabeça, com o corpo ou com as patas. Lembre-se de que você não pode simplesmente dizer ao cão: "Não se preocupe, este é o filho do meu amigo". Ele não verá a criança dessa maneira e não se importa se ela "adora cachorros". Ele fará um julgamento com base na intensidade da energia, na velocidade, em que parte do corpo dele a pessoa está tocando e em como o toque está sendo feito.

3. Se você conhece a reação do seu cão diante de estranhos e pode confiar no bom comportamento (e se ele já tiver feito exercícios e não estiver ansioso nem frustrado), recomendo que você diga à pessoa: "Por que você não deixa o meu cachorro conhecer você antes? Eu tenho três regras – não toque, não fale e não mantenha contato visual durante dois minutos". Então, observe a reação do animal. Se você acredita ser seguro, permita que a pessoa o acaricie, mas a oriente em relação à maneira como ela deve fazer isso – afinal, apenas você, o dono, sabe se o cão não gosta de ser tocado em determinados lugares ou de certas maneiras.

4. Se a energia da pessoa não lhe parecer boa, ou se você achar que o animal não está com o temperamento adequado para permitir

a presença de estranhos com segurança, a resposta mais adequada a um pedido de aproximação é: "Desculpe, mas meu cão está sendo treinado no momento". É melhor prevenir que remediar – principalmente quando se trata do bem-estar de uma criança.

Levando uma nova pessoa à sua casa

Quando uma visita chega à casa do dono, quase todos os cães latem. Isso é normal e faz parte do sistema de alerta canino. É uma das muitas razões pelas quais nossos ancestrais domesticaram esses animais – para que eles os alertassem de perigos e de pessoas desconhecidas. O problema aparece quando queremos controlar os latidos do cão, mas, ao mesmo tempo, queremos a ajuda dele para saber se a pessoa que se aproxima de nossa porta é confiável ou não. Queremos um sistema de alarme que possa ser ligado e desligado, mas um cão é um ser vivo, com mente própria. É aí que entram a preparação, a repetição e suas habilidades como líder de matilha.

1. É bom condicionar seu cão a perceber que apenas um determinado número de latidos é aceito. Quanto mais ele late, mais se coloca num estado de guarda e alerta, que não é um estado calmo e submisso. De três a cinco latidos devem ser suficientes para alertar qualquer pessoa do outro lado da porta de que existe um cão na casa. E o animal está realizando um trabalho para você – alertando a matilha da aproximação de um desconhecido.
2. Antes de abrir a porta, se seu cão for permanecer no ambiente, certifique-se de que ele esteja num estado calmo e submisso. Costumo criar um limite invisível ao redor da área de entrada que pertence a mim, não ao cachorro. Ele pode esperar tranqüilamente fora desse espaço, mas não pode se aproximar da pessoa que acabou de chegar enquanto eu não lhe der permissão. Isso exige muita prática, pois requer que você, o líder da matilha, "reivindique" o espaço e condicione o cão, por meio de correções re-

forçadas com petiscos e carinhos, a esperar pacientemente por sua permissão em vez de se adiantar.

3. Agora que você criou um espaço de segurança, abra a porta. Se a pessoa estiver em sua casa pela primeira vez, peça que ela siga as regras de não tocar, não falar e não estabelecer contato visual até que o cão possa conhecê-la. Dê permissão ao cachorro para que ele realize o ritual, que não deve incluir pulos agitados. Quando o ritual chegar ao fim, você poderá continuar recebendo a visita normalmente.

4. Assim que o animal se acostumar com a nova pessoa, essas regras não precisam mais ser seguidas de modo rígido. Quando ele já estiver relaxado e compreender que a pessoa é outro ser humano em posição de liderança, não é preciso se preocupar com o lugar que a visita vai ocupar na "matilha". Lembre-se: seu cão não sabe que essa pessoa é uma amiga de longa data, presente ali para passar a noite de Natal com sua família. Ele só quer saber o seguinte: *Que papel essa nova pessoa vai desempenhar no meu mundo?* Depende de você, o líder da matilha, garantir que o cão e o convidado compreendam esse papel.

Alguns donos de cães – principalmente aqueles que têm mais de um animal – preferem mandar o cão para fora do ambiente quando os convidados chegam. Condicionar o animal com petiscos para que saia quando a campainha toca pode diminuir a tensão de um primeiro encontro e fazer com que o cão associe novas pessoas a algo bom, como biscoitos. No entanto, é importante que você insista para que haja uma apresentação cordial quando o convidado já estiver acomodado – com as regras de boa educação canina e humana – e supervisione esse encontro.

Dominando a caminhada

1. O horário ideal para a caminhada é quando você não estiver com pressa. Reserve no mínimo uma hora – não necessariamente pa-

ra o passeio em si, mas para o ritual todo. Lembre-se de que esse deve ser um exercício prazeroso e significativo para você e seu cão, e não uma obrigação que você precisa cumprir antes de dar início ao seu dia "de verdade". Se você se sentir assim, seu cachorro vai captar essa energia e o elo entre vocês pode enfraquecer.

2. É melhor fazer a caminhada durante o dia. Os cães são animais diurnos, e o passeio durante o dia está em sincronia com o relógio biológico deles. É claro que eles podem se adaptar a atividades noturnas, assim como os seres humanos, mas, biologicamente falando, ambas as espécies costumam ter melhor desempenho durante o dia.

3. Para seguir os princípios da psicologia canina, você precisa compreender que não deve criar agitação em relação à caminhada. Lembre-se de que seu cão o conhece muito bem e, para ele, o ritual tem início no momento em que você *pensa* em sair para o passeio! Ele vai ficar empolgado apenas ao ver a coleira. Não o chame com a voz alta e agitada e não permita que ele fique pulando sem parar, histericamente. É importante esperar que a mente dele se acalme, até mesmo para colocar a coleira.

4. É muito importante que você compreenda o ritual de um líder de matilha. O líder da matilha tem uma missão ou uma intenção – e é por isso que os cães instintivamente o seguem. O líder da matilha sabe o que está fazendo – por isso, ao menos finja saber! Lembre-se de seu diálogo interior: forte, calmo e assertivo.

5. Depois que você conseguir colocar a coleira no cachorro e a mente dele estiver calma e submissa, abra a porta. O animal *continua* calmo e submisso? Se não, espere até que ele volte a esse estado. Você deve sair primeiro e então chamar o cão. Não permita que ele saia na sua frente. Quando já estiverem do lado de fora, peça que o animal se sente e relaxe – então feche a porta. Seja lá o que você tenha que fazer, não faça com pressa. É por isso que você reservou uma hora para o passeio. Acredite se quiser: a parte mais importante do ritual é o *começo*. Ele determina o tom do restante da experiência.

6. Se o animal resistir a usar a coleira, tente não fazer barulho e retire qualquer móvel atrás do qual ele costuma se esconder. Então espere que ele se aproxime de você e coloque a coleira nele. Esse é um bom momento para petiscos, se necessário. Cuide para que tudo seja feito lentamente, com o nível mais alto de energia calma e assertiva. Com esse tipo de cão, não saia de casa imediatamente. Ande um pouco em casa, com o cachorro preso à coleira, até criar um fluxo de energia que lhe permita abrir lentamente a porta. Espere até que o cão esteja calmo e submisso antes de sair e fechar a porta. Se ele tentar escapar, espere que se acalme antes de fazer qualquer coisa, para não recompensar uma mente instável. Se você abrir a porta quando a mente dele estiver instável, estará recompensando-o.

7. Caminhe com o cão atrás de você ou ao seu lado, nunca à sua frente. Se você nunca sentiu a emoção de ter um cão (ou mais de um!) andando ao seu lado, totalmente em sintonia com a sua energia e os seus movimentos, na minha opinião você não sabe o que é bom! Se apenas passeou com um cão sendo puxado por ele na coleira, não conhece a verdadeira beleza e a união que resultam da caminhada feita de maneira correta. Quando você fizer isso pela primeira vez, pode acreditar: nunca mais vai querer lembrar do passado!

8. Se o seu cão manteve um bom estado mental durante esse tempo, você pode recompensá-lo permitindo que ele faça suas necessidades. Se seu cão faz isso assim que sai de casa, tudo bem, desde que ele esteja calmo, não agitado. O passo seguinte é o que as pessoas mais me perguntam: "Quando devo deixar meu cachorro farejar?" Recomendo que você conceda cerca de cinco minutos, no máximo, para que ele faça o que quiser durante a pausa para o "banheiro".

9. Agora é hora do ritual de migração – de seguir em frente juntos. O desafio é não permitir que o animal fique cheirando o chão, olhando ao redor ou que se distraia com latidos de outros cães.

É o modo "Eu sou o líder da matilha, pratique me seguir". Depois de cerca de quinze minutos de migração comportada, você pode recompensar novamente o cão permitindo que ele passe à sua frente e fareje o chão por dois a cinco minutos, no máximo. O tempo de recompensa deve ser sempre bem menor que o tempo de desafio, porque ele deve vê-lo mais como líder de matilha do que como um amigo que caminha atrás dele. Sempre que um cão caminha à sua frente sem sua permissão, ele passa a acreditar que está liderando a caminhada.

10. Nunca tente se aproximar de um cão que não esteja no mesmo estado mental que o seu. Nunca. Se o outro cão estiver agitado e o seu, calmo e submisso, não é nada saudável colocá-los juntos. Se quiser que esse cão faça parte da vida do seu, tome o cuidado de fazer com que eles caminhem com você, como uma matilha, antes de permitir que brinquem.

11. Varie o percurso sempre que possível. Cães gostam de rotina – mas também gostam de aventuras! Conhecer novos lugares, novos cenários e novos cheiros faz parte do desafio psicológico para eles.

12. Não se esqueça de recolher o cocô!

Mais uma observação sobre as caminhadas: se o clima estiver muito ruim para um passeio ao ar livre, não deixe seu cão dentro de casa sem "dizer" a ele por que não podem sair. Leve-o à porta para que ele possa sentir a chuva, o vento, o que for. Se seu cão puder perceber instintivamente as mudanças climáticas, vai compreender por que vocês não podem caminhar juntos aquele dia.

Voltando da caminhada

1. Quando retornar da caminhada? Se você conhece seu cão e compreende as necessidades físicas e psicológicas dele, pode determinar o tempo que será dedicado ao passeio, de manhã e à tarde.

Para cães menores ou de energia mais baixa, recomendo de meia hora a 45 minutos. Para todos os outros cães, exceto os mais velhos ou com problemas de locomoção, recomendo um mínimo de 45 minutos. Se você colocar uma mochila no cão ou reservar um tempo para que ele corra na esteira ou faça outra atividade vigorosa, pode diminuir a duração da caminhada. Com o tempo você vai acabar conhecendo os limites do cão e perceberá quando ele estiver começando a se cansar e pronto para voltar para casa.

2. Ao voltar para casa, siga os mesmos princípios da saída. Muitos de meus clientes dominam a primeira parte da caminhada, mas erram no momento em que abrem a porta para entrar na volta, então quase tudo que alcançaram vai pelo ralo. Você, o líder da matilha, deve abrir a porta e entrar no *seu* território primeiro, e é *você* quem determina o que o cão vai fazer depois que chegar.

3. Planeje a chegada. É importante para o cão saber que posição vai ocupar quando voltar para casa. Você precisa saber com antecedência que atividade quer que ele execute. Talvez haja um lugar onde quer que o cão se sente e espere enquanto você guarda a coleira, o casaco, os tênis ou vai ao banheiro. Um desafio psicológico potencializa os benefícios da caminhada e restabelece sua liderança dentro de casa.

4. A melhor hora para oferecer alimentação e água é depois do passeio. Assim, você imita do modo mais similar possível a experiência que ele teria na natureza – sair e migrar, encontrar a presa e comê-la. No entanto, às vezes é melhor que o cão tenha um tempo para descansar e se acalmar antes de comer. Oferecer água e então esperar um pouco antes de dar a comida, aproveitando para tomar um banho e trocar de roupa, pode ser o que seu cão prefere depois da caminhada. No Centro de Psicologia Canina, preciso de um certo tempo para preparar a comida quando retornamos dos exercícios matinas, e durante esse intervalo os cães bebem água e descansam um pouco.

CAMINHADA DE 1 HORA

15 minutos de migração como matilha

15 minutos de migração como matilha

5 minutos de recompensas
• farejar
• procurar

10 minutos de recompensas
• farejar
• procurar

15 minutos de migração como matilha

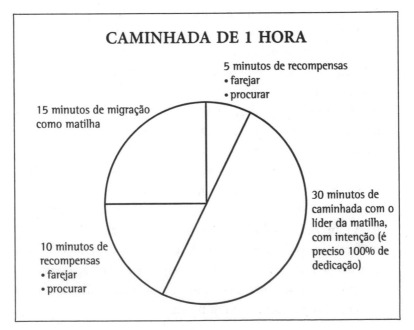

CAMINHADA DE 1 HORA

5 minutos de recompensas
• farejar
• procurar

15 minutos de migração como matilha

30 minutos de caminhada com o líder da matilha, com intenção (é preciso 100% de dedicação)

10 minutos de recompensas
• farejar
• procurar

O ritual da alimentação

1. Pessoalmente, é importante para mim misturar a comida dos meus cães com as mãos. Quero colocar meu cheiro e minha energia no alimento. Quero dar a eles mais do que apenas nutrição. Quero alimentá-los como fui alimentado por minha mãe, com muito amor em todas as refeições que ela preparava para nós. Esse é um ritual muito pessoal que executo – não se trata de algo obrigatório, obviamente, mas acredito que se tornar um bom líder de matilha significa sempre encontrar novas maneiras de construir aquela ligação natural entre você e seu cão.

2. É muito, muito importante para a saúde psicológica do cão, para todo o ser dele – para a "alma" dele, se você assim preferir –, que ele *trabalhe* pela comida que recebe. Trabalhar pela comida alimenta a auto-estima do cão; é um orgulho interior, uma medalha de ouro. Quando simplesmente colocamos uma tigela de comida na frente do cachorro, negamos a ele essa necessidade animal básica.

3. É normal que o cão fique animado e curioso quando a refeição está sendo preparada ou quando alguém está abrindo uma lata ou um pacote de ração. Os barulhos e os cheiros da preparação da comida criam associações muito boas para ele, por isso é claro que ele vai se animar no mesmo instante. Mas também é natural que ele retorne ao estado mental em que estava um segundo antes de você abrir a lata. Se você perceber que ele está ficando agitado ou interessado demais, esses são os primeiros sinais antes de o comportamento se agravar. Cuide da situação no mesmo instante – faça com que ele volte para o modo de "espera" e não lhe dê comida até que ele saia do estado mental obsessivo ou agitado.

4. Adotar um comportamento de espera calmo e submisso antes da alimentação é um importante desafio psicológico para o cão. É algo muito difícil para ele, porque, na natureza, é a excitação e a dominância que permitem que ele se alimente. No mundo natu-

ral, os animais mais ativos, rápidos e corajosos são os que comem antes. Mas, como nossos cães são domesticados, podemos criar um estado totalmente diferente, no qual eles não precisam estar agitados ou ser dominantes para conseguir alimentos. *Isso é especialmente importante se você tiver dois ou mais cães!* Você pode pedir ao cão que se mantenha calmo enquanto prepara o alimento dele. Oferecer ao cachorro um momento desafiador, uma atividade concentrada como essa, cria foco e atenção e constrói confiança. É melhor dar um desafio ao cão do que tê-lo sempre desafiando você.

5. No Centro de Psicologia Canina, crio outro desafio no momento da alimentação: peço aos cães que olhem para *mim*, não para a tigela de comida, antes de servi-los. Isso tem dois objetivos: o primeiro é impedir que fiquem obcecados pela comida, e o segundo é criar um ritual de "apreço" entre mim e a matilha. Em outras palavras, a comida é provida por mim, o líder da matilha. Eu sou a fonte de tudo que eles têm. Se se mantiverem concentrados em mim, posso passar-lhes energia tranqüilizante por meio do meu olhar, para que se mantenham relaxados. A "conversa" por meio do contato visual *não* serve para dominá-los, e sim para intensificar o ritual de ligação – para criar uma comunicação prolongada: "Sim, vou lhes dar comida. Fico feliz por dividir alimentos com vocês. E estou muito orgulhoso por vocês estarem em um estado calmo, como eu queria que estivessem". Conforme a "conversa" continua, refletimos a energia um do outro, como descrevi anteriormente. Quando os seres humanos e os cães estão transmitindo a mesma energia uns aos outros e estamos todos no mesmo estado, cria-se um elo mais profundo entre nós.

Lidando com a agressividade relacionada a comida

É natural que os carnívoros sejam possessivos em relação a seus alimentos – são os antigos instintos de sobrevivência dando sinais.

Tenho certeza de que você conhece pessoas que se recusam a dividir até mesmo uma batata frita! Entretanto, a possessividade ou a obsessão pela comida não devem ser permitidas em uma situação doméstica. Se a agressividade for leve, pode ser administrada com alguns dos passos descritos a seguir. Se for mais séria, uma pessoa com pouca experiência não deve tentar resolvê-la. Um profissional pode dar início ao processo de remover a obsessão por alimentos e então lhe dar a "lição de casa" de continuar a reabilitação. Mas leve a sério a agressividade em relação a comida, mesmo que parta de um filhote – não é um comportamento "bonitinho" e é um forte indício de que você não é um verdadeiro líder de matilha.

1. Observe sinais que possam revelar agressividade perto da tigela de comida. Os seguintes movimentos indicam possessividade: Quando você se aproxima do cachorro, ele abaixa a cabeça na direção da comida, cobrindo-a como se quisesse bloquear seu acesso a ela. Os pêlos do pescoço do animal podem ficar eriçados – o que fará com que ele pareça maior. Você perceberá que ele se torna tenso e o rabo fica rígido, mesmo que esteja se movimentando. Todos esses sinais são um tipo de comunicação com você ou com outro cão: "Isso é meu; afaste-se!"

2. Se você tem mais de um cão e a agressividade for direcionada a outro cachorro, e não a você, a situação é um pouco mais simples de resolver. Na minha matilha, nunca alimento o cão dominante ou agitado antes. Sempre recompenso o animal que está mais calmo e submisso. Assim, esse estado se torna o exemplo a seguir para o restante da matilha. Por isso, se você tem mais de um cão, nunca alimente aquele que estiver mais agressivo, o mais velho ou o seu favorito. Muitas pessoas pensam: *Tenho que alimentar o cão mais agitado antes, porque ele é o cão alfa.* Isso é um engano – tal atitude gera apenas competição e, no fim, mais dominação. Também pode causar uma briga e muitas refeições infelizes.

3. No Centro, sempre peço ao cão mais agressivo que fique no mesmo estado que aquele que está mais calmo e submisso, e espero

antes de alimentá-lo, até que ele se acalme de verdade. Se ele estiver muito agressivo, o mantenho preso à coleira ou até atrás de uma cerca para que observe o ritual sendo realizado. Quando for a vez dele, ele vai perceber que os outros cães não estão mais se movendo na direção da comida, e isso diminuirá grande parte da tensão. Nesse momento, os cães que acabaram de comer estão satisfeito e relaxados, assim como a energia que vão projetar. E isso, por fim, faz com que todos percebam que esse é o ritual de alimentação adequado. Não tem a ver com competição, e sim com esperar a sua vez.

4. Quando o cão estiver demonstrando agressividade em relação a você, tome muito cuidado ao redirecioná-lo. Uma vez que a alimentação e o desejo de cruzar são os impulsos mais fortes de todos os animais, um cão com agressividade relacionada a comida pode causar sérios danos a um ser humano que o interrompa. Aconselho todos que tenham esse problema a pedir ajuda profissional imediatamente.

5. *Não* dê carinho a um cão obcecado por comida para interromper o comportamento. Você só vai conseguir reforçar a atitude e, dependendo da intensidade da agressividade, corre o risco de levar uma mordida.

6. O ritual da espera pode ajudar a prevenir a agressividade relacionada a comida, ou detê-la antes que vá longe demais. Quando um cão consegue manipular o dono e ser alimentado depois de latir ou pular, está provando que manda nele e no alimento. Fique atento a esse sinal de alerta.

Encarando um cão agressivo

1. Em primeiro lugar, não se intimide com latidos "agressivos". Muitas vezes, o que parece agressividade pode ser apenas uma atitude dominante, ou um modo de dizer: "Este é o meu território!"

2. Quando um cão se mostra agressivo e possessivo em relação ao território, geralmente só quer que você se afaste. Nesse caso, a

melhor reação é simplesmente parar, manter-se calmo e reivindicar o *seu* espaço. Encare a energia que está vindo em sua direção e projete sua energia calma e assertiva. Use as técnicas de "diálogo interior" para projetar a seguinte noção: "Não quero feri-lo, mas não vou me afastar. Quero apenas o *meu* espaço – e não o seu". Isso deve bloquear a agressividade e acalmar um cão que é apenas territorial, levando-o a ter respeito por você.

3. Uma vez que haja respeito, sua energia bloqueia o cão, que se acalma e pode analisá-lo melhor. Se isso ocorrer, você verá a linguagem corporal do cachorro mudar no mesmo instante. A postura fica mais relaxada, a cabeça fica um pouco mais baixa e o cão evita contato visual direto. O impulso de sobrevivência é acalmado.

4. Se esse cão estiver em um lugar pelo qual você tenha que passar com freqüência, é essencial que você vença essa primeira "batalha" psicológica – e ela é puramente psicológica, não física. É a sua energia contra a energia dele. Você sabe que venceu quando a linguagem corporal do animal muda, conforme descrito acima, e ele se afasta.

5. Quando ele começar a se afastar, você pode avançar ou usar um som para acelerar o afastamento – bater as mãos, por exemplo, ou chacoalhar pedrinhas dentro de uma garrafa plástica. Ao fazer isso, você condiciona o cão a associar esse som com o distanciamento. É algo a que você pode recorrer novamente se a situação voltar a acontecer com o mesmo cão.

6. Lembre-se de não usar sons quando o animal estiver se aproximando de você – a menos, é claro, que você saiba que ele foi treinado para reagir a determinado comando de som e que esse comando vai funcionar naquele momento. O melhor é começar mantendo-se calmo e quieto, porém centrado e assertivo. Muitas vezes, as pessoas entram em pânico e gritam "Vá embora!" quando um cão se aproxima. A menos que a energia por trás do som seja completamente calma e assertiva, provavelmente não vai fun-

cionar e pode até aumentar a agressividade do animal. Lembre-se de que, se ele for agressivo, você não deve *adicionar* energia, e sim reduzi-la.

7. Nunca se vire nem continue andando até que o cão se retire. Mesmo que o animal esteja preso, será como lhe dar a vitória, e você terá que encarar essa situação diversas vezes se passar sempre pelo mesmo lugar. Pode ser até mais difícil das próximas vezes, pois você o terá fortalecido – ele sabe que já o venceu antes. Se ele estiver solto, virar-se e sair andando ou correndo pode transformar você em presa. Pode fazer com que o cão o persiga.

8. Se você precisa passar pelo local com freqüência, pode caminhar com uma bengala ou um cajado para parecer maior. Os reis e os imperadores antigos sempre caminhavam com cajados – para parecerem mais fortes psicologicamente, maiores e ocupar mais espaço. Use essa psicologia com os cães – quanto mais espaço você ocupar com confiança, mais forte e dominante parecerá. Não use fones de ouvido nem se recolha ao seu mundinho – esteja ciente do ambiente ao seu redor e assuma seu espaço a todo momento.

9. Levar consigo uma vareta, um guarda-chuva ou uma pilha de livros pode fazer com que você se sinta mais protegido. A idéia não é *bater* no cachorro. Se você agredir o cão, é provável que ele reaja agredindo-o também – e, em uma luta física com um cão forte, como um rottweiler, um pastor alemão ou um pit bull, você certamente vai sair perdendo. A questão não é arrumar confusão. Mas se, ao se sentir mais seguro e preparado, seu comportamento mudar e ficar mais calmo e assertivo, você se tornará *menos* sujeito a ser um alvo – não apenas da agressividade canina, mas também da agressividade humana.

10. Se um cão parece ter saído do estado agressivo e está indo em sua direção para sentir seu cheiro, aproveite a oportunidade para reavaliar a situação. A linguagem corporal dele está totalmen-

te relaxada, ou ele está se movendo sorrateiramente na sua direção, pronto para atacar? Se você sabe que esse cão costuma ser pacífico, tudo bem. Mas se não conhece o animal, continue reivindicando seu espaço e dê um passo na direção dele. O mais importante é nunca deixar que um cão fique atrás de você. É um movimento clássico de "emboscada". Repito: não se vire para ir embora até que *ele* tenha dado as costas para você.

11. Se houver mais de um cão, não deixe que nenhum deles fique atrás de você! Uma estratégia clássica de um "ataque de matilha" é um cão encarar a presa enquanto o outro dá a volta e a ataca por trás. Recentemente ministrei uma palestra a carteiros de Atlanta e muitos deles afirmaram já ter passado por essa situação. Se você passar por isso, *mantenha a calma e reivindique seu espaço de maneira mais assertiva*. Posicione o objeto que estiver segurando – sua bolsa, se for o caso – com firmeza à sua frente, abra as pernas e ponha as mãos na cintura para parecer maior. Se você se mantiver firme e usar a força da sua energia, pode desestimular o ataque.

Reivindicando seu espaço

1. Reivindicar espaço é um conceito muito básico no reino animal. Os animais "conversam" uns com os outros sobre espaço o tempo todo – projetando energias que querem dizer, por exemplo: "Este é o meu sofá; posso dividi-lo, mas ele é meu". Se você tem mais de um cão, ou até um cão e um gato, e existe uma área da casa ou um brinquedo que um deles gosta de tomar para si, sente-se com calma por um tempo e observe como a linguagem corporal, a energia e o contato visual dos animais interagem para criar uma comunicação muito clara. Você pode até aprender a *sentir* a energia da conversa. Temos que desenvolver a capacidade de manter os mesmos tipos de comunicações com nossos cães, assim como fazemos com outros seres humanos.

2. Saber como reivindicar espaço é essencial se você quer ser capaz de controlar comportamentos indesejados. Não tem nada a ver com ser agressivo ou "mostrar quem manda". Repito: trata-se de uma habilidade de comunicação básica que fará com que você consiga discordar do comportamento do cão sem ter que recorrer à raiva ou à frustração. Você está reivindicando um pequeno espaço, não o mundo todo! Um sofá é um espaço. Uma cama é um espaço. Uma sala pode ser um espaço. Seu cão aceitará as regras de como se comportar nesses espaços se você reivindicá-los. A casa é sua, não é? Então não se sinta mal por estabelecer as regras de comportamento ali.

3. Reivindicar espaço envolve usar o corpo, a mente e a energia para "assumir" o que você quer controlar. Por exemplo, se o cão corre em direção às pessoas que batem à porta, você pode impedi-lo de se aproximar demais mantendo-se firme, colocando as mãos na cintura e "reivindicando" a porta. Você cria um círculo de espaço ao redor da *sua porta* e entre você e o cão. A maneira pela qual reivindico um espaço, como uma porta, é a mesma estratégia que um cão pastor usa para impedir que uma ovelha se desgarre do rebanho. Eu sigo adiante e ando *ao redor* do cão, olhando para ele ao mesmo tempo, dizendo a ele, em minha mente, para se afastar do que me pertence. Se eu puxá-lo para longe da porta, apenas intensifico a necessidade que ele terá de assumir aquele espaço. Puxar um cão faz com que sua mente avance. Recomendo que você assista a vídeos de cães pastores. Conforme o cachorro anda ao redor do rebanho, comunicando para onde quer que os animais se dirijam, sem nunca tocá-los, é como se dissesse: "Fiquem longe deste espaço – dirijam-se para lá". Tudo que ele faz é psicológico. Vacas, ovelhas e cabras são espécies completamente diferentes, mas todas compreendem exatamente o que o cão quer que façam. Também somos animais – apenas deixamos que as palavras e nosso cérebro atrapalhem nossa forma instintiva de comunicação.

4. Se você projetar uma linha invisível que seu cão não pode ultrapassar sem sua permissão, e fizer isso com total atenção e comprometimento, vai ficar chocado com a rapidez com que ele compreende onde está o limite. Se um cão late na janela, você pode fazer com que ele pare de latir se reivindicar a janela como seu espaço. Você estará dizendo: "Esta janela me pertence, e não concordo que você lata aqui". Se você gritar com o animal e disser: "Não, Sally, pare! Fique quieta!", estará expressando energia fraca e frustrada, e não reivindicando o espaço. Mais uma vez, estará desperdiçando energia tentando controlar um comportamento com linguagem e racionalidade humanas, quando pode simplesmente pegar uma lição do livro mais perfeito, o da natureza, e fazer o mesmo que os animais fazem uns com os outros.

5. Quando você puxa alguma coisa para longe do seu cão, está fazendo um convite para que ele lute por aquilo ou para uma brincadeira. Se sua intenção é brincar, tudo bem. Mas se quiser parar a brincadeira antes que o comportamento leve à possessividade, você deve, antes de mais nada, mostrar que o brinquedo é seu, para que o animal aceite soltá-lo quando for a hora. Quando você reivindica objetos, seu cão os devolve a você se a energia demonstrada for correta. Você não deve ser hesitante e precisa ser totalmente claro a respeito de sua intenção. Não pode "negociar" com o cachorro – "Querido, por favor, me dê o brinquedo?" –, nem mental nem verbalmente. O animal não vai levar isso para o lado pessoal. Ele não vê problemas em lhe devolver o que sabe que pertence a você.

Muitas pessoas se preocupam pensando que o cão pode ficar ressentido, ou que "estragarão a festa" do animal se não permitirem que ele fique com o brinquedo de que tanto gosta sempre que quiser. Mas permitir que seu cão tenha tudo que quiser pode levá-lo à obsessão, e isso não é saudável. Parte de seu trabalho como líder é estabelecer regras, limites e restrições, para impedir que a frustração do cachorro se transforme em obsessão.

Lidando com obsessões e fixações

Para os cães, obsessões e fixações podem se tornar tão prejudiciais quanto os vícios para os seres humanos. Quando rimos ao ver um cão maluco por um brinquedo, um osso ou um feixe de luz, por uma brincadeira de pegar ou pelo gato do vizinho, é como se estivéssemos rindo de uma pessoa que cai, bêbada, na sarjeta. É claro que esse comportamento parece engraçado a princípio, mas a verdade é que ela não tem controle físico ou psicológico sobre si mesma. Um dia pode se ferir ou machucar outras pessoas. É exatamente isso que o comportamento obsessivo representa para o cão – um vício. Quando permitimos que os hábitos de nossos cães se agravem a ponto de se tornarem obsessões e/ou vícios, estamos sentenciando o animal a uma existência frustrante e infeliz.

Identificando a obsessão

1. Um cão normal brinca bem com outros seres – com você, com seus filhos e com outros cães. Talvez ele prefira um brinquedo ou uma brincadeira a outra, mas continua sendo apenas uma *brincadeira* para ele, e não uma questão de vida ou morte. Um cão obcecado leva as brincadeiras muito a sério. Sua maneira de participar denunciará um nível bem diferente de intensidade.

2. Quando um cão está se tornando obcecado, sua face e sua linguagem corporal mudam visivelmente. O corpo fica mais rígido. Os olhos ficam vidrados, com as pupilas fixas em um ponto, sem se deixar distrair. É quase como se ele estivesse em transe. Ele entrou em uma zona onde não há tranqüilidade, relaxamento e nem um pouco de alegria na brincadeira. Pense em um viciado em jogos de azar em um caça-níqueis, puxando a alavanca mecanicamente, fixado naquilo, mas obviamente sem ter nenhuma diversão. A obsessão não é uma situação alegre – é uma zona na qual o animal fica cego a tudo que está ao seu redor e que *deveria* fazê-lo feliz.

Prevenindo a obsessão

1. Um passo para prevenir o comportamento obsessivo é monitorar a intensidade da brincadeira do cão. Tento supervisionar a intensidade das brincadeiras até dos meus filhos – porque um deles vai ser mais rápido, ou mais forte fisicamente. Se eu puder mantê-los em um nível moderado de intensidade, eles não vão se ferir física ou emocionalmente, mas ainda assim vão se divertir. A questão é que o cachorro precisa compreender que toda brincadeira tem limite – esteja ele brincando com uma bola ou correndo atrás de roedores. Esses limites são determinados por você, não por ele.

Corrigindo a obsessão

1. Certifique-se de que seu cão esteja se exercitando adequadamente e que não esteja com energia acumulada. Na maior parte das vezes, a obsessão é algo que o animal descobriu que pode funcionar como uma válvula de escape para a ansiedade, a frustração ou a energia reprimida.

2. Corrija o comportamento obsessivo ou possessivo imediatamente – daí a importância de *conhecer seu cão*. Você tem que ser capaz de reconhecer os sinais do corpo e da energia que mostrem que ele está em um estado obsessivo e detê-lo no menor nível, antes que tome proporções maiores. Sua tarefa deve ser corrigir o cão e colocá-lo no nível máximo de submissão, mantendo o brinquedo por perto até que ele se afaste do objeto por vontade própria. A maioria das pessoas arranca o brinquedo do animal e diz: "Não!" Ao fazer isso, podem aumentar a obsessão – transformando o objeto em uma presa e *a si mesmas* em alvos em potencial. Talvez o cão não queira morder um membro da família, mas se encontra em um estado em que não consegue se controlar. Lembre-se: os cães não raciocinam.

Lidando com o estresse no veterinário

1. Conheça o veterinário antes! Lembre-se de que seu cão não é um equipamento que você está levando para o conserto – ele é um ser que *sente* o que acontece, mas não tem as habilidades cognitivas necessárias para compreender exatamente qual é o papel do profissional de avental branco. Veterinários são seres humanos maravilhosos e dedicados – mas também são pessoas realizando um trabalho. Eles têm muitos clientes e atendem vários animais ao dia. Se o veterinário estiver em um dia ruim ou estiver estressado e o cão não o conhecer, o animal pode captar a energia do profissional e refleti-la. É por isso que recomendo uma consulta prévia com o veterinário, quando não houver a necessidade de nenhum procedimento médico ou nenhuma emergência, para que o cão possa conhecê-lo em outro contexto. Assim, o cachorro não será apenas um paciente, mas vai começar a desenvolver amizade e confiança em relação ao profissional. Acredito que a base de qualquer consulta bem-sucedida ao veterinário é a confiança – em primeiro lugar, a confiança que seu cão tem em você e, em segundo, no veterinário. Não é obrigação do veterinário estabelecer essa confiança, mas você pode adotar algumas medidas para tentar fazer com que isso aconteça.

2. No consultório, o animal será tocado de diversas maneiras que podem parecer estranhas para ele. Aconselho meus clientes a "brincarem de médico" em casa de vez em quando – com o uniforme branco, os instrumentos, o cheiro de álcool e assim por diante. Com os "procedimentos" veterinários, devem vir recompensas – petiscos, carinhos, elogios –, o que ajuda o animal a associar os cheiros e objetos estranhos a algo agradável e relaxante. Sempre que você puder preparar o cachorro para uma nova situação de modo agradável, estará facilitando as coisas para ele e assumindo o papel de líder da matilha.

3. Além de preparar o cão para o exame na consulta com o veterinário, certifique-se de que ele esteja confortável durante o traje-

to até o local. Se seu cão detesta entrar no carro e essa acaba sendo uma experiência ruim para ele e para você, esse problema precisa ser resolvido antes de mais nada. Se o animal nunca esteve na cidade, no *shopping center* ou onde quer que o consultório esteja localizado, leve-o até lá antes da consulta – não deixe que ele tenha contato com muitas coisas novas no mesmo dia! Também sugiro que você leve o cachorro à recepção do consultório sem motivo especial, apenas para que ele se socialize – é uma ótima maneira de evitar que a visita ao veterinário seja um grande evento.

4. Exercício, exercício, exercício! Um cão cansado tem menos chances de ficar ansioso. Depois de uma caminhada vigorosa de 45 minutos, ele vai aceitar melhor ficar deitado por dez minutos na mesa de exame. Quando levo meus cães de alta energia ao veterinário, gosto de levar meus patins, estacionar a alguns quarteirões de distância e deixá-los caminhar ao meu lado, presos à coleira, enquanto patino por meia hora, para cansá-los. Depois, quando os levo para dentro da clínica, peço que a recepcionista lhes dê água e um biscoito. Não sou *eu* quem oferece a água e o biscoito, mas um funcionário da clínica, para criar uma conexão mais amigável entre os cães e a pessoa desconhecida que trabalha ali. Essa é uma experiência muito diferente para o cão do que simplesmente receber um biscoito por estar entediado. Existe um apreço e uma "conversa" que acontece quando alguém satisfaz uma necessidade primal do cão, como a fome ou a sede. É uma abordagem mais natural à aproximação, diferente da abordagem artificial de "chantagear" o animal com um biscoito para que ele fique sentado na sala de espera um pouco mais.

5. É extremamente importante que *você* também esteja calmo e relaxado antes, durante e depois da consulta! Muitas vezes, os donos ficam nervosos em relação ao veterinário; sentem pena do cão por ter que ser examinado; não conseguem tolerar a idéia de ver o animal levando uma injeção ou fazendo a coleta de sangue;

ou então se preocupam demais com a saúde do animal. Seu cão capta todos esses sinais – lembre-se: você é a fonte de energia dele! Usando suas ferramentas para criar energia calma e assertiva, prepare-se mentalmente para a experiência. Coloque uma música alegre para tocar no carro durante o trajeto e irradie positividade sobre o cão. Grande parte da experiência, para ele, será o que *você* fizer dela.

6. Mesmo depois de tomar todos esses cuidados, pode ser que seu cão ainda se mostre ansioso no consultório do veterinário. Por quê? Em primeiro lugar, a sala de espera vai estar repleta de pessoas que não leram este livro! Elas estarão projetando os mesmos sentimentos de tensão e apreensão contra os quais você está tentando lutar. Assim, os cães delas estarão ansiosos. Seu cachorro vai sentir tudo isso. Além disso, o cheiro no consultório veterinário fará seu animal perceber que ali é um lugar onde existem dor e medo. Quando um cão sente medo, suas glândulas anais liberam um odor. E todos os cães sabem o que esse odor significa. *Por que esse cheiro está tão concentrado aqui? E por que estamos aqui, se minha intuição me manda fugir deste lugar onde esse cheiro é tão forte?* Sua atitude precisa ser ainda mais positiva, para contrabalancear todos esses sinais naturais que o cão está recebendo.

7. Se seu cão vai passar por um procedimento doloroso, é natural que ele tente morder. É um reflexo. Nesse caso, uma focinheira pode ser uma ferramenta excelente. É claro que você deve condicionar o animal a usar a focinheira muito antes de precisar levá-lo ao veterinário. Na verdade, é possível utilizar a focinheira como um sedativo psicológico se você condicionar seu cão corretamente. Se você seguir os procedimentos descritos no capítulo 3 e criar um experiência agradável e tranqüilizante sempre que colocar a focinheira nele, poderá fazer com que o cão a associe automaticamente ao relaxamento. Isso pode ajudar o animal a rejeitar o medo – principalmente se ele sofrer um ferimento ou um acidente repentino.

8. Se seu cão sofrer um acidente e você tiver que levá-lo ao pronto-socorro veterinário, naturalmente você será invadido por todos os tipos de emoções – medo, pânico, preocupação, histeria. Entretanto, se projetar isso ao cachorro, aumentará o medo dele, o que vai acelerar o coração, prejudicando suas condições físicas. Se você passar por essa situação, imagine que é um paramédico. Os paramédicos nunca chegam ao local onde ocorreu um acidente e dizem: "Ah, meu Deus, você está sangrando! É melhor corrermos ou você pode morrer!" Esses profissionais sempre se mantêm em um estado clássico de calma e assertividade e, ao fazer isso, relaxam e tranquilizam a vítima assustada, de modo que ajuda a salvar a vida dela. Você deve mudar seu modo de pensar e lembrar: *Quando meu cachorro estiver sob estresse, não posso adotar o estado mental de um dono de animal. Preciso ser um paramédico.* Tente se preparar para isso antes que aconteça. Você não deve esperar para fazer isso quando a situação estiver ocorrendo. Tente praticar para que, em caso de necessidade, você saiba exatamente o que fazer.

Indo ao parque

1. Assim como acontece quando vocês saem para caminhar, seu cão estará alerta a todos os seus sinais de comportamento. Se você seguir uma rotina antes de sair para ir ao parque – calçar um determinado par de tênis, pegar as chaves do carro –, ele vai perceber no mesmo instante e ficar agitado. Muitos dos meus clientes se animam nessa hora e perguntam com a voz aguda: "Ei, amigão, quer ir ao parque?" Preste atenção em todos esses detalhes. Certifique-se de que seu cão esteja calmo e submisso ao passar por *todos* esses rituais. A agitação saudável é natural – mas ela deve ser acionada por você, não pelo animal. Se seu cão ficar superagitado antes mesmo de vocês saírem, é provável que você tenha um cão descontrolado no parque.

2. Quando você conseguir sair de casa com calma e ordem, vai encontrar o próximo obstáculo no qual a agitação costuma surgir: o carro. Mais uma vez, o cão não deve sair correndo na sua frente para entrar no carro assim que a porta for aberta. Vejo pessoas dirigindo rumo ao parque com o cachorro no banco de trás pulando sem parar, colocando as patas nos vidros, ofegante a ponto de deixar os vidros embaçados! Além de não ser uma situação boa para o cão, isso pode levar você a sofrer um acidente! Se vai levar seu cachorro a algum lugar – principalmente um lugar onde ele precisa se manter calmo, e não extremamente agitado –, é preciso ter uma rotina para andar de carro, de modo que a experiência não se torne uma confusão.

3. Como você sabe, os cães tomam conhecimento do ambiente por meio da visão e da audição, mas principalmente pelo olfato. Assim, muitos cães ficam agitados já a dois ou três quarteirões do parque. Se seu cão fizer isso, pare o veículo e pratique a obediência até ele se acalmar.

4. Se todas as pessoas caminhassem com seus cães antes de ir ao parque, o resultado seriam animais e donos muito mais felizes e lugares mais seguros e agradáveis para os cães brincarem. Muitas pessoas vêem a ida ao parque como uma atividade física – até mesmo como uma substituição às caminhadas. Mas *não é assim*. A ida ao parque deve ser uma atividade psicológica e social. Seu cão pode brincar bastante e ficar cansado ao final do passeio, mas é preciso gastar a energia dele de modo primitivo antes de colocá-lo entre outros cães, para que estes não tenham que lidar com um animal frustrado com energia acumulada. Se você mora relativamente perto de um parque, vá até lá caminhando com seu cão – no caso de um animal de alta energia, coloque uma mochila nas costas dele. Se você precisa dirigir para chegar ao parque, pare o carro a três quarteirões do local e caminhe rapidamente ou corra para chegar até lá, então pare para descansar, para que o cão se torne calmo e submisso novamente antes de

vocês entrarem no parque. Se você fizer isso, pode se tornar um exemplo para os outros donos e ajudar a criar uma experiência mais agradável para todos.

5. Agora é hora de entrar no parque. Sei que muitas pessoas esperam que esse seja o momento de deixar o cão correr livremente e fazer o que quiser. Mas seu animal vai reagir de modo muito mais positivo se você criar uma estrutura para a experiência. Caminhe com calma em direção à entrada do parque e certifique-se de que o cão esteja sentado, calmo e submisso antes de entrar. Verifique se não há muitos cães – principalmente animais excessivamente agitados – perto da entrada, esperando seu cachorro chegar. Uma maneira de amenizar essa situação é insistir para que o animal preste atenção em você e o manter virado de costas para os animais de dentro do parque, até que eles percam o interesse e se afastem. É mais seguro levar seu cão para dentro quando os outros se afastarem, porque o contato visual pode fazer com que seu cachorro seja atacado ou ataque os outros.

6. Não permita que o animal o arraste para dentro do parque. Como qualquer outra experiência de entrada e saída de ambientes, é você quem entra primeiro e convida o cão a segui-lo.

7. Muitos dos meus clientes admitem que costumam ver o parque como uma oportunidade de relaxar – os cães vão brincar e os donos podem descansar por um momento. Essa não é uma maneira responsável de encarar a situação. Quando eu trabalhava levando cães para passear, costumava levar grupos de cães a parques. Nunca entrei no parque e fui direto me sentar em um banco. Eu apresentava o ambiente aos cães, observava que tipos de energia havia ali e quais seriam boas ou ruins para os meus cães. Lembre-se: a energia é mais importante que a raça. Se você observar um parque cheio de cães, verá que os animais procuram naturalmente uma energia semelhante – os brincalhões ficam todos juntos, assim como os mais durões e também os mais tímidos – como em um parquinho cheio de crianças. Por isso, to-

me o cuidado de observar a situação, então peça que seu cão o siga como se fosse apresentá-lo aos animais que você acredita que serão uma boa influência para ele.

8. Depois disso, deixe o animal fazer o que quiser por dez ou quinze minutos e então peça que o siga novamente. Dessa maneira, o cão terá a liberdade que as pessoas desejam que os animais tenham nos parques, mas não perderá a noção de que o líder da matilha está no controle. Isso é importante porque, se houver uma briga, você vai conseguir ordenar que seu cão se afaste no mesmo instante e fazer com que ele lhe obedeça naquele ambiente.

As pessoas sempre me dizem: "Mas eu quero poder conversar com os meus amigos quando estou no parque!" Este é um dos benefícios dos parques – os seres humanos abandonam seu isolamento e se unem! Depois que você tiver cumprido os procedimentos que descrevi, poderá se sentar, tomar um sorvete, fazer suas ligações ou conversar com os amigos. Mas sempre, com o canto do olho, deve verificar se seu cão está bem. Contanto que sempre haja estrutura e liderança, você e seu cão ficarão muito mais relaxados no parque.

Escolhendo um cão com a energia certa

1. Em primeiro lugar, olhe para dentro de si mesmo e analise os motivos pelos quais quer ter um cachorro. Você quer um cão por estar deprimido? Você é uma pessoa muito solitária e o cachorro será sua alma gêmea espiritual? Está apenas atraído pela aparência de determinada raça, devido a alguns traços e formas? Tudo isso são sinais de alerta e, apesar de terem boas intenções, as pessoas que adotam um cão por esses motivos geralmente acabam tendo grandes problemas com seu bicho de estimação. Seja honesto consigo mesmo. Qual é a sua energia? Qual é o seu estado

mental? É preciso identificar essas coisas antes de escolher um cãozinho.

2. Todos os cães precisam de seres humanos que possam amá-los, demonstrar carinho por eles e até se tornar uma "alma gêmea". Os cães também procuram por essas coisas. Mas o que realmente precisam, antes de mais nada, é de um ser humano que possa ser um bom líder de matilha para eles; que tenha bom senso instintivo; que ofereça exercícios e disciplina antes do carinho; e que seja capaz de estabelecer regras, limites e restrições que proporcionem uma estrutura segura para a vida do animal.

3. Depois de ler este livro, você deve saber como reconhecer qual é o seu estado emocional, que nível de energia você tem e que estilo de vida pode oferecer ao cão. O ideal é procurar um cachorro de acordo com o nível de energia. O nível de energia dele deve ser o mesmo ou menor que o seu.

4. Hoje em dia, muitas pessoas adotam cães de abrigos ou de organizações de resgate, o que eu apoio completamente. Há cachorros demais por aí sendo sacrificados porque não têm para onde ir. Mas, ao recorrer a um abrigo, é preciso ter em mente que 90% dos cães que estão ali têm algum tipo de bagagem, algum tipo de "questão". Acredito que, com a liderança correta, 99% deles podem ser recuperados. Mas é preciso prestar atenção no nível de energia do animal e ser honesto em relação ao que você consegue administrar. Se você vir um cão com belos olhos, que o façam se lembrar de um animal da sua infância, pode ser que eventuais sinais de alerta passem despercebidos, sinais que indiquem que talvez você não consiga lidar com o comportamento daquele animal.

5. Identificar níveis de energia em um abrigo não é algo muito simples. Recebo diversos pedidos de clientes para acompanhá-los ao abrigo, porque tenho experiência e sei dizer se um cão é realmente hiperativo quando ele não pára de pular dentro da jaula ou se simplesmente tem energia acumulada por estar ali há mui-

to tempo. Todos os cães presos em jaulas demonstram frustração de alguma maneira, a menos que estejam descansando. Eles podem latir, ofegar, morder um osso. Se for possível, é uma boa idéia levar um profissional com você – ou um dono de cão experiente e que tenha um animal cujo comportamento você admire. Essa pessoa vai analisar o comportamento do animal de uma perspectiva menos emotiva que você.

6. Mesmo que um profissional ou um amigo o acompanhe, recomendo sempre que você tente obter, com os funcionários do local, o máximo de informações possível a respeito do comportamento do animal. O cão fica ofegante o tempo todo ou relaxa depois que é levado para fora? Como ele costuma reagir quando visitantes se aproximam e quando pessoas que ele conhece se aproximam? Como ele reage na hora da alimentação? E quando está em contato com outros cães?

7. Se o abrigo permitir, leve para passear o cão pelo qual tem interesse. Se for possível, caminhe com ele pelo prédio, no quintal ou ao redor do quarteirão algumas vezes. Isso vai lhe dar uma idéia melhor do temperamento do cão, pois parte da energia acumulada será extravasada. Também vai ajudá-lo a ver se o cão consegue se ligar a você como líder da matilha.

8. Visitar um abrigo pode ser uma experiência triste e comovente. Você tem a oportunidade de ficar frente a frente com essas belas criaturas e perceber como nós, seres humanos, estamos sempre decepcionando a Mãe Natureza. Às vezes você fica sabendo que alguns dos cães serão sacrificados se não encontrarem um lar. Mas, se você depender apenas dessas emoções para decidir adotar determinado animal, estará entrando na vida dele com uma energia fraca. Adotar um animal por pena não é fazer um favor a ele. Pense nisso. Você gostaria de ser contratado para um emprego, convidado para sair ou casar com alguém simplesmente porque as pessoas sentem pena de você? Isso o colocaria em um estado permanentemente fraco e inseguro, não é? O mesmo se

aplica aos cães. Tente equilibrar seus sentimentos com o bom senso e saiba que, se você acabar devolvendo o animal porque não consegue lidar com ele, aumenta a probabilidade de ele ter um final infeliz.

Levando o cão para casa pela primeira vez

1. Se você vive sozinho e vai levar um cão para casa, já conhece as responsabilidades. E firmou um compromisso: dar ao animal total atenção e se comprometer com ele a longo prazo.
2. Ao trazer um animal de um canil, ou mesmo da casa de alguém, você não deve tirá-lo de um local fechado e colocá-lo em outro local fechado. Não importa se sua casa é linda ou seu quintal é enorme – se fizer isso, será o mesmo que tirá-lo de um canil e levá-lo a outro. A primeira coisa a ser feita é migrar com ele. Depois de estacionar o carro, não leve o animal para dentro de casa – dê-lhe água e leve-o para uma caminhada vigorosa pelo bairro, para que ele se acostume com o novo território e comece o processo de aproximação com você como líder da matilha.
3. Quando chegarem em casa, lembre-se de que você está trazendo o cachorro para o seu ambiente. Você entra primeiro. Depois, chama o animal para entrar. Então, em vez de deixá-lo livre para explorar o território sozinho, leve-o ao espaço onde ele vai ficar. Você deve estabelecer os limites do espaço de descanso do animal e de onde ele terá a permissão de entrar. Mais para frente, você vai deixá-lo se familiarizar gradualmente com os outros cômodos da casa. Mas é importante começar com uma estrutura sólida. Lembre-se de que muitos cães resgatados já sofreram bastante em uma vida sem estrutura nenhuma, que é exatamente o que os tornou instáveis. Você é o líder de matilha que mudará isso!
4. Quando seu novo cão estiver cansado – e talvez depois de ter sido alimentado –, pode ser um bom momento para lhe dar um

banho relaxante. Talvez você mesmo queira tomar um banho e trocar de roupa. Como você já sabe, os odores são muito importantes para o cão, e ele pode associar os cheiros do abrigo, impregnados na roupa que você usou para ir até lá, a ansiedade e frustração. Você deve ajudá-lo a associar sua casa a relaxamento e segurança.

5. No dia seguinte, comece a guiar o cão para explorar o restante da casa. Lembre-se: você não o está *privando* de aproveitar a nova casa, está simplesmente lhe dando a chance de fazer isso em etapas. Isso evita que ele fique muito agitado e torna a tarefa relaxante e agradável. Quando recebe uma visita que vai passar a noite em sua casa, você a deixa conhecer o ambiente sozinha? Não. Você a leva para conhecer cada cômodo – esta é a cozinha, este é o meu quarto, esta é a sala de jantar e assim por diante. Isso é o que precisa ser feito com o cão. Você o leva a todos os cômodos onde ele tem permissão de entrar, realizando um pequeno *tour*. Acredito ser um desafio psicológico dar ao cão uma semana para conhecer os cômodos. Ele se mostrará muito respeitoso ao final do desafio e terá uma boa compreensão do significado da cozinha, da sala de estar, da varanda, do corredor. Ele vai sentir que vive em um lugar que tem significado, muito respeitável e confiável. Isso ajuda bastante a impedir aquela conhecida experiência: "Ah, não! Meu cachorro fez xixi no sofá! Ah, não, ele não pode ficar na cozinha!", algo que pode começar a estragar a confiança que está sendo construída entre vocês. Por isso é importante ir devagar, passo a passo. E o cão não vai ficar zangado com você por não apresentar a ele todos os espaços de uma vez. Ele não vai pensar que você está sendo mau. Muitas vezes as pessoas pensam: "Meu cachorro vai ficar triste porque eu estou no quarto e ele está lá fora". Não, isso não vai acontecer. Ele simplesmente vai aprender a viver assim até que você lhe mostre outra opção.

6. Se você já tiver um cão em casa, espero que ele seja equilibrado, ou quase isso. É essencial não levar para casa um cão com ener-

gia mais alta do que a do animal que já mora ali. Se isso acontecer, este pode começar a adotar comportamentos indesejáveis que nunca mostrou antes, pois, para lidar com o novo cão, ele vai ter que se adaptar de acordo com o jeito de ser deste. No entanto, se o novo cachorro tiver energia menor que a do primeiro, ele verá o cão mais velho como um modelo a ser seguido. Obviamente, é importante extravasar a energia do novo cachorro antes de levá-lo para casa. Assim, o cão antigo não vai ter que lidar com um animal frustrado. E você deve seguir os mesmos procedimentos descritos anteriormente com o cão novo. No primeiro dia no novo ambiente, caminhe com os dois animais como uma matilha – um de cada lado, até que se habituem um ao outro. Depois disso, o primeiro cão vai ajudar a ensinar ao novo amigo todas as regras, limites e restrições da casa.

7. Se houver outros membros na sua família, é importante que todos concordem com as regras estabelecidas. Se algumas pessoas reforçam as regras e outras não, cria-se confusão. Em uma matilha na natureza, todos reforçam o mesmo comportamento. Temos que oferecer a mesma consistência que uma matilha equilibrada ofereceria. E não apenas os comportamentos, mas a energia que todos enviam ao cão também deve ser consistente. Sua família não deve agir como se sentisse pena do animal. Sentir pena dele não vai ajudá-lo – vai apenas colocar você em um nível mais baixo de energia, e parte da sua habilidade de ser uma boa influência para ele será perdida. Reúna todas as pessoas, discuta as regras e faça todos concordarem que vão adotar uma atitude otimista e positiva em relação ao novo "membro da matilha". E, obviamente, todos devem compreender a importância dos exercícios, da disciplina e do afeto – e também da paciência, pois um cão resgatado não será perfeito desde o início.

— BIBLIOGRAFIA E RECOMENDAÇÕES DE LEITURA —

CHOPRA, Deepak. *A realização espontânea do desejo: como utilizar o poder infinito da coincidência.* Rio de Janeiro: Rocco, 2005.

DE BECKER, Gavin. *Virtudes do medo: sinais de alerta que nos protegem da violência.* Rio de Janeiro: Rocco, 1999.

DYER, Wayne W. *A força da intenção: aprendendo a criar o mundo do seu jeito.* Rio de Janeiro: Nova Era, 2006.

FOGLE, Bruce. *The Dog's Mind.* Nova York: Macmillan, 1990.

GOLEMAN, Daniel. *Inteligência emocional: a teoria revolucionária que redefine o que é ser inteligente.* Rio de Janeiro: Objetiva, 1996.

GOLEMAN, Daniel; BOYATZIS, Richard e MCKEE, Annie. *O poder da inteligência emocional: a experiência de liderar com sensibilidade e eficácia.* Rio de Janeiro: Campus, 2002.

HAUSER, Marc D. *Wild Minds: What Animals Really Think.* Nova York: Henry Holt, 2000.

PEASE, Allan e PEASE, Barbara. *Desvendando os segredos da linguagem corporal.* Rio de Janeiro: Sextante, 2005.